재벌 X 형사 하권

김바다 대본집

너와숲

Flex x Cop

재벌X형사 하권

너와숲

작가의 말

어린 시절, 드라마 방영 시간이 되면
온 식구가 TV 앞에 모여 앉아 기다리던 생각이 납니다.
숨죽이고 주인공들의 대화를 들으며 함께 울고 웃고 감동하고
때로는 마음이 아파 잠 못 들던 밤도 많았습니다.
그때 드라마는 제게 멋진 환상이고 닿을 수 없는 꿈 같았어요.
세월이 흘러 제가 드라마 작가가 되었다는 사실이 아직도 믿기지 않을 때가 있는데
대본집이 나온다고 하니 정말 감개무량합니다.

<재벌×형사>를 집필하면서 제 목표는 하나였습니다.
이 드라마를 보는 분들이 힘들고 지친 일상 속에서
잠시라도 아무 생각 없이 즐거웠으면 좋겠다,
보고 나서 기분 좋게 잠들었으면 좋겠다.
제가 어린 시절 드라마를 통해 느꼈던 그 만족감을 드리고 싶었습니다.
그 마음이 조금이라도 전달되었다면 더 이상 바랄 게 없습니다.
그것이 제 보람이고 기쁨이니까요.

부족한 작품이지만, 넓은 아량으로 이해해 주시고

즐겁게 시청해 주신 여러분들께 감사드립니다.

또한 열정과 노력으로 캐릭터를 완성해 주신 배우님들께 감사드립니다.

각 사건에서 피해자 혹은 살인자의 역할을 기꺼이 해 주신 배우님들도 감사합니다.

편안하게 작업할 수 있도록 배려해 주신 이옥규 CP님, 신인수 대표님, 장원석 대표님,

멋진 작품을 만들어 준 김재홍 감독님, 행복한 현장을 만들어 준 모든 스텝분들께도

이 자리를 빌어 다시 한번 감사드립니다. 여러분을 만난 건 행운이었어요.

열심히 쓰겠습니다. 감사합니다.

작가 김바다

인물 관계도

이수의 가족

진명철
이수의 아버지, 한수 그룹 회장

조희자
명철의 아내

진승주
이수의 형, 한수 그룹 부회장

진이수
한수 그룹 막내아들, 강력 1팀 팀원

· 이수의 비서

최정운
이수의 비서, 한수 그룹 명예 이사

강하경찰서 강력 1팀

왕종태
국민자유당 3선 의원

· 이수의 친구

김영환
이수의 친구, 영화 제작사 대표

황성구
강하경찰서 서장

강하경찰서

이강현
강력 1팀 팀장

최경진
강력 1팀 팀원

박준영
강력 1팀 팀원

박찬건
강하경찰서 형사과장

안병식
강하경찰서 강력 2팀 팀장

강현의 가족

고미숙
강현의 어머니

이영준
강현의 아버지

윤지원
국립과학수사연구원 부검의

이기석
SBC 탐사보도부 기자

진이수 안보현

한수 그룹 막내아들, 재벌 3세.

노는 데 목숨 건 금수저

어마어마한 재력과 전방위로 뻗은 인맥, 한수 그룹의 모든 자원을 이용할 수 있는 능력을 창의적으로 노는 데만 쓰는 이 시대 최고의 한량.

스카이다이빙부터 헬기 조종사까지 온갖 자격증을 가지고 있고 상어 떼 속에서 다이빙하고, 레이싱 선수와 경기를 즐기는 스릴 매니아이며 수많은 팔로워를 가진 SNS 스타.

그런 이수가 사건에 휘말려 하루아침에 경찰이 됐다!
귀찮고 재미없을 거 같고 관심도 없었는데 형사들이 은근히 무시하며 도발하는 바람에
이수는 보란 듯이 사건을 해결해 버린다.
그리고 오랜만에 뿌듯한 감정을 느낀다.
아무리 열심히 놀아도 느낄 수 없었던 만족감, 보람이다.
점차 수사에 진심이 되는 이수.
노는 데 쓰던 능력들을 수사에서 펼치며 신나게 범인을 잡자,
무의미했던 그의 인생에 의미가 생기기 시작한다.

그렇게 진짜 경찰이 되어 가던 어느 날,
이수는 어두운 과거의 비밀과 맞닥뜨리게 되는데….

이강현 박지현

강하경찰서 강력 1팀 팀장.

수사에 목숨 건 형사

경찰이라는 자부심과 책임감이 강한 워커 홀릭.
피해자의 마음을 헤아리며 수사에 진심을 다하는 베테랑.
취미도 없고, 연애도 안 하고, 첫 체포가 첫 키스보다 짜릿했다는 천생 형사다.
오랜 세월 경찰 생활을 한 아버지를 존경해 어린 시절부터 꿈이 경찰이었다.
경찰이라면 지긋지긋하다는 엄마의 만류에도 불구하고 경찰대에 들어갔고,
강력계에 들어온 지 3년 만에 악성 수배범 34명을 잡고 1계급 특진. 경감이 됐다.

짧은 경력에 팀장을 달았으나, 아버지가 뇌물 수수 혐의로 파면당하면서
선배 형사들의 질투와 혐오를 꿋꿋이 버티고 있다.
언젠가는 자신의 힘으로 아버지의 누명을 벗기겠다는 각오로.

그런 그녀 앞에 재벌 3세가 낙하산으로 떨어졌다!
귀찮고 신경 쓰이는 이수를 어떻게든 쫓아내려고 했는데,
이 녀석이 생각지도 못한 방식으로 사건을 해결해 버린다.
자존심 상하게도 자꾸 신세 질 일이 늘어간다.

게다가 진이수, 점점 진심이다.
이게 아닌데 하면서도 점차 이수의 페이스에
말리기 시작하는 강현.
그게 그리 나쁘지 않다.

강하경찰서 사람들

박준영

강하경찰서 강력 1팀 팀원.

강상준

차분하고 이성적인 성격.
흑과 백, 선과 악, 내 편과 적을 확실히 가르고 그 기준에 따라 움직인다.
감정에 흔들리지 않고 범죄자는 범죄자일 뿐이라는 단호한 태도를 갖고 있다.

듬직하고 다정한 강현의 베프.
언제나 강현에게 든든한 버팀목이자 지원군이다.
강현과는 경찰대 동기로, 마음이 잘 맞는 오랜 친구.
수사를 하면서 서로 눈만 마주쳐도 무슨 생각인지 안다.

그런데 철없는 재벌 3세가 형사랍시고 나타나더니
강현의 파트너 자리를 노리기 시작한다.
그게 영 못마땅하다.

최경진

강하경찰서 강력 1팀 팀원.

김신비

머리도 좋고 센스도 좋은데 깊이 생각을 안 한다.
시키는 일은 열심히 하는데 실수가 잦고 어리바리한 느낌도 있다.
눈치가 없는 건지, 일부러 그러는 건지, 하고 싶은 말은 다 하고 산다.
2년 된 여친과 꽁냥거리느라, 셀럽들 피드에 '좋아요' 누르느라 업무에 지장이 좀 있다.
물론 이수의 팔로워.
좋아하는 거 많고, 그걸 다 표현해야 하고 자기 욕망에 충실하다.
일이 사생활을 침해하는 걸 정말 싫어한다.
야근과 잠복, 너무 싫다.
제일 한가한 부서가 어디인가 연구 중. 언제든 튈 생각이었는데,
이수가 팀으로 들어오면서 뭔가, 사는 게 재미있어졌다.

황성구 김병춘

강하경찰서 서장.

경찰로서의 사명감은 잊은 지 오래. 옹졸하고 비겁하다.
은퇴를 앞두고 있어서 작은 바람에도 몸을 사린다.
대충 넘어가고, 조용히 사건을 종결하는 게 최선이라고 생각하는데,
자꾸 사건을 키우는 강현이 언제나 눈엣가시다.

박찬건 이도엽

강하경찰서 형사과장.

자부심 강한 원칙주의자.
어떤 상황에서든 옳고 그름을 확실히 따져 공명정대하게 움직인다.
강현의 아버지가 사수였다.
존경했던 선배가 뇌물 수수 혐의로 파면되자 배신감마저 들었고,
그 영향으로 강현을 싫어한다.

안병식 김결

강하경찰서 강력 2팀 팀장.

연차로는 강현보다 한참 선배지만 7년 차 만년 경위다.
나이도 어린 강현이 실적 올리는 꼴이 보기 싫다.
틈날 때마다 강현을 괴롭힌다.

이수네 가족

진명철 장현성

한수 그룹의 회장.

타고난 안목과 영민한 머리로 젊은 나이에 여러 형들을 제치고 회장 자리에 앉았다.
현재 한수 그룹은 전자, 물류, 제약, 화학 등의 계열사를 거느리고 있다.
자수성가한 아버지로부터 권위적이고 강압적인 교육을 받은 명철은
자식들에게 엄하고 무뚝뚝한 아버지다.
부하 직원들에게는 예의가 바르지만, 쉽게 곁은 주지 않고
내 사람이 아니다 싶을 때는 냉정하게 내치는 보스다.
그런 명철에게 가장 큰 골칫거리는 이수다.
이수는 늘 방황하며 사고를 쳤다.
명철은 회사 일에 관심 없이 놀기만 하는 이수에게 실망하다 못해 포기한 상태.
시장 선거에 출마한 명철에게 이수가 찬물을 끼얹으면서
부자 관계는 돌이킬 수 없게 되고 마는데….

진승주 곽시양

이수의 형, 한수 그룹 부회장.

명민한 머리와 부드러운 카리스마를 갖춘 차기 한수 그룹의 회장.
누구에게든 젠틀하고 반듯하다. 외강내유 스타일.
이수에게는 세상에서 가장 가까운 친구이자 형제.
승주는 이수가 뭘 하든 언제나 응원해 주고,
명철과 대립할 때는 중재를 해 주는 지혜롭고 속 깊은 형이다.
하지만 일을 할 때의 승주는 전혀 다른 모습을 보인다.
감정을 배제하고 냉철하게 능률과 성과만을 생각하고,
몇 수 앞을 내다보며 두뇌 회전이 빠르고 능수능란한 지략가.
그게 승주다.

최정훈 김명수

이수의 비서, 한수 그룹 명예 이사.

선대 회장이 아꼈던 인물로 한수 제약의 대표를 역임했다.
4년 전, 은퇴를 하려던 정훈에게 명철은 방황하는 이수를 맡아 달라고 부탁했고
현재 은퇴를 미루고 이수의 곁을 지키고 있다.
마치 배트맨의 알프레드처럼 모든 것을 챙겨 주고 수많은 정보를 찾아 주는 정훈은
세상에서 가장 이수를 잘 아는 사람이다.
어떤 일에 휘말리든, 어떤 사고를 치든, 이수를 보호하고 지켜 준다.
어쩌면 이수가 바라는 아버지상이 정훈일지도 모른다.
그 따뜻함 덕분에 이수는 이제까지 잘 버텨 왔다.

언제나 인문학 서적을 끼고 사는 로맨스 그레이,
세련된 패션 감각을 지닌 멋쟁이.

조희자 전혜진

진명철의 처.

산업자원부 장관 집안의 딸.
명철과 정략결혼을 했다.
곱게 자란 갑질의 여왕. 분노 조절 장애에 알코올 중독.
손아랫사람은 누구든 한 번씩 따귀를 맞은 적이 있다.
업다운이 심하고 제멋대로라 기분 맞추기가 고역인 인물.
아들인 승주에게는 둘도 없이 자상하고 따뜻한 엄마이지만
친자식이 아닌 이수에게는 분노의 화신.

강현네 가족

이형준 권해효

강현의 부, 과거 강하경찰서 형사과장.

속이 깊고 따뜻하며 올바르다.
강력계에만 삼십여 년을 있었던 베테랑 형사였지만
일 년 전, 누명을 쓰고 경찰 생활을 접어야 했다.
이제 긴 시간 고생한 아내를 위해,
좋은 형사가 되고자 애쓰는 딸을 위해 살고자 한다.
본래 서예를 좋아해서 글을 썼었지만, 글이 싫어져서 사군자를 배우고 있다.
작은 텃밭에서 야채를 키우며 평온한 삶을 사는 중이다.

고미숙 윤유선

강현의 모, 가정주부.

귀여운 속물. 참견 많은 동네 통장.
형사 남편을 둔 죄로 무슨 일이든 혼자서 다 처리하고 외로운 척 한번 없이 30년을 버텼다.
젊었을 때는 범인 잡는다고 집에 들어오질 않더니
퇴직하고 집 안에 들어앉아 늙어 가는 남편을 보면 속이 상한다.
어떻게든 나가서 뭐든 했으면 좋겠어서 들들 볶는다.
강현이가 좋은 사람 만나 결혼하는 게 소원인데, 앞집에 이수가 이사 와서 신이 난다.

그 외 등장인물

윤지원 정가희

국립과학수사연구원의 부검의.

고혹적인 외모에 우아한 옷차림. 고상한 말투의 소유자.
살았건 죽었건 오로지 사람 몸에만 관심이 있는 괴짜.
살인의 과정이나 상처를 설명할 때 살인자로 빙의해 그 행동을 직접 보여 주는 취미가 있다.

김영환 최동구

이수의 중학교 친구, 영화 제작사 대표.

중학교 시절에 이수를 처음 만났다.
집안의 사업이 망하면서 미래가 불확실해지자, 영환은 돈을 노리고 이수의 친구가 되었다.
외롭고 위태로운 이수의 마음을 이용해 돈을 융통하고 호화롭게 사는 중이다.

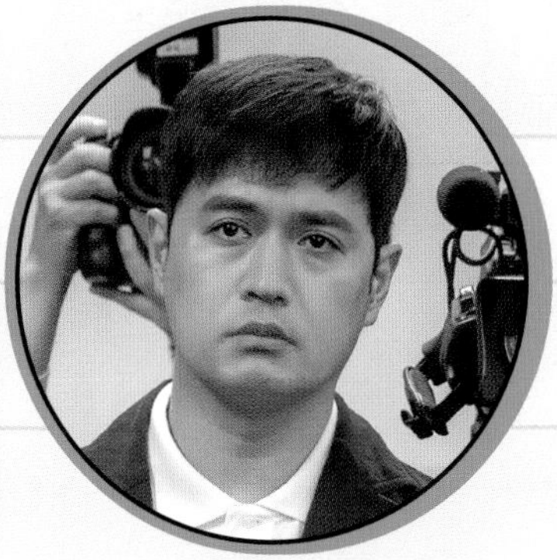

이기석 서동원

SBC 탐사보도부 팀장.

특종을 위해서는 무슨 짓이든 할 수 있는 두뇌 회전이 빠르고 이기적인 속물.
사적인 감정은 없다. 팩트는 팩트일 뿐.

왕종태 장혁진

국민자유당 3선 의원.

약삭빠른 기회주의자. 비열할 만큼 자기 잇속을 챙긴다.
국회의원을 3선까지 할 수 있었던 이유는 단 하나, 네거티브 전략이다.
이번에는 진명철의 상대 진영 후보로 서울시장 선거에 출마했다.

CONTENTS

ep.09

범인을 못 잡았나요?

1. 이수의 환영

늘 봐왔던 그림 앞에 서 있는 이수 컷.

고개를 숙여 바닥의 작은 문을 보는 이수 컷.

문을 여는 이수의 손.

문 아래로 이어진 계단 컷.

계단을 내려가는 이수 컷.

아래로 암흑에 잠겨있던 공간이 이수가 내려가면 밝아진다. 컷

바닥에 또 문이 있다. 문을 열고 내려가는 이수 컷컷.

(다시 문을 찾고, 계단을 내려가는 동안… 이수는 점점 어려진다)

그리고 마지막 문을 열었을 때, 이수 옛집의 나무 계단이 나온다.

걸어 내려가는 이수의 발은 7살짜리의 것이다.

계단을 내려와 화장실로 향하는 어린 이수의 뒷모습.

그리고 그곳 욕조에 잠겨 죽어 있는 엄마의 모습이 나타난다!!

2. 변호인 접견실, 오전

소파에 앉아 있던 이수, 일그러진 얼굴로 비명을 지르며 깨어난다!!
하얗게 질린 이수의 얼굴!!

3. 구치소 곳곳, 오전

걸어가는 이수, 하얗게 질린 얼굴. 세상이 빙빙 돈다.

4. 구치소 주차장, 오전

정신없이 차까지 왔지만 여전히 정신이 없는 이수.
차에 기대어 수그리며 얼굴을 가린다… 거친 숨소리…
새로운 기억이 받아들여지지 않는다.
한참을 그러고 섰다가… 고개를 들고 차에 올라 출발하는 이수.

5. 도로, 이수의 차 안, 오전

달리는 이수, 충격이 분노로 변해 간다.

6. 한수 그룹 전경, 낮

건물 안으로 거칠게 달려 들어가는 이수의 차.

7. 한수 그룹 주차장, 낮

주차요원들 이수를 알아보고 인사를 하려는데,
차 문 열어 두고 화난 얼굴로 들어가는 이수.

8. 한수 그룹 대회의실, 낮

#복도

대회의실 앞, 직원들이 서서 대기 중인데.
이수, 거칠게 들어간다.

직원 (놀라 막으려 하며) 임원진 회의 중이십니다.

직원이 막을 새도 없이 거침없이 문을 여는 이수.

#회의실 안

이수, 벌컥 문을 열면,
명철, 승주, 임원진들, 뭔가 중요한 회의 중이었던 분위기 깨지고.
모두 멈춘 채, 이수를 본다.

이수 (명철을 노려보며) 나를 속였어요?!!

명철 (이수를 보는)

승주 (놀라 일어나 이수 쪽으로 향하는데) 이수야….

이수 (성큼성큼 들어오면서) 나를 속였냐고!!!!

명철, '사실을 알았구나.' 하는 얼굴로 이수를 보고.
승주가 임원들을 보면, 알아서 빠져나가는 사람들.
승주는 이수에게 다가서는데, 명철이 승주를 본다. 너도 나가라는 눈빛.
멈칫하던 승주, 나가면서 문을 닫는다.
화나서 명철 앞에까지 걸어간 이수.

이수 엄마가… (말이 목에 걸린다… 주먹 쥔다) 엄마가… 자살했어요?

명철 (무겁게 끄덕인다) 그래….

이수 근데 왜 날 속였어? 왜 나를 바보로 만들었어!!

명철 난 널… 지킨 거다….

이수 (무슨 소린지 모르겠고 계속 화가 나고) !!

명철 넌… 네 엄마 옆에 쓰러져 있었어….

이수 (명철을 보는데)

9. 명철의 회상 몽타주

#이수의 옛집

열려 있던 현관문으로 들어오는 명철.

화장실, 선영을 발견하고 경악하는 명철.

욕조 옆, 바닥에 쓰러진 어린 이수(넘치는 물에 젖은)를 안아 일으키며 숨을 쉬는지 확인하는 명철.

거실, 소파에는 이수가 누워 있고,

도착한 최 이사가 넋 나간 명철을 여기서 피하라고 밖으로 밀고. (약간 강하게)

집 앞, 명철이 대기 중이던 차에 타고 불안하게 집을 보는데 출발하는 차.

도로, 경찰차와 스치며 다가오는 경광등 불빛이 스치는 명철의 얼굴.

명철 E 그 충격으로 넌 아무것도 먹지 않고, 말도 못 하게 됐다.
정신과 치료를 해도 소용이 없었어….

#정신과 치료실

장난감들이 있는 하얀 공간.

어린 이수는 넋이 나간 듯 허공을 보고 있고.

유리 벽 너머에서 그런 이수를 보는 명철.

그 뒤로 젊은 서 박사가 걸어와 옆에 선다. 서 박사를 보는 명철.

명철 E 방법은 기억을 지우는 것뿐이었다.

#병실

침대에 앉은 이수의 손에 등대 오르골을 쥐여 주는 서 박사.
오르골을 바라보는 이수.
멀리서 보고 있는 명철.

CUT TO
밤, 자고 있는 이수를 내려다보는 명철.
그만 나가려는데, 이수가 명철의 손을 잡는다.

어린 이수 아저씨… 우리 엄마 어디 있어요?

이수를 내려다보는 명철… 눈에 측은한 마음이 비친다.

10. 한수 그룹 대회의실, 낮

#회의실 안

여전히 굳은 얼굴로 명철을 보는 이수.

명철 (차분한) 그렇게 너를 구한 거야.
이수 왜… 사실대로 말 안 했어요?
명철 네가 그 집으로 돌아갔을 때부터 불안했다. 서 박사에게서 연락도 받았어.
이수 (명철을 보는)

명철 널 수사에서 제외시키고 그 집에서 나오게 하려고 했지. 그런데… 최 이사님 생각은 달랐다.

INSERT. *조용한 BAR. (작고 허름한, 두 사람의 아지트 같은 느낌)*
무거운 얼굴로 앉아 있는 명철과 최 이사.

최 이사 *어쩌면 좋은 기회일지도 모르죠….*

명철 *(보면)*

최 이사 *이제. 이수도 알아야 할 때가 됐으니까요.*

명철 *(천천히 위스키 잔을 흔들며 생각에 잠기는)*

명철 네가 이제 기억을 감당할 만큼 컸다고 하더구나.

이수 (명철을 보는데)

명철 하지만… (차가워지는) 역시 아니었던 거지.
넌 아직도 기분에 따라 생각 없이 행동하는 철부지일 뿐이야.

이수 (명철 보다가 차분해지고) 엄마가… 왜 그렇게 죽었어?

명철 ('다음 말은 하지 마라.' 노려보는데)

이수 당신 때문이잖아. 엄마는 그렇게 죽을 사람이 아니야… 그렇게 죽어서도 안 되고!! 당신이 그렇게 만든 거야!!

명철 (일어서며 버럭) 함부로 떠들지 마!!… 내가 사랑했던 여자다.

이수 (기가 차고) 사랑? 당신이 사랑이 뭔지 알아?

명철 (보는데)

이수 자기 자리 지키려고 임신한 여자를 버리는 거, 그거 사랑이라고 안 해.
계산이라고 하지. 당신은 엄마도, 나도 망쳤어.

명철 (굳어 보는데)

이수 (명철 앞에 있던 명패를 쳐서 떨어뜨려 깨 버린다) 사랑 같은 소리 하지 마. 역겨우니까!

걸어 나가는 이수. 굳어 보는 명철.

#회의실 앞

서 있던 승주, 이수가 나오면 잡으려고 하는데,
이수는 대꾸도 없이 팔을 빼고 걸어간다.
그 모습을 보다 열린 문틈으로 명철을 보는 승주.
텅 빈 회의실에 홀로 앉은 명철… 무거운 얼굴로 먼 곳을 본다.

11. 도로, 이수의 차 안, 해질 녘 – 밤

거리를 그냥 하릴없이 달리는 이수. 생각이 많은 얼굴.

12. 이수의 집 앞, 밤

이수, 차를 세우고, 기운 없이 내리고…
대문을 열려고 손잡이를 잡다가 멈춘다. 들어가지 못한다.
그대로 눈물이 터진다. 울컥 터진 울음이 흐느낌이 되고…
서서히 무너지며 주저앉는다… 한참을 웅크려 우는 이수….

CUT TO
강현의 차가 골목을 올라온다.
이수가 들어왔나 잠시 이수 집을 보던 강현이 대문 앞에 고개 숙이고 앉은 이수를 발견한다. 차에서 내려 이수에게 다가가는 강현…
불길한 느낌에 천천히 다가가… 이수의 어깨에 부드럽게 손을 올리는 강현….

강현 진이수….

이수 (고개를 들어 강현을 보는)

강현 무슨 일이야?

이수 (멍하니) 집에… 들어가질 못 하겠어….

'어머니 사건을 알게 된 건가….' 이수를 보는 강현.

강현 (표정 관리하고) 좀 걸을까?

이수 (강현을 보는데)

13. 동네 어딘가, 야경이 예쁜 장소, 밤

언덕 아래로 펼쳐진 야경. 반짝이는 크고 작은 불빛들.
벤치에 앉아 멍하니 보고 있는 이수.
마음을 다스리듯 천천히 숨을 쉬는데….

강현 E 경치 좋지?

이수, 돌아보면, 강현이 차 두 잔 들고 서 있다.

강현 (옆에 앉으며) 머리 복잡할 때 여기 오면 좀 괜찮아지더라고.

강현이 차를 내밀면 받는 이수에서.

CUT TO
벤치에 앉아 말없이 차를 마시는 두 사람.

이수는 가라앉았고, 강현은 기다린다. 바람이 스친다.

강현 (이수를 보고) 무슨 생각해?

이수 (시선 떨구고 멍하니) 내가 얼마나 한심하고 멍청한 놈인가… 그런 생각.

강현 (보는데)

이수 아무 것도 모르고 아무 생각도 없고 엉망으로 살았는데…
오늘 알았어. 엄마가 어떻게 돌아가셨는지… 교통사고가 아니었어…
(힘들게) 엄마는….

강현 (시선 돌리며) 말 안 해도 돼… 알아.

이수 (강현 보고) 어떻게…?

강현 (이수 보지 않고) 우연히… 기록을 봤어.

이수 맞아? 진짜… 그런 거야?

강현 (이수 보고 천천히 끄덕이는) 우울증이 있으셨대….

이수 … 나 때문일까….

강현 (걱정스럽게 보는데)

이수 혼자서 아들 키우는 거 힘들었겠지….

강현 (자살자 유족들을 많이 봐 왔다) … 그런 생각은 하지 마.

이수 (강현을 보는)

강현 남겨진 사람들은 이유를 알고 싶어 하지만… 답은 없어.
그냥… 그런 일이… 벌어진 거야….

이수, 생각에 잠기며 가라앉는다.
강현, 가만히 본다. 그러다 무슨 생각이 났는지 속으로 결심하고.

강현 나 만날 사람 있어서 일어날게. 천천히 쉬다 내려가.

이수 (강현을 보면)

강현 (무슨 말을 할까 하다가) 내일 보자.

이수 (내일을 생각할 여유는 없다)

강현 갈게.

강현, 걸어가다 돌아보면, 멍하니 앉은 이수의 뒷모습에서.

14. 이수의 집 앞, 밤

이수의 차 앞에서 전화를 하는 최 이사.
차 안에서 울리는 핸드폰을 보고 난처한 얼굴로 전화를 끊는 최 이사.
이수가 어디로 갔는지 모르겠고 걱정되는데…
골목으로 걸어 내려오는 이수. 천천히 다가가는 최 이사.

이수 (기운 없이) 아저씨….

최 이사는 다 안다는 듯 쓸쓸한 미소로 이수를 본다.

15. 카페, 밤

낡고 딱딱한 분위기의 카페. 침침한 조명 아래, 강현이 누군가를 기다리고 있다. 이어 나타나는 이 기자.

이 기자 이 팀장이 무슨 일이야, 나를 다 찾아오고?

강현 (굳어 보는) 진이수, 어머니 기사 쓰고 있죠?

이 기자 (피식) 이 바닥은 비밀이 없어.

강현 쓰지 마세요.

이 기자 이런 걸 뭐라고 하지? 언론 탄압? 이것도 기사 되겠네.

강현 (싸늘) 기레기에도 레벨이 있잖아요. 아예 쓰레기가 되진 말아야죠.

이 기자 쓰레기가… 돈을 잘 버는 세상이야.

강현 그 돈이 어디서 나올지… 왠지 알 것 같네.

이 기자 (보면)

강현 당근하고 채찍. 하나씩 드릴게요.

이 기자 (보는데)

강현 기사가 나가면, 당신이 왕종태 의원과 모종의 관계가 있는지… 내가 가진 모든 수단을 동원해서 파헤칠 겁니다.

이 기자 (굳어 보고)

강현 기사가 안 나가면… 특종을 드릴게요.

이 기자 (씩 웃고) 서 박사 환자 파일이라도 주나?

강현 그건 분실됐어요. 대신 다음 사건에서 단독 보도, 약속할게요.

서로 보는 강현과 이 기자에서.

16. 명철의 집 서재, 밤

넓고 조용한 서재 안.
무겁게 가라앉은 명철의 얼굴.
서랍 안쪽 깊은 곳에서 뭔가를 꺼내는 명철.
보석 상자와 카드다. 카드 봉투를 열면, 선영의 사진이 나온다.
(이수의 침대 옆에 있던 사진. 그 사진은 이수가 찍은 게 아니고, 명철이 찍어 준 것이었다)

INSERT. *넓고 평화로운 잔디밭.*
커다란 나무 아래, 나뭇가지 사이로 쏟아지는 햇빛.

돗자리를 깔고 누워 있는 젊은 명철, 그 옆에 앉은 선영.

(명철은 일하다 잠시 짬을 낸 것 같은 느낌으로 정장 차림)

명철이 햇살에 선영을 잠시 보면, 바로 사진의 그 앵글, 그 옷차림이다.

꿈같고 너무 먼 기억이다.

현실, 선영의 사진을 가만히 보는 명철…

서재 안으로 들어오던 승주가 그 모습을 보고 멈춰 선다.

말을 시킬 수 없는 분위기에 명철을 잠시 보는 승주에서.

17. 도로, 최 이사의 차 안, 밤

무거운 얼굴로 눈을 감은 이수.

이수를 보다가 운전하는 최 이사. 깊은 얼굴.

18. 호텔 전경, 밤

호텔 안으로 들어가는 최 이사의 차량.

19. 호텔 펜트하우스, 밤

문이 열리고 들어가는 이수… 따라가는 최 이사.

이수 기운 없이 들어가 침대에 누워 버린다.

아무것도 하기 싫다는 듯 이불을 머리까지 덮는 이수.

그 모습을 잠시 보다가… 불을 꺼 주는 최 이사… 암전.

20. 동양 호텔 전경, 오후

낮이지만 먹구름이 가득한 하늘 아래, 불길하게 서 있는 동양 호텔.

일제 강점기 건물이다.

비가 내리기 시작하고, 자동차가 와서 선다.

내리는 인물은 하남수(20대 후반, 세련된 차림의 멋쟁이)이다.

아래로 배우 이름 뜬다. <자막: 하남수>

중절모 '탁', 올리며 건물을 올려다보는 하남수. 날카로운 눈빛.

21. 동양 호텔, 오후

#로비

아무도 없는 카운터. 어두침침한 조명.

하남수, 차임벨을 울린다. 뒤에서 조용히 나타나는 지배인. (공포 영화에 나올 듯한 의뭉스런 태도)

#복도

어두운 복도, 곳곳에 거울이 있는.

지배인을 따라 걷는 하남수.

#BAR

고풍스럽게 꾸며진 BAR로 안내되는 하남수.

테이블 세트 있고, 하남수, 가방을 내려놓고 앉는다.

곧이어 여주인이 나타난다.

고급 의상에 강단 있어 보이는 50대 여성 백상희다. <자막: 백상희>

상희 (와인 병을 들고) 술? 아님 차?

남수 (손 젓고) 됐습니다, 놀러 온 거 아니잖아요.

상희 (와인 한 잔 따라 들고 마주 앉고, 가늠하듯 본다) 젊네.

남수 (자신감) 젊고, 실력도 좋죠. 흔치 않은 케이스.

상희 (건방진 게 맘에 든다. 피식, 이내 정색하며) 어제까지 우리 호텔에서 세 명이 죽었어요.

INSERT. *사건 현장의 모습들.*

1. 방 안, 침대 위, 하늘을 보고 죽은 남 1, 한복을 입은 초로의 남자다.
하얗게 질린 얼굴이 부어 있다. 눈을 부릅뜬.

상희 E *뭔가 보지 말아야 할 걸 본 것처럼. 모두 공포에 질린 얼굴이었죠.*

2. 욕실, 커튼 쳐진 샤워기 아래, 웅크리고 죽은 남 2, 일본군 제복 입은 30대.
욕실에 숨어 있었던 듯, 하지만 역시 하얗게 부은, 질끈 감은 눈.

3. 창문 앞에 쓰러진 남 3. 20대 초반, 부잣집 도련님 복장. 창문을 열려고 했던 흔적, 나무 창문에 긁힌 손톱자국, 손톱이 부러진 채 구석에 쓰러져 있다.

상희 E *사건이 일어난 곳은 모두 307호.* (호텔 방문 닫히면, 307호 호실판 컷)

남수 (상희를 보고 있는)

상희 사인은 모두 익사.

남수 (놀라 보는)

상희 물에 잠긴 적도 없는데 익사로 죽은 거죠. 방 안에서.

남수 같은 장소에서 일주일 사이에 셋이나 기이한 방법으로 죽었다…
이런 사건을 따라가다 보면 결국 끔찍한 비밀을 찾게 되죠.

상희 (보는데)

남수 (지그시) 당신에게도 그런 비밀이 있나요?

상희 (와인 잔 돌리며 서늘하게 본다)

지금 같은 시대에 더러운 비밀 하나 없는 사람이 있을까…

당신도 있을 거 같은데?

남수 (피식) 죽은 세 사람이 어떤 관계인지 알아봐 주세요.

전 307호의 비밀을 알아내죠. ('씩-' 웃고)

22. 동양 호텔 307호, 밤

#문앞

307호 적힌 호실판. 들어가는 하남수.

#방안

방 안을 살피는 하남수, 손톱에 긁힌 창문틀, 피해자가 죽어 있던 화장실, 침대 곳곳을 살피고, 양복 상의를 벗고, (멜빵에 건슬링 - 퇴마 도구가 들어 있다)
가방에서 방울이 달린 팔찌를 꺼내 흔든다. 아무 소리도 나지 않는다. 안에 구슬이 없기 때문이다. (귀신이 나타나면 울린다)
협탁에 방울 팔찌와 퇴마용 단검을 나란히 놓고 침대에 눕는 하남수.
다리를 꼬고 모자 얼굴에 덮고 편히 누워 기다린다….

INSERT. 복도 끝.
12시, 낡은 괘종시계, 12번 길고 불길하게 울린다. '뎅… 뎅…'

괘종시계 소리를 들으며 일어서는 하남수.
멈춰 주변을 느껴 보는데 아무 낌새가 없고.

#화장실

하남수, 물을 틀고 손을 씻는데… 어느샌가 피가 흘러나오기 시작하고.

그걸 보던 하남수, 수도를 잠그고 나간다.

#방안

방울 차고, 건슬링에 칼 꽂고 조심스럽게 나가는 하남수.

23. 동양 호텔, 밤

#복도

붉은 융단이 깔린 어두운 복도를 걸어가는 하남수.

복도는 사방에서 교차 되는 미로 같고 곳곳에 거울이 달려 있다.

하남수, 긴장해 걸어가는데 남수 뒤로 거울에 비치는 여자의 실루엣.

길고 검붉은 드레스를 입은 여자. 순간, 방울이 '딸랑~' 소리를 낸다.

하남수, 돌아보면 아무도 없고, 먼 곳의 거울에 다시 스치는 여자의 실루엣.

하남수, 거울이 있는 방향으로 뛰어가고.

#계단

카펫이 깔린 계단을 날듯이 뛰어 내려오는 하남수.

#로비

텅 빈 로비, 하남수는 소리에 귀를 기울이는데.

열린 뒷문의 창에 여자의 실루엣이 스친다. 튀어 나가는 하남수!

#마당

방울이 미친 듯이 울어 대고 하남수는 돌담 앞까지 방울의 진동을 따라 달린다.

그 끝에는 나무 합판으로 막힌 뭔가가 있다. 위에는 죽은 나뭇가지들.
나뭇가지 치우고 합판 뚜껑을 열면! 나타나는 우물!!
그 안에 여자의 얼굴이 스친다. 하남수, 건슬링에서 부적 뭉치를 꺼내 불붙여 우물 안으로 던지면, 허공으로 터지는 여자의 비명. 그리고 엄청난 바람이 하남수를 집어 던진다.
바닥에 쓰러지는 하남수, 그와 동시에 방울이 멈추고. 사방이 조용해진다.

#3층 복도
엉망이 된 옷을 털며 걸어오는 하남수.
그때, 305호의 문이 벌컥 열리며 한유라가 나오다가 하남수와 부딪친다.
(한유라, 6부에서 영환이 소개해 줬던 배우, 흰 잠옷)
넘어질 뻔하는 한유라의 허리를 안아 붙잡는 하남수에서.

24. 동양 호텔 세트장, 밤

멜로 눈빛으로 서로를 보는 한유라와 하남수.

감독 E 컷!! 오케이!!

보면, 촬영 중인 세트장이었고. 스태프들 움직이는데, (영환도 있다)
여전히 한유라의 허리에서 손을 안 떼며 웃는 하남수.
한유라, 일어나며 하남수 손 치고, 하남수는 '내가 뭘?' 하는 제스처.
재수 없다는 듯 보는 한유라. 다가와 한유라를 살펴 주는 헤어 메이크업 팀원.

CUT TO
연출팀이랑 촬영 컷을 보며 상의하는 감독. 연출부에게 끄덕이고.

감독 오늘 촬영 여기까지입니다. 모두 수고하셨습니다. (박수 치고)

전 스태프 박수 치고, 한유라는 분장실로 들어가고, 하남수는 밖으로,
보고 있던 백상희도 자신의 분장실로 가고,
멀리서 보고 섰던 영환은 2층에 마련된 사무실로 들어간다.
스태프들 하나 둘 흩어지며 장비를 정리하기 시작한다.

스태프들이 빠져나간 세트장 곳곳에서 하나 둘 불이 꺼지고…
한유라의 분장실에서만 빛이 흘러나온다.
문틈으로 보이는 한유라, 핸드폰을 보고 있고
시선을 느끼고 카메라를 보면, 문이 '탁' 닫히면서 암전.

25. 세트장 전경, 아침

안개 낀 세트장 전경, 차량 한 대 와서 서고.
제작 연출부 스태프 몇이 내린다.
육중한 세트장의 문을 열고 들어가는 조감독.

26. 세트장 내부, 아침

#곳곳
조감독, 복도를 지나가며 불을 하나씩 켜고 확인한다….

#호텔 BAR
그러다 호텔 BAR에 들어서는 조감독, 불을 켜는데,
카운터 자리에 누군가 앉아 있다. 앞서 거울에 비쳤던 붉은 드레스를 입은

여자… 앞에 와인 잔 있고… '뭐지.' 긴장하며 다가가는 조감독. 살짝 고개 숙여 보는데, 한유라다. 마치 생각에 잠긴 듯 턱을 괴고 앉은 한유라…
천천히 한유라의 어깨에 손을 대는 조감독.

조감독 유라 씨?

순간, 균형이 무너지며 테이블 위로 쓰러지는 한유라의 시신!! 떨어져 깨지는 와인 잔!
비명을 지르는 조감독!!
스태프 여럿 들어와서 한유라를 보고 놀라고!!

#2층 사무실 앞
영환, 잠에서 덜 깬 얼굴로 무슨 소란인가 나온다. (얼굴만 보인다)
영환이 계단을 내려와 호텔 BAR로 갈 때까지 따르는 카메라.
BAR 입구에 들어선 영환. 등지고 한유라 곁에 몰려선 스태프들 보이고.

영환 무슨 일이야?

하면, 일제히 돌아보는 스태프들, 얼어붙어 영환을 본다.
이제 영환의 전신이 보이는데, 흰 셔츠가 피범벅이다.
시선에 놀란 영환이 자신을 보고 손을 본다. 손에도 피가 묻어 있다.

27. 강하경찰서 전경, 오전

28. 강력팀 사무실, 오전

조용한 분위기. 1팀 각자 책상에서 사무 중.
이수의 커다란 책상이 비어 있다.
빈 책상을 가만히 보는 강현.
핸드폰 열어 이수에게 전화를 할까 하는데.

경진 이수 형님 안 오시네요?
강현 (핸드폰 닫고) … 이제 안 올지도 몰라.
준영 (그 말에 고개를 들고) 무슨 일 있어?
강현 그냥… 개인적인 일….

뭔가 허전한 1팀인데…
형사과장이 급히 들어온다. 일제히 인사하며 일어서는 1팀.

형사과장 (메모지 강현에게 주며 조용히) ○○으로 가봐. ××세트장. 살인 사건이다.
강현 (보면)
형사과장 배우가 죽었어. 한유라.
팀원 (놀라 보는데)
형사과장 이 건, 1팀이 맡는다. 기자들한테 새어 나가지 않게 조심하고!
강현 (무겁게) 네!

29. 호텔 펜트하우스, 낮

소파에 멍하니 앉아 있는 이수.
옆 협탁에는 손도 안 댄 룸서비스 쟁반.
떨어져 서서 이수를 보고 있는 최 이사.

그 옆에 둔 핸드폰 울린다. <이강현 팀장> 하지만 미동도 않는 이수.
최 이사 이수에게 다가서는데, 문자가 온다. 보는 최 이사.
<진 경감, 출근 안 하냐? 사건 터졌어.>

최이사 사건 터졌답니다.

이수 …

최이사 일어나요. 출근해야죠.

이수 … 안 할래요. 아무것도 하기 싫어졌어요.

최이사 (보는데)

이수 난 그냥… 어디로 없어졌음 좋겠어요….

이수를 가만히 보다가 앞에 앉는 최 이사. 결심하듯 이수를 보고.

최이사 이수야.

이수 (달라진 말투에 최 이사를 본다)

최이사 네 엄마, 김선영 연구원은… 내 부하 직원이었다.

이수 (보는)

최이사 이런 얘기 한 적 없었지….

이수 엄마는… 어떤 사람이었어요?

최이사 능력 있고… 따뜻하고… 현명한 사람이었지.

이수 (보는데)

최이사 그런 사람이 선택한 게 너야….

INSERT. *33년 전, 한수 제약, 부장실.*
젊은 최 이사, 서류를 보고 있는데, 노크 소리 들리고,
선영이 들어온다. 보고 부드럽게 웃는 최 이사에서.

최 이사 E *마지막으로 날 찾아왔었어.*

CUT TO
마주 앉은 선영과 최 이사.

최 이사 E 언제든 회사로 돌아오라고 했지만, 네 엄마는 거절했다.

선영 *(배 위로 모은 손) 이제 이 아이가 제 꿈이고 미래예요.*
잘 키우고 싶어요… (미소) 이름도 지어 놨어요.

미소 짓는 선영을 안쓰럽게 보는 최 이사에서.

현재, 최 이사를 보는 이수….

최 이사 네 이름… 무슨 뜻인지 알지?

순간, 무거워지며 생각에 잠기는 이수.

30. 세트장 외부, 낮

스태프들 웅성이며 서 있고, 순찰차 두 대 서 있다.
강력 1팀 도착한다. 1팀 내리고.

지구대 경장 (다가와 인사하고) ○○지구대 임창재입니다.
강현 (마주 인사하고 악수) 강하서 이강현입니다.
경장 (같이 걸어가며) 현장에서 제작사 대표를 긴급 체포했습니다. 옷이 피투성이고,

스태프들 말에 의하면, 어젯밤, 세트장 내부에는 대표하고 피해자만 있었답니다.

강현, 끄덕이며 따라가면 이미 수갑이 채워져 순찰차에 앉아 있는 영환.
강현은 피 묻은 영환을 잠시 보고.

영환 (당황한) 저 아니에요! 저 진짜 아닙니다!
강현 (그냥 보는데)
영환 사무실에서 자고 일어났더니 이렇게 되어 있었어요!
강현 (건조하게) 서에서 얘기하죠. (경장에게) 서로 데려가 주세요.
경장 네.
강현 (인사하고) 감사합니다.

순찰차 떠나면, 보는 강현.
스태프들과 이야기를 나누는 준영과 경진.
강현이 다가간다.

준영 시신 발견된 쪽에는 CCTV가 없다는데?
강현 (보면)
조감독 주차장 출입구하고 세트장 내부에 몇 군데밖에 없어요.
강현 어제 마지막으로 나간 분이 누구죠?
조감독 (스태프들 보면서) 글쎄요. 다 비슷하게 나간 거 같은데? 10시 좀 전에?
준영 대표님이 세트장에서 잠을 자는 일이 종종 있나요?
스태프들 (뭔가 서로 보면서 말을 못 하고)
조감독 저흰 잘 몰라요.
강현 한유라 씨하고 대표님이 사이가 안 좋았어요?

스태프들 (또 눈치 보고)

조감독 잘… 모르겠는데요.

강현 (애들 반응이 왜 이러나 보는데)

고급 차량 와서 서고, 감독이 내린다.

감독 (걸어오며) 준비 안 하고 뭐 하냐?

조감독 (형사들에게) 감독님이세요.

강현 (신분증 보여 주고) 강하서 강력 1팀입니다. 지난밤에 한유라 씨가 세트장 내부에서 살해당했습니다.

감독 (놀라 굳었다가) 아, 씨발!

준영 어제 세트장에서 몇 시에 나가셨습니까?

감독 (열불 난다) 제일 먼저 나갔죠! 감독이니까!!

준영 ('왜 광분이야.', 보는데)

조감독이 담배 꺼내 주며 감독을 데리고 간다.

감독 아이씨, 몇 년 만에 작품인데!

강현과 준영, 그런 감독을 냉정하게 보고 섰고.
KCSI 대원들 등장한다. 각자 준비하고 세트장 내부로 향하고.

강현 우리도 들어가 보자.

31. 세트장, 낮

#분장실

KCSI 대원들 각자 일하고 있고,

강력 1팀 핏자국이 떨어진 바닥을 보고 있다.

준영 살해 장소는 여기 같아.

끄덕이며 보는 강현.

INSERT. *강현의 상상.*

한유라를 찌르는 영환의 모습. '푹 푹' 찌를 때마다 바닥으로 떨어지는 핏자국.

핏자국이 마른 피로 변하고. 점점이 떨어진 핏자국을 따라 걸어가는 강현.

따라가는 준영과 경진.

#호텔 BAR

의자에 엎드려 있는 한유라의 시신.

강현, 가만히 보는데….

준영 어젯밤에는 다른 옷을 입고 있었대. 이건 영화 의상이야.

강현 그럼, 죽이고 옷을 갈아입혔다는 거야?

경진 늦게까지 남아 있었다고 하니까 자기가 입어 봤을 수도 있지 않을까요?

강현, 뭔가 이상하다는 얼굴.

강현 여기서 시신을 앉혀 놓고….

INSERT. *강현의 상상.*

영환이 죽은 한유라를 의자에 앉히고 걸어간다.
그의 손에 쥐어진 무언가에서 피가 뚝뚝 흐르고.

강현과 1팀, 핏자국 따라간다.
바닥의 핏자국, 점점 멀어지며 2층의 계단으로 향한다.

#계단
핏자국을 따라 올라가는 1팀.

#사무실
영환이 누워 있던 소파 주변에 흩어진 핏자국.
소파 아래 버려진 피 묻은 가위. (의상팀이 쓰는 날카로운 것)

준영 (가위를 보며) 의상팀이 쓰던 가위야.
강현 (가위를 보다가) 흉기를 준비한 게 아니라… 우발적으로 살인이 벌어진 거네.

32. 세트장 외부, 낮

강력 1팀이 장갑과 헤어 캡 벗으며 나오는데,
하얗게 질린 덩치 큰 남자, 매니저(우상태, 30대 중반)가 망연자실 서 있다.
형사들을 보더니.

상태 (정신없고) 유라가, 유라가 죽었어요?
준영 누구시죠?
상태 매니저인데요… (황망한) 유라가 진짜 죽었어요?
강현 (가만히 보는)

CUT TO

한쪽에서 강력팀과 우상태가 이야기를 나누고 있다.

준영 어제 몇 시에 세트장에서 나가셨죠?

상태 10시쯤 촬영 끝나고 나갔어요.

강현 유라 씨는요? 보통 같이 가지 않나요?

상태 어제 유라가 만날 사람이 있다면서… 먼저 가라고 했어요.

INSERT. *분장실.*

한유라, 핸드폰 보면서.

유라 *오빠 먼저 가, 누가 데리러 온다고 했어.*

상태 (보는데)

유라 *아우~ 그냥 좀 가~ 모른 척 하고!* (웃고)

강현 유라 씨가 남자 친구가 있어요?

상태 아마 없을 걸요.

강현 혹시 김영환 대표 아니에요?

상태 네? 대표님이 왜요?

강현 둘이 무슨 사이에요?

상태 아무 사이도 아닌데… 왜요?

준영 현장에서 체포됐어요. 피투성이로 발견됐고.

상태 !! 둘이 따로 몇 번 만나기는 했어요….

강현, 준영 (상태를 보는)

CUT TO

강력팀 한 곳에 서 있고.

강현 (어쩔 줄 모르고 선 스태프들 보면서) 내가 김영환 만나 볼 테니까, 스태프들 조사해. 한 사람씩 따로 만나 봐.

준영 알았어.

불안하게 선 스태프들을 보는 강력 1팀에서.

33. 강하경찰서 전경, 밤

34. 진술 녹화실, 밤

강현, 영환과 마주 앉아 있다.
영환, 묵묵부답의 태도.
KCSI 대원이 들어와 영환의 입 안을 긁어 DNA를 채취하고 나간다.

강현 (보다가) 김영환 씨. 한유라 배우를 죽였습니까?

영환 …

강현 아무 말도 안 할 거예요?

영환 (대답 없이 강현을 보는)

강현 지금 김영환 씨한테 굉장히 불리한 상황이에요.

영환 (강현을 보다가) … 전화 한 통만 해도 돼요?

강현, 보다가 영환의 전화기 밀어 준다.

강현 해요.

급히 전화기 받아 전화하는 영환. 연이어 울리는 통화음에서.

35. 호텔, 펜트하우스, 밤

#침실

이수, 침대에 기대 있는데 핸드폰 진동한다. 영환이다.

하지만 보지 않는 이수. 멍하니 생각에 잠겨 있다.

INSERT. *25년 전. 옛집 마당.*

어린 이수가 바닥에 앉아 나뭇가지로 흙을 파고 있고

선영, 양동이를 놓고 나무 이파리를 닦아 주며 벌레를 잡다가

심심해 보이는 이수를 본다.

선영, 이수 옆에 쪼그려 앉아 양동이에 부러진 나뭇가지를 적시고.

물방울로 시멘트 바닥에 글씨를 쓴다. 한자로 '利, 手'.

선영 *이게 뭐게?*

어린 이수 *(모른다, 엄마를 보는데) 뭔데?*

선영 *(미소) 네 이름이야. 이로울 이, 손 수.*

어린 이수 *(한자를 보는데)*

선영 *세상에 도움이 되는 사람이라는 뜻이야.*

엄마는 이수가 그런 사람이 됐으면 좋겠어.

한자를 보는 이수의 얼굴에서.

침대에 앉은 멍한 얼굴의 이수.

그때, 문자가 온다. 영환이다.

<이수야, 제발 도와줘. 나 체포됐어!!>
문자를 보던 이수… 일어선다.

#화장실

세수를 하고 거울을 보는 이수.
눈빛, 점차 단단해진다.

#거실

이수가 문을 열고 나오면, 소파 옆에 마네킹 세워져 있고, 입고 나갈 양복 세팅되어 있다. 소파에서 책을 읽던 최 이사가 책을 덮고 일어선다.

최 이사 나가실 겁니까?
이수 (표정 풀어지며) 어떻게 아셨어요?
최 이사 연락 받았습니다. 김 대표가 체포됐더군요.

이수, 마네킹으로 다가가면 최 이사가 옷을 꺼내 준비한다.
잠옷을 벗고 셔츠로 갈아입는 이수. 도와주는 최 이사.

이수 (최 이사가 주는 양복 상의 입으면서) 아저씨… 이제 말씀 낮추세요.
최 이사 안 됩니다. 월급 받고 있어요.
이수 (피식, 끄덕이고… 옷 다 입고 최 이사 보고) 고마워요. 다녀올게요.
최 이사 네.

이수, 문으로 향하고, 최 이사, 가만히 본다.

36. 강력팀 사무실, 밤

강현이 회의 책상에 걸터앉아 현장의 사진들과 증거물(가위) 보고 있는데, 준영과 경진이 들어온다.

강현 스태프들하고 얘기 좀 해 봤어?

경진 별 얘기가 없어요.

강현 한유라 씨하고 대표하고 관계는?

준영 다들 모른대. 말을 아끼는 분위기야.

강현 (생각하는데)

경진 근데 팀장님, 어차피 범인은 김 대표 아니에요?

강현 용의자 있고 증거도 있는데… 동기가 없잖아.

강력팀, 생각에 잠기는데, 이수가 들어선다.

경진 (반갑고) 형님!

강현 (부드럽게) 왔어?

이수 응.

준영 무단결근해 놓고 이 시간에 출근하고, 회사가 장난입니까?

이수 (보다가, 살짝 미소)

준영 뭐가 웃깁니까?

이수 박 형사 잔소리 들으니까 마음이 편해져서요.

준영 ('뭔 소리?') 최면 걸렸습니까?

이수 (기운 없이 피식)

강현 (이수 보며 미소)

준영 ('분위기 뭐야.') 현장에서 찍은 게 있다니까 메이킹 필름 받아 올게. (경진에게) 경진아, 가자.

준영과 경진이 나가면.

이수 (화이트보드 보고) 무슨 사건이야?

강현 한유라 배우가 세트장에서 살해당했어.

이수 (놀라 보는)

강현 왜?

이수 한 번 만난 적 있어….

강현 현장에서 제작사 대표를 체포했어… 피투성이로 발견됐거든.
(가위 들어 보이고) 흉기에서 대표 지문 나왔고.

이수 (무거워지는)

강현 (보는)

이수 영환이 내 친구야. 중학교 동창.

강현 !

이수 좀 만나 볼게.

강현 … 그래, 얘기해 봐. 이제까지 아무 말도 안 했어.

가는 이수를 잠시 보는 강현에서.

37. 유치장, 밤

유치장 안에 앉아 있는 영환. (피 묻은 셔츠)
이수가 들어서자 벌떡 일어나 창살을 잡고.

영환 이수야!

이수 어떻게 된 거야?

영환 나 진짜 아니야. 내가 왜 죽여? 우리 배우를?

(사정하고) 너도 알잖아. 내가 영화 한 편 하려고 몇 년을 고생했냐?

이수 (보다가) 왜 세트장에서 잤어?

영환 (소리 죽여, 이수 눈치 보면서) 어제… 약을 좀 했는데….

이수 (정색하고)

영환 너무 피곤해서 잠깐 잔다는 게….

이수 (한숨 쉬고)

영환 근데 정말 나 아니야. 이수야, 너 나 믿지?

이수 (보는데)

영환 (초조하고) 세트장은 마음만 먹으면 아무나 들어올 수 있어.
문에 CCTV도 없고, 도어 록 번호도 스태프들 다 안다니까!!

영환을 보는 이수에서.

38. 강력팀 사무실, 밤

강현, 커피를 마시며 화이트보드를 보고 있는데, 이수가 들어온다.

강현 (돌아보고) 어때?

이수 … 영환이 똑똑한 녀석이야. 사람을 죽일 성격도 아니고.
자기가 범인으로 몰릴 수밖에 없는 상황이었잖아?
(고개 젓고) 아닌 거 같아….

강현 친구로서? 형사로서?

이수 (어느 쪽일까 생각하며 강현을 보면)

강현 똑똑하고 차분한 사람도 살인을 저지를 수 있어. (하지만 뭔가 걸리는)

이수 (알아채고) 넌 뭐가 걸려?

강현 (옅은 한숨) 동기가 없어. 우발적으로 누군가를 죽인다는 건, 엄청난 분노가 필요하거든. 근데 그게 안 보여.

이수 (강현을 보는데)

강현 둘이 무슨 관곈지, 혹시 한유라 씨와 사이가 안 좋은 다른 사람이 있었는지, 알아내기가 힘들어. 스태프들은 다 입을 다물고 있고.

이수 스태프들은 아무 말도 못 하지.

강현 (보면)

이수 을이니까. 제작사 대표나 감독, 배우에 대해 뭔가를 알고 있다고 해도 함부로 말 못 할 거야. 직업이 걸린 일이잖아.

강현 어떡하지?

이수 영환이보다 더 센 갑을 찾아야지.

강현 그게 누군데?

이수 (미소) 내가 알아볼게.

강현 (끄덕이고) 집으로… 갈 거면… 같이 갈까?

이수 (잠시 보고) 호텔로 갈 거야. 내일 보자.

강현 그래….

이수, 먼저 돌아서서 나가고, 강현은 이수를 본다.

39. 강하경찰서 전경, 아침

강하경찰서의 아침 풍경.

그 안으로 이수의 차 와서 서고, 이수 내린다.

40. 강력팀 사무실, 아침

이수, 들어오면 자료 보고 있는 강현.

이수 내가 알아봤는데, 제작사 진짜 대표는 따로 있대.

강현 그래?

이수 만나러 가 보자.

강현 응. (짐 챙겨 일어서고)

이수 앞장서고, 강현이 따라가는데,
2팀 자리에 있던 안 팀장이 강현을 본다.

안 팀장 (어색하게) 이강현이.

강현 네!

안 팀장 (갑자기 선배 노릇하면서 어색하고 뻣뻣하다) 기자들 냄새 맡았다. 조심해.

강현 (미소) 네.

나가는 강현과 이수.

41. 골드 픽처스 전경, 낮

건물 안으로 들어가는 이수의 차.

42. 골드 픽처스 사무실, 낮

대표가 살인죄로 체포된 어수선한 분위기의 직원들.
이수와 강현이 들어오면, 뭔가 어색하게 보고.

이수 (빙글) 대표님 만나러 왔어요. 일들 해요.

뭔 소린가 보는 직원들.

이수, 복도를 따라 대표실로 걸어가기 시작하고.

강현 약속 잡고 왔어?

이수 그럴 필요 없어. 내가 잘 아는 사람이더라고.

복도 끝에 대표실이 두 개 있고, 그중 하나로 이수가 들어간다.

강현이 따라 들어가면.

43. 골드 픽처스 대표실, 낮

이수, 들어가더니 대표 자리에 떡하니 앉는다.

강현이 의아해 보면, 명패 <CEO 진이수>

강현 뭐야?

이수 (미소) 써 있잖아. CEO, 진이수.

강현 ?

이수 내가 만든 회사라고. 운영은 영환이가 하지만.

강현 (기가 차고) 말을 하지.

이수 말을 하면 재미가 없지.

강현 (피식) 그래서, 어쩔 건데?

이수 스태프들 입을 열어야지. 내 앞에서는 다 솔직해지거든?

'그러셔?', 보는 강현에서.

44. 국과수 부검실, 낮

한유라의 시신이 천으로 덮여 있고.

부검을 끝낸 윤 박사 앞에 준영이 서 있다.

윤 박사 사망 시각은 밤 10시에서 11시 사이.

흉기는 현장에서 발견된 가위가 맞아요.

(상처 확대한 사진 컷, 가위 컷)

상처는 등에 한 군데, 가슴에 세 군데. 그중 하나가 폐를 찔렀어요.

(인체 그림 파일 보여 주고)

준영 (받아 보는데)

윤 박사 범인이 도망치려던 피해자를 뒤에서 찔렀고.

(칼에 찔리는 한유라 컷)

피해자는 반항했지만…

(가위를 손으로 잡는 한유라 컷, 가위가 손을 긋고 빠져나오는 컷)

(현재, 한유라 시신의 손, 베인 흔적과 피)

막을 수 없었죠.

(가슴을 찔리며 컥, 숨이 막히는 한유라 컷)

(한유라의 얼굴을 보며)

안타까워요… 내가 좋아했던 배운데….

준영 (윤 박사를 보면)

윤 박사, 트롤리에서 증거품 봉투 집어 든다.

윤 박사 그리고 상처 속에서 이게 나왔어요. (연두색 실, 혹은 옷감)

준영 이게 뭐예요?

윤 박사 피해자가 입고 있던 옷이요. (가슴을 찔리면 가위 끝에서 상처 속으로 들어가는 옷감 컷)

준영 (봉투 받아 보는데)

윤 박사 붉은 드레스를 입고 있었다고 했죠?

준영 네.

윤 박사 범인이 죽인 후에 갈아입힌 거예요.

준영 ('왜 그런 짓을 했지?', 놀라는데)

윤 박사 그리고 하나 더. (봉투 들어 보이고)
손톱 밑에서 피부 조직이 나왔어요. DNA 분석을 해 봤는데, 김영환 대표하고 일치하지 않아요.

준영 (표정 변하고)

45. 골드 픽처스 대표실, 낮

이수, 사장 자리에 앉아 있고, 강현은 조금 떨어진 소파에 앉았다.
'똑똑-' 문 열리고 조감독이 들어온다.

이수 (미소) 어서 오세요. 앉으세요.

조감독 (이수 맞은편 의자에 앉으면, <자막: 백호성, 조감독>) 무슨… 일이신지?

이수 긴장할 거 없어요. 스태프들 전부 불렀어요. 차례로 다 만날 거예요.

조감독 아….

이수 다른 게 아니라. 현장에서 충격적인 사건이 발생했잖아요.

조감독 (끄덕이고) 그렇죠….

이수 그래서 제가 골드 픽처스 대표로서 책임감을 갖고 정신적 피해 보상에 대해서 얘길 좀 드리려고요.

조감독 (어리벙벙한)

강현 (뒤에서 '뭔 소릴 하고 있는 거야?', 보는)

이수 일단 전 스태프에게 위로금을 지급할 거고, 혹시 트라우마 치료를 받고 싶으면 병원을 연결해 드릴 거예요. 비용은 제가 다 대니까 걱정 마시고.

조감독 아….

이수 (미소로 보고)

조감독 그게… 단가요?

이수 한 가지 더. 사건 해결에 결정적인 정보를 제공한 스태프에게는 특별 보너스로 1억을 드릴 거예요.

조감독 (정신 번쩍) 1억이요?!

이수 범인 잡아야죠. 한유라 씨는 우리의 소중한 동료잖아요!

조감독 그럼요, 근데 김영환 대표님이 범인 아니에요?

이수 아직 확실하지 않아요. 그러니까 유라 씨와 관계가 안 좋았던 사람이 누군지 말해 봐요.

조감독 (입을 뗀다) 관계가 안 좋다기보다는… 하남수를 싫어했어요.

강현 (관심 있게 듣고)

이수 유라 씨가요? 왜요?

조감독 아, 뭐 소문이 좀 있었잖아요. 둘이 사귄다는… 그러다 헤어졌는지 유라 씨가 대놓고 싫은 티를 내더라고요.

이수 ('아하…')

조감독 원래부터 하남수가 좀 재수 없는 스타일이긴 한데, 지난 작품 대박 나고 팬미팅하고 그러더니 아주 가관이었거든요. 여자들은 왜 그런 남자를 좋아할까요?

이수 ('내가 아니?') 뭔가 목격했다거나 하는 건…?

조감독 없는데요.

이수 ('그만 가라.') 수고했어요.

조감독 나가면.

강현 입을 열게 한다는 게 돈으로 바른다는 거였어?

이수 (피식) 자본주의사회잖아. 그런 명언이 있지.
돈으로 안 되는 게 있으면 돈이 부족한 것이다.

강현 하.

이수 이렇게 단서 찾나 못 찾나, 내기할래?

강현 안 해.

이수 자신이 없지? 자꾸 지니까 자신이 없어질 거야.

강현 누구랑 달리 정신 연령이 높은 거지.

이수 나랑 범인 잡기 내기한 사람이 누구더라?

강현 (모른 척) 누군데?

그때, 20대 여성이 쭈뼛거리며 들어온다.
<자막: 제작부, 추가현>

CUT TO

가현 1억이요?!

이수 범인 잡으면 바로 통장에 꽂아 드려요.

가현 범인은 하남수예요!!

이수, 강현 (놀라 보고)

가현 둘이 사귀었잖아요. 리딩 때부터 심상치 않더니, 대놓고 럽스타그램도 하고.
(핸드폰 꺼내 보여 준다)

강현도 와서 보면.

INSERT. *핸드폰 화면, 누군가의 블로그.*

둘이 사귀는 사이라는 분석과 사진들.
한유라가 카페에서 찍은 사진, 다음 날 올린 하남수가 찍은 사진. (같은 카페)
한유라의 손가락에 반지. 다음 날, 같은 반지를 낀 하남수 사진.

가현 둘이 사귄다고 유라 씨가 욕 엄청 먹었어요, 하남수 팬들한테.
근데, 촬영 시작하고 보니까 사이가 안 좋더라고요. 그새 헤어진 건지.
약간 하남수가 매달리는 느낌?
(세트장, 말을 걸려는 남수를 피하는 한유라 컷)

이수 그래서…?

가현 하남수가 한유라한테 차인 거예요.
그래서 죽인 거라니까요? 감히 네가 나를 차? 용서하지 않겠어~~ 그러면서?

이수 ('그런가…', 옅은 한숨으로 보는)

CUT TO
전소라 앉아 있고, <자막: 하남수 헤어 메이크업 담당, 전소라>

이수 (보는데)

소라 사실은… 며칠 전에… 남수 오빠하고 유라 씨가 싸웠어요.

집중하며 전소라를 보는 이수와 강현에서.

INSERT. *세트장 주차장, 낮.*
하남수의 차로 다가가던 전소라가 안에서 싸우는 소리를 듣는다.
(살짝 열린 창으로 담배 연기 나오고, 소리도 나옴)

남수 E *그래서 나보고 뭐 어쩌라고?!*

유라 E 제대로 해명하라고!

남수 E 말하면 누가 믿냐? 그냥 가만히 있어. 금방 잠잠해질 거야.

잠시 후, 문 '탁' 열리더니 한유라가 나온다. (전소라 있는 줄 모르고)

유라 (차 안의 하남수 노려보며) … 내가 터뜨릴 거야. (화나서 걸어가고)

남수 (차 안에서) 야!!! 저 미친… (하다가 소라 보고) 문 닫아!

전소라, 문 닫고 걸어가는 한유라 본다.

전소라를 보고 있는 이수와 강현.

이수 뭘 터뜨린다는 거예요?

소라 (고개 젓고) 모르겠어요….

강현 그날, 하남수 씨는 언제 세트장에서 나갔어요?

소라 매니저 오빠랑 저희 먼저 가라고 했어요. 자긴 갈 데가 있다면서.

INSERT. 세트장 주차장, 밤.
전소라가 탄 하남수의 밴 빠져나가는데, 한쪽에 선 하남수의 차량.
갈 생각 안 하고 핸드폰으로 뭔가 보고 있는 하남수 컷. 핸드폰 불빛에 비치는 하남수 얼굴이 냉정해 보인다. 그런 하남수를 보는 전소라에서.

강현 하남수 씨 지금 어디 있는지 알아요?

소라 (강현을 보는 얼굴에서)

46. 호텔 전경, 낮

47. 호텔 복도, 낮

이수와 강현, 스위트룸 문 앞에 서 있고.
초인종 누르면, 샤워 가운 입은 하남수가 문을 연다.

강현 (신분증 보이고) 경찰입니다.

하면, 하남수, 귀찮고 짜증 난다는 느낌으로 물러선다.
들어가는 이수와 강현.

48. 호텔 룸 안, 낮

#거실
테이블에는 양주와 안주들 흩어져 있고, 지저분한 분위기.
하남수, 앉으라는 말도 없이 다리 벌리고 소파에 앉고.
이수와 강현, 맞은편에 앉는다.

강현 하남수 씨, 이틀 전에 한유라 씨가 살해당한 사실, 알고 계시죠?

남수 (무심한) 예.

강현 두 분이 사귀는 사이였습니까?

남수 (피식) 음… 사귀었다기보다는… 썸을 탔다고 해 두죠.

이수, 강현 ('이 새끼 뭐야.', 보고)

강현 사건 당일 두 분이 싸웠다고 하던데….

남수 (기분 팍 상하고) 누가 그래요? (하다가, 알겠고) 아, 소라죠? 아 씨 잘라 버려야지.

이수 (기가 차서 웃고) 신선하네. 이렇게 대놓고 재수가 없어도 누가 뭐라 안 해요?

남수 (얼굴 손 받치고) 이 정도 생기면 아무도 말을 못 해요.

이수 (헐) 그 정도로 잘생기진 않았는데?

남수 (짜증 나는데)

강현 한유라 씨가 뭔가 터뜨린다고 했다던데, 그게 뭐예요?

남수 나야 모르죠. 뭔 생각인지. 여배우들이 다 좀 꼬인 데가 있잖아요.

강현 세트장에서 몇 시에 나왔어요?

남수 10시쯤?

강현 어디로 갔어요?

남수 여기요.

강현 혼자 있었어요? (하는데)

방문 열리는 소리 들리고.

혜나 E 저랑 있었어요.

이수와 강현 돌아보면, 샤워 가운 입은 혜나가 방문 앞에 서 있고.

남수 (난처하고) 야….

혜나 뭐 어때. 사실이잖아~

강현, 이수에게 눈빛 주고 혜나에게 다가선다.

강현 따로 얘기하시죠. (밀고, 방으로 들어가고)

이수 (하남수를 보면서) 사귀던 여자가 죽었는데 다른 여자랑 놀고….

남수 사랑은 사랑으로 잊혀진다 몰라요?

이수 양아치네.

남수 (기분 상하고) 뭐요?

이수 배우 되기 전에 사람부터 되지.

남수 (피식) 그쪽도 나랑 비슷한 스타일 아닌가?

이수 어딜 비벼, 난 순정파야. (다리 보고) 오므려. 추해.

하남수, 왠지 뻘쭘해져서 다리 꼬고 시선 피한다.

#방 안

혜나, 핸드폰으로 하남수와 같이 찍은 사진 보여 준다.

(호텔 룸 안, 10시 25분, 와인, 거품 욕조 등등)

혜나 더 보여 드려요? 좀 야한데?

강현 (한숨) 사양하겠습니다.

(웃는 혜나 보다가) 언제부터 만난 사이에요?

혜나 삼일 전에 클럽에서 처음 만났어요.

'그렇구나.', 보는데 준영에게서 문자 온다.

<손톱 밑에서 DNA 나왔어, 김영환 불일치>

눈빛 달라지는 강현.

#거실

이수와 하남수가 어색하게 있는데, 강현이 나온다.

강현 하남수 씨, 팔 좀 걷어 주시죠.

하남수가 당황하면, 다가가서 팔을 걷어 보는 강현. 깨끗하다. 목 주변이나 팔이나 꼼꼼히 훑는데.

남수 (피식) 이 기회에 대스타 한번 만져 보실라고? (팔 벌리고) 안아 드려요?

강현 ('너 같은 새끼 많이 봤다.', 서늘하게 보고)

이수 ('이 새끼, 한 대 칠까?', 보는데)

강현 됐습니다. 협조 감사합니다.

강현, 이수 끌고 나가는데, 보고 있는 하남수와 혜나.

49. 호텔 복도, 낮

걸어가는 이수와 강현. 화나는데 참고 있는 둘.

이수 와, 진짜 주먹 나갈 뻔.

강현 저런 인간 한둘 아니다. 잘나가면 보이는 게 없나 봐.

이수 싸가지 죄를 새로 만들어야 돼. 저런 놈들 긴급 체포하게.

강현 교도소 벌써 만원이다.

이수 내가 하나 짓지 뭐, 싸가지 수용소.

강현 (피식)

이수 (피식, 웃다가) 팔은 왜?

강현 손톱에서 DNA가 나왔는데, 김영환 대표하고 일치하지 않았어.

이수 (반색하고) 그럼 진범은 따로 있다는 거네.

강현 응, 공격하다가 팔이나 목을 긁혔을 가능성이 커.

이수 흐음…. (하는데)

50. 강하경찰서 전경, 밤

51. 강력팀 사무실, 밤

이수와 강현이 들어오는데, 준영과 경진이 모니터로 뭔가 보고 있다.

강현 뭐 좀 나왔어?

준영 아직. 지금 보고 있어. 너는?

강현 하남수랑 싸웠다고 해서 만나 봤는데, 알리바이가 있어.
호텔 쪽에 확인해 달라고 했어.

강현, 준영 쪽으로 다가오면, 준영이 보고 있는 것은 세트장 내부의 CCTV다.
(전체를 조감하는 것은 없고, 입구 쪽도 없다. 게다가 어둡다. 다만, 세트장 벽이나 복도 쪽을 누군가 움직이는 실루엣만 보인다)

준영 범인은 한유라 씨를 죽이고 시신을 숨겨 뒀다가 다른 스태프들이 모두 퇴근한 뒤에 돌아온 거 같아.

INSERT. *준영 모니터 화면.*
입구 쪽 복도를 스치는 그림자. (10시 30분)
한유라의 분장실로 들어가는 그림자. (10시 32분)
한유라를 끌고 호텔 BAR로 가는 그림자. (10시 52분)
(범인은 10시경 한유라를 찌르고 퇴근하는 척 나갔다가 시신을 처리하기 위해 다시 돌아와서 BAR에 앉혀 둔 것이다)

강현 너무 어두워서 식별이 안 되는데….

한편, 이수는 경진이 보고 있는 화면을 본다.
(촬영 사이사이, 사람들을 찍은 메이킹 화면이다)

INSERT. *경진의 모니터.*
긴장감이 흐르는 세트장 내부.
카메라 앞의 한유라와 하남수.

유라 (차분한) 세상은 거짓으로 가득 차 있죠. 진실을 말하는 사람은 다쳐요.
그래도… 진실을 알고 싶어요?

한유라를 바라보는 하남수에서.

감독 (소리치며) 컷! 오케이!!

일제히 움직이는 스태프들.
카메라는 뒤에서 대기하다가 분장실로 향하는 백상희를 쫓고,
백상희와 같은 방향으로 가는 한유라를 쫓고,
다른 방향으로 가는 하남수를 찍고…
조명, 카메라 정리하며 세팅 다시 하는 스태프들을 담는다.
그러다 복도 쪽으로 가는 카메라.

이수 어, 잠깐만. (경진에게) 뒤로 돌려 봐.
강현, 준영 (이수를 보고)
이수 어, 여기. (가리키고) 이거 확대되나?

이상한 낌새에 경진의 모니터로 모이는 강현과 준영.

이수 (초집중) 어, 다시 돌려 봐.

INSERT. *경진의 모니터.*
보면, 벽에 걸린 거울이다. 거울 점차 확대되고… 플레이 되면…
거울 속에 백상희의 분장실이 비치고, 백상희, 앉아 있고 한유라가 서 있다.
한유라를 보던 백상희가 의자에서 일어나더니 한유라의 뺨을 때린다.
들어오려다 문을 닫고 나가는 백상희의 헤어 메이크업 담당 (임소정, 메이크업 가방 메고 있는)

놀라 보는 강력팀원들.

이수 (조감독에게 전화한다) 네, 백상희 씨 메이크업 담당이 누구죠?
(듣고) 임소정 씨… 연락처 좀 보내 주세요.

52. 임소정의 아파트, 밤

임소정의 작은 아파트, 깔끔하게 정리된 분위기.
소파 세트에 이수와 강현이 임소정과 마주 앉았고, 준영, 좀 떨어져 있다.
임소정은 약간 긴장했고, <자막: 임소정, 백상희 헤어 메이크업 담당>
이수와 강현이 임소정을 보고 있다.

소정 ('이런 말을 해도 되나.') 맞아요… 그날 상희 배우님이 유라 씨를 때렸어요.
이수 왜요?
소정 모르겠어요. 갑자기 때려서 저도 놀랐어요.
강현 두 사람, 평소에 사이가 어땠어요?
소정 그냥 그랬어요. 상희 배우님이 원래 친해지기 힘든 사람이에요. 얼음 마녀라고… 좀 사람이 차가워요. 무섭고….

이수 백상희 배우는 유라 씨를 어떻게 생각했어요?

소정 (긴장 풀리며) 부러워했죠. 젊고 예쁘고 인기도 많고…
나도 저럴 때 있었는데 다 한때다 그러면서.

이수 질투 났겠네요. 한때는 여우주연상을 휩쓸었던 사람인데, 결혼하고 한참 쉬다가 이혼하고 다시 나와서는 조연밖에 못 했잖아요. 거기다 새파란 후배 밑에서.

소정 그럼요, 분량 때문에 작가랑 싸우고, 감독이랑 싸우고…
배우들은 늘 자신이 중심이 되길 바라니까요.
유라 씨한테도 불만이 많았어요. 자기 분량 다 뺏어 간다고.
(하다가) 설마… 상희 배우님을 의심하시는 거예요?

강현 어떨 것 같아요? 만일 그날, 유라 씨가 백상희 씨를 자극하는 뭔가를 했고, 분노를 참을 수 없게 되었다면… 백상희 씨가 살인까지 할 수 있는 사람일까요?

소정 글쎄요… 소문이 하나 있긴 한데….

이수, 강현 (집중하고)

소정 예전에 여자 둘이 주인공인 영화가 있었는데, 둘이 사이가 엄청 안 좋았대요… 근데 현장에서 사고가 나서 상대 배우가 얼굴이 완전 망가졌었다고…
그게 백상희 씨 짓이라고….

강현 (생각하며, 임소정을 보는데)

준영, 바닥에 놓인 임소정의 메이크업 가방을 본다. 빗이 꽂혀 있다.

준영 이 빗, 백상희 씨가 쓰는 거죠?

소정 에? (보는데)

준영 (빗에서 머리카락 뽑아내고) 머리카락 몇 개만 빌릴게요.

임소정, 어리바리 보는데, 준영이 비닐 열고 머리카락 챙긴다.

준영 (나서면서 강현에게) 내가 가져갈게.

강현 최대한 빨리.

준영 응. (끄덕이고 나간다)

서로 보는 이수와 강현에서.

53. 백상희의 저택 전경, 밤

뭔가 불길한 기운을 뿜어내는 커다랗고 오래된 저택.

54. 백상희의 집, 밤

#거실

배우 백상희의 화려한 과거로 가득 찬 거실.

거대한 사진들, 여우주연상 트로피들. 조명 받으며 전시되어 있고.

이수와 강현이 소파에 앉아 있고, (오래 기다린 분위기)

도우미 아주머니가 차를 놓고 간다.

#계단

두 사람을 보던 매니저(40대, 남)가 어두운 계단을 올라가고.

#드레스 룸

드레스 룸에 가득한 고가의 옷들.

옆에 분장실처럼 전구가 켜진 거울 앞의 백상희. (실내복)

천천히 마스카라를 칠하고 있다. 완벽한 모습이 되기 전에는 남들 앞에 나가지 않는다.

매니저 (뒤로 다가와서) 형사님들이 아까부터 기다리시는데….

상희 (고상하게) 알아. 아줌마한테 들었어.
(화장 잘 됐나 보면서) 갑자기 찾아왔으면 기다려야지.
(화장 고치면서) 형사들이라…
(매니저 보고, 옷을 돌아보고… 마치 촬영이라도 나가듯) 어떤 옷이 어울릴까?

#거실
차를 다 마신 이수와 강현. '오래 걸리네.' 하는 얼굴들인데.
준영에게서 사진이 온다. 확인하는 강현.
<유전자 검사 결과, 99.9% 일치>
강현, 사진을 이수에게 보여 주는데.

계단 위에서 멋지게 차려입은 (시상식 드레스까지는 아니어도 꽤 화려한 느낌의) 백상희가 걸어 내려오기 시작한다.
그러고는 마치 <선셋 대로>의 여주인공처럼 계단 중간에서 고고하게 서서 이수와 강현을 내려다본다.

상희 (마치 영화 대사처럼) 형사님들이 내 집엔 무슨 일로 오셨죠?
범인을… 못 잡았나요?

고고하게 보는 상희와 올려다보는 이수와 강현에서.

9화 엔딩.

ep.10

왜 날 배신해

1. 백상희의 집, 거실, 밤

차를 다 마신 이수와 강현. '오래 걸리네.' 하는 얼굴들인데.
준영에게서 사진이 온다. 확인하는 강현.
<유전자 검사 결과, 99.9% 일치>
강현, 사진을 이수에게 보여 주는데.

계단 위에서 멋지게 차려입은 (시상식 드레스까지는 아니어도 꽤 화려한 느낌의) 백상희가 걸어 내려오기 시작한다.
그러고는 마치 <선셋 대로>의 여주인공처럼 계단 중간에서 고고하게 서서 이수와 강현을 내려다본다.

상희 (마치 영화 대사처럼) 형사님들이 내 집엔 무슨 일로 오셨죠?
범인을… 못 잡았나요?

고고하게 내려 보는 백상희와 올려다보는 이수와 강현.
이수, 이내 일어서더니 계단을 올라가 백상희에게 손을 내민다.

이수 (젠틀 미소) 팬입니다. 영광이에요.

상희 (보고 미소)

백상희, 그 손을 우아하게 잡고, 이수는 백상희를 에스코트하며 내려오고.

이수 계단 조심하세요.

상희 (보며) 매너 있는 남자는 다 죽은 줄 알았는데?

이수 제가 레어템이에요. (미소 지으며 자리로 앉히고)

서로 미소 지으며 보는 두 사람을 떫게 보는 강현. 뭐 하냐는 얼굴.

강현 (명함을 백상희 쪽으로 주면서) 사건 조사 때문에 왔습니다.
한유라 씨 살해당한 사실 알고 계시죠?

상희 (여유롭게 명함 보고) 이강현 형사님. 네, 알고 있어요.

강현 저희가 스태프들을 만나 봤는데, 백상희 씨 얘기가 있어요.

상희 ('그랬구나?') 그래요?

강현 사건 당일, 유라 씨를 폭행했다는 증언이 나왔습니다.

상희 (차분히) 네, 때렸어요.

강현 (백상희 보고)

이수 왜요?

상희 … 유라가 부탁했거든요, 때려 달라고.

이수, 강현 (뭔 소린가 보는)

INSERT. *백상희의 분장실. (촬영 끝난 상황)*
백상희, 들어와 앉아서 보온병에서 차를 따라 마시려는데, 한유라 문 앞에 서서. (안 친함. 깍듯함. 파우치 들고 있다)

유라 선배님….

백상희, 뭔가 돌아보고.

유라 잠깐 들어가도 돼요?

상희 (뜻밖이다) 어, 들어와.

유라 (어색하게 와서 서고) 저… 다음 주에 선배님한테 맞는 장면 찍잖아요.

상희 응.

유라 그게 걱정이 돼서….

상희 살살 때리라고?

유라 (살짝 웃고) 아뇨. 제가 한 번도 얼굴을 맞아본 적이 없어서요….

상희 (보는데)

유라 저 한 번만 때려 주시면 안 돼요?

상희 ('얘 물건이네?', 한유라 보는)

이수 (놀라고) 촬영 때문에 때려 달라고 했다고요?

상희 유라 역할이 저한테 당당하게 맞서는 캐릭터였거든요. 근데 처음 맞아 보면 그게 잘 안 돼요. 움츠러들게 되죠. 그럼 화면에 다 나와요. 겁먹었다는 게.

INSERT. 백상희의 분장실.
백상희, 가만히 한유라를 보다가 일어나 따귀를 날린다.
생각보다 더 큰 충격에 볼을 잡는 한유라.
들어오려던 임소정(백상희 헤어 담당)이 놀라 문을 닫고 나간다.
백상희와 한유라, 임소정을 보고 서로 보고.

상희 재 놀랬다. (피식 하다가, 한유라 보고) 어때?

유라 *별이 번쩍 했어요. (피식)*

백상희, 작은 냉장고에서 얼음 팩 꺼내 한유라를 주고, 한유라가 받아 볼에 댄다.

상희 *촬영 때는 좀 약하게 때릴까?*

유라 *(단단한) 아뇨. 이제 느낌 알겠어요. 세게 때려 주세요.*

백상희 보며 미소를 짓는 한유라에서.

상희 배우로서 자세가 된 친구였죠.

이수, 강현 (백상희를 보는데)

상희 그거 때문에 절 의심한 건가요? 내가 마음에 안 드는 사람 다 죽였으면, 충무로 문 닫았어요. 난 연쇄 살인마고.

강현 한유라 씨 손톱 밑에서 백상희 씨의 DNA가 나왔습니다. 그건 어떻게 설명하실래요?

상희 (멈칫, 그건 잘 모르겠다)

이수 (백상희를 보는데)

상희 (뭔가 생각났고) 아….

INSERT. *백상희의 분장실.*

상희 *차 한 잔 줄까?*

유라 *네.*

백상희, 한유라에게 등 돌리고 잔에 따르는데…

한유라, 백상희의 등을 보고.

유라 선배님. 두드러기 났어요.

상희 어디? (손 닿지 않고)

유라 (살짝 만지며) 여기요.

상희 (의상 만지며) 레이스 때문에 그래.

유라 제가 쓰는 연고 있는데 발라 드릴까요?

상희 응. 그래.

한유라가 파우치에서 연고를 꺼내 발라 준다.
클로즈 업, 연고를 바르는 한유라의 손톱 밑으로 들어가는 백상희의 피부 세포.

백상희를 보고 있는 이수와 강현.

상희 그보다… 스토커는 찾았나요?

이수 스토커요?

상희 지독한 사람이 하나 있는 거 같던데… 집에도 들어온 것 같다고 고민했어요.

이수 그래서 뭐라고 하셨어요?

상희 직접 잡으라고 했죠.

강현 신고 안 하고요?

상희 (자조적 웃음) 우린 여배우예요. 스토커가 집안에까지 들어왔다 하면, 다음엔 스토커가 아니라 애인일 거다, 그 사람 애를 임신했다더라… 일이 점점 커지죠. 신고 못 해요. 이제 막 스타가 된 유라에게는 큰 부담이었을 거예요.

이수, 강현 (상희를 보는데)

상희 전에 같이 영화를 찍던 친구가 사고를 당해서 크게 다친 적이 있어요.

촬영 초반이라 배우가 교체됐죠.
그랬더니 내가 그 친구를 질투해서 일으킨 사고라는 소문이 나더라고요.

이수, 강현 (아는 얘기다)

상희 사실은 그 친구가 유부남이랑 연애를 하고 있었어요. 둘이 같이 있다가 차 사고가 난 거예요. 비밀로 해 달라고 해서 가만히 있었죠.

이수 의리가 있으시네요.

상희 (피식) 자만했던 거죠. 이런 루머로 흔들릴 내가 아니라고…
근데 한동안 작품이 안 들어오더라고요? 배우한테 이미지는 그렇게 중요한 거예요. 한 번 실수면 퇴출이죠.

이수, 강현 (백상희를 보는데)

상희 자, 이제 모든 오해는 풀렸나요?

강현 네. 일단은요.

상희 다음에 또 올 일이 있으면 미리 얘기해요. 여배우는 준비 없이 나오지 않으니까.

2. 백상희의 집 앞, 밤

걸어 나오는 이수와 강현. 강현, 준영과 통화 중이다.

강현 어, 그 피부 세포 있잖아. 혹시 연고 성분도 같이 나왔어?
(듣고) 어, 두드러기 연고… 알았어.

이수, 강현 보고 차에 타고. 강현도 차에 탄다.

3. 몽타주, 밤

#밤의 도로

달리는 이수의 차. 그 안의 이수와 강현.

그 위로. 기사들 뜨고 사라진다.

INSERT.

<속보> 한유라 영화 세트장에서 살해된 채로 발견.

한유라는 누구인가? 이런저런 드라마에서 조연으로 연기력을 인정받아 새 영화에서 첫 주연을 맡은 스토리가 나오고, 한때 하남수와 연인이었던 소문이 있었다. 경찰에서 수사 중이다.

#강현의 방

태블릿으로 기사 댓글들을 보는 강현.

INSERT. *태블릿 화면.*

"치정 살인일 거다. 원래 술집에서 일했다는 소문이 있었다."

"성격이 드럽다는 말이 있더라. 죽을 짓을 해서 죽었겠지."

"미인박명이라더니 아까운 배우다. 예쁘고 연기도 잘 했는데."

각종 의견들.

#호텔 거실

핸드폰으로 보고 있는 이수.

INSERT. *핸드폰 화면.*

<하남수 팬 사이트>

들러붙던 찐따 하나 사라짐.

어디 오빠한테 감히 덤빔? 천벌임.

하남수 인스타 캡처. (술잔과 유리 테이블 위의 물방울 컷, R.I.P)
밑으로 오빠, 울지 마요~~ 등등

착잡한 얼굴로 보는 이수에서.

4. 강하경찰서 전경, 오전

5. 강력계 회의실, 오전

형사과장, 안 팀장, 강현, 앉아 있고. 경직된 분위기.

형사과장 뭐가 문제야? 확실한 용의자 있고, 흉기에서 지문 나왔고. 빨리 정리 못 해? 시간 끌수록 우리가 욕먹는 거 몰라?

강현 저는 김영환이 범인이 아닌 거 같습니다.

형사과장 뭐야? 왜?

강현 동기가 안 보입니다.

형사과장 이 새끼가 또….

안 팀장 (슬쩍 나서며) 우발적인 살인이면 동기가 중요하죠.

강현 (안 팀장을 의아하게 보고)

형사과장 ('네가 왜 편을 들어?', 보는데)

안 팀장 기다려 주시죠. 헛발질 하면 더 큰일인데….

형사과장 (강현 보다가) 이틀 준다. 그 안에 결론 내.

강현 네, 알겠습니다.

6. 강하경찰서 복도, 오전

강현, 나오면서 안 팀장 보는데.

안 팀장 (머쓱) 네 편 든 거 아니야. 내 생각을 말한 거야.

강현 알아요.

앞서가는 안 팀장을 보며 살짝 미소 짓는 강현에서.

7. 강력팀 사무실, 오전

이수, 준영, 경진, 회의 테이블에서 뭔가 보고 있다가,
강현이 들어오면, 경진이 강현에게 보고서 내민다.

경진 팀장님, 포렌식 결과 나왔는데, 한유라 씨가 죽기 직전에 핸드폰으로 봤던 동영상이 있어요.

강현 뭔데?

경진 그게, 클라우드에서 본 거라 확인이 안 돼요.

강현 클라우드? 자동 로그인 안 돼?

경진 네.

이수 (뭔가 답답한 분위기 보면서) 클라우드에 영장 넣으면 되잖아.

준영 영장 안 나옵니다.

강현 그쪽에서는 협조도 잘 안 해 줘. 해 준다고 해도 오래 걸리고.

이수 동영상이 뭐였을까? 하남수랑 관련된 건가?

강현 뭔가 터뜨린다고 했었지….
(9부, 한유라가 "내가 터뜨릴 거야." 하는 컷)
(경진에게) 일단 클라우드에 협조 요청은 해 놓자.

경진 네.

준영 (강현을 보며) 하남수는 내가 보고 있을 게.

준영이 밖으로 나가고, 경진이 컴퓨터에 앉는다.

강현 (이수를 보면서) 우린 스토커가 누군지 찾아보자.

8. 한유라의 빌라 전경, 낮

9. 한유라의 빌라 경비실, 낮

경비 앞에 선 이수와 강현.

경비 (CCTV 복사본 내밀고) 복도하고 출입구 복사본입니다.

강현 네, 감사합니다.

경비 집에 아버지가 오신 거 같던데….

경비를 보는 이수와 강현에서.

10. 한유라의 집, 낮

#현관

문 열리고 유라 부가 이수와 강현을 보고.

#거실

걸어 들어가는 유라 부.

유라 부 제가 유라 아빠입니다. 엄마는 충격을 받아서… 병원에 있어요.

이수, 강현 (따라 들어가고)

#유라의 방

예쁘게 꾸며진 방 안. (강아지와 찍은 사진들이 있다)

이수와 강현이 들어와 있고, 유라 부가 어렸을 적 유라의 사진을 보고 있다.

유라 부 예뻤어요. 어렸을 때부터. 그래서 불안했죠.

이수, 강현 (보는데)

유라 부 그냥 평범하게 살았으면 했는데….

이수, 방 안을 둘러보는데, 쌓여 있는 인형들 사이에 홈 캠이 있다.

(전원이 켜져 있다)

잠시 보는 이수.

유라 부 범인이 제작사 대표라면서요….

강현 아직 확실하지 않습니다.

유라 부 (무슨 소린가 보는데)

이수 혹시 유라 씨한테 스토커가 있다는 얘기 들으신 적 있나요?

유라 부 스토커요? 아뇨… 그런 사람이 있었습니까?

강현 여러 가능성을 조사하는 중입니다.

유라 부 배우가 된 뒤로는… 얼굴 보기도 힘들었어요… 항상 괜찮다고만 해서 아무 것도 몰랐어요….

이수와 강현, 안타깝게 보는데.

유라 부의 핸드폰이 울리고, 끊어 버리는 유라 부.

유라 부 이상한 전화가 계속 옵니다… 사람이 죽었는데… 함부로 말하는 사람들이 많더군요. 유라는 이런 걸 어떻게 견디고 살았을까요…?

이수 유라 씨를 아끼는 팬들이 더 많아요. 저희도 같은 마음이고요.

유라 부 (이수를 보고)

이수 범인 꼭 잡을 겁니다.

유라 부 (천천히 끄덕인다)

11. 매니지먼트 전경, 낮

12. 매니지먼트 사무실, 낮

우상태와 마주 앉은 이수와 강현. 뒤로 한유라의 팬들이 보내온 선물들.

(택배 박스들, 꽃바구니들, 한유라 사진 쿠션, 한유라를 그린 그림들)

초췌한 얼굴의 우상태, 선물들 가만 보다가.

상태 이제 전해줄 수 없게 됐네요….

이수 (착잡하게 보고)

강현 유라 씨한테 스토커가 있었다면서요?

상태 (생각하고) 아… 그거… (지금 생각해도 기막히고) 하남수예요.

이수, 강현 (놀라고)

상태 처음 캐스팅할 때 유라를 추천한 것도 하남수였대요. 우린 고맙게 생각했는데 사실은 유라하고 사귀고 싶었던 거죠. 계속 만나자고 하고… 같이 일은 해야 되니까 정중하게 거절했는데… 자꾸 사귀는 것처럼 사진을 올리는 거예요.

INSERT.

#카페

인스타, 한유라의 카페 사진.
사진 보면서 같은 자리에서 사진 찍어 올리는 하남수 컷.

#BAR
한유라의 사진 속 반지를 보는 하남수.
비슷한 반지를 꺼내 끼고 술잔 든 사진을 찍어 올린다.

#한강변
노을 진 배경의 한유라 사진.
똑같은 구도에서 사진 찍는 하남수.

상태 그것 때문에 하남수 팬들이 유라를 엄청 공격했어요.
홈피 게시판에 악플이 수백 개씩 달리고 이상한 편지도 오고….

이수, 강현 (보는데)

상태 하남수는 이렇게 된 거 그냥 사귀자고. 자기가 발표한다고.
술만 마시면 문자를 수십 통씩 보냈어요.

강현 유라 씨 핸드폰에 그런 기록은 없던데요.

상태 핸드폰 바꿨죠. 문자는 여기 정리해 놨어요. 나중에 고소라도 할 일 있을까 몰라서…. (파일을 내밀고)

INSERT. *파일.*
"내가 왜 싫은지 이유를 열 개만 내 봐."
"내가 이해가 안 돼서 그래…" 등등의 집착 문자들.

상태 유라는 다 공개하자고 했는데 제가 말렸어요…
이런 게 나가면 유라가 다치니까요…. (후회된다)

이수, 강현 (보는데)

상태 신녀님이 올해 살이 들었다고 조심하라고 해서… 그게 하남수인 줄 알았는데 진짜 죽을 줄은 몰랐어요….

이수 신녀님이요?

상태 아… 저희 영화에 살풀이굿이 나와서 자문해 주시는 분인데… 아주 용하세요. 혹시… 유라를 부검했나요?

강현 네. 살인 사건이니까요.

상태 (울상으로 한숨 쉬고)

매니지먼트 대표가 들어온다. 강력팀에게 인사하고 명함 내미는.

대표 제가 여기 대표입니다.

강현 네. 저희가 수사를 맡고 있습니다. (명함 내밀고)

상태 (기운 없이 일어나며) 저는 그만 가 볼게요.

우상태 나가면, 보고 있는 대표.

대표 유라를 배우 만든 게 상태예요. 고등학교 선배거든요.
가족도 저렇게 못해요. 친오빠보다 더 챙겼는데….

이수, 강현 (보는데)

대표 장례는 언제쯤 치를 수 있을까요?

강현 절차 마무리되는 대로 연락드리겠습니다.

13. 거리, 저녁

준영, 차 안에 앉아 건너편을 보는데, 하남수가 변호사들과 인사하며 들어간다.

보면, 건물에 붙어 있는 간판 <법무법인 ○○>

14. 도로, 이수의 차 안, 저녁

달리는 이수의 차 안.

강현 (생각에 잠겨) 하남수가 범인일 수 있을까?

이수 가장 강력한 동기를 가진 사람이긴 하지.

강현 10시 25분에 호텔에 있었는데.

(하남수와 혜나의 사진 컷, 10시 25분)

10시 30분에 세트장에 나타났다.

(세트장 내부 CCTV 컷, 어둠 속의 인물이 하남수로 바뀌어 있다)

(고개 젓고) 물리적으로 불가능해.

이수 다른 사람을 시켰다면?

강현 (이수를 보는데)

이수 이거 폭로되면 배우 인생 끝나. 진짜 믿을 만한 사람을 시켰을 수도 있지.

강현 근데 그게 왜 세트장이었을까? 우발적으로 일어난 것처럼 꾸미고…

그렇다면 김영환 대표를 용의자로 노린 건데, 그럴 이유가 없잖아.

이수 (마약 때문일 것이다. 하지만 말하지 않는다) 유라 씨가 본 동영상을 찾아내면 확실해지겠지….

15. 강력팀 사무실, 밤

강현과 이수가 들어오고, 경진이 보면.

강현 (USB 주면서) 한유라 씨 빌라 CCTV야. 출입구하고 복도. 나눠서 확인하자.

경진이 받아서 모니터에 연결하고.

CUT TO

조용한 사무실, 화면을 보고 있는 강현과 경진.

INSERT. *모니터 화면.*

경진 화면, 주차장으로 들어가는 차량 안의 우상태와 한유라.

강현 화면, 한유라의 현관문을 열고 들어가는 한유라와 우상태.

경진 (모니터 앞에는 하남수 차량 사진 있다) 하남수가 들어간 적은 없는데요?

강현 어, 드나든 사람은 한유라 씨하고 매니저뿐이야.

강현과 경진이 한숨을 쉬는데,

그들을 잠시 보던 이수가 일어나 나간다.

16. 유치장 안, 밤

초조한 얼굴로 영환이 손톱을 물어뜯고 있다.

이수, 들어와서 영환을 보다가.

이수 김영환, 괜찮냐…?

영환, 벌떡 일어나며 소리를 지른다.

영환 너 뭐 하는 거야!!

책상에서 영환을 보는 박 경장.
흥분하는 영환을 보는 이수.

영환 (박 경장 눈치 보면서) 나 빨리 풀어 줘야지. 어?
(약 기운 떨려서 손을 덜덜 떤다) 나, 나 미칠 거 같다고.

이수 ('생각보다 중독이 심하구나.', 차분) 수사하고 있으니까 기다려.

영환 (철창 흔들고) 뭘 기다려, 뭘~~ 너 이 새끼, 나 여기 처박아 놀라 그래?
친구라는 새끼가. 내가 중학교 때부터 네 옆에서 씨발….

이수 (정색하고) 김영환! 정신 차려!

영환 어, 미안해. 내가 너무 힘들어가지고… (비굴) 나 좀 꺼내 줘. 제발….

답답하고 걱정스런 얼굴로 영환을 보는 이수에서.

17. 호텔 전경, 밤

18. 호텔 펜트하우스, 밤

이수, 옷 벗고 있는데 초인종 울린다.
현관문을 열면 승주가 서 있다.

승주 (종이 백 들어 보이고) 밥 먹었어?

이수 아니. 들어와.

CUT TO
테이블에 도시락 차려져 있고, 마주 앉은 형제.

승주 걱정돼서 왔어….

이수 … 나 괜찮아. (하다, 이내) 아니, 안 괜찮네. 집에도 못 가고 있으니….

승주 (안쓰럽게 보고) 얘기 들었어… 그땐 나도 어렸을 때라… 그런 일이 있었는 지 몰랐다.

이수 나도 아무것도 모르고 살았어….

승주 … 아버지 원망하지 마. 방법이 없었을 거야.

이수 정말 방법이 없었을까? 25년이야, 형. 나한테 말할 기회가 없었을까?

승주 (보는데)

이수 제일 화가 나는 건 내가 진실을 알고 애도할 수 있는 시간을 뺏었다는 거야. 나를 믿지 않았던 거지. 아버지한테 난 어린애니까.

승주 (아무 말도 못 하는데)

이수 어떤 친구가… 이유는 생각하지 말라고 했는데… 그게 안 돼. 알고 싶어. 왜 그런 선택을 했는지….

승주 (안타깝고) 그런 생각 하지 마. 네가 다쳐….

이수 (끄덕이고) 근데… 시간이 좀 필요할 거 같아.

승주 … 강력팀에서 나올래? 내가 얘기할게.

이수 아니… 이거라도 안 하면 못 견딜 거 같아. 영환이랑 관련된 일이기도 하고.

승주 언제든 힘들면 나한테 얘기해… 내가 네 편인 거 알지?

이수 (미소) 알지.

승주 먹자.

이수, 끄덕이고 함께 밥을 먹는 형제에서.

19. 강하경찰서 전경, 아침

20. 강력팀 사무실, 아침

준영이 들어와 책상에 앉는데, 이수와 강현이 들어온다.

준영 (돌아보며) 하남수 변호인단 꾸리고 있어.

강현 변호인단?

이수 벌써 재판 준비하는 건가?

강현 만일 하남수가 범인이라면….

INSERT. *9부, 세트장 주차장.*

강현 E *유라 씨가 협박을 하고.*

유라 *(차 안의 하남수 노려보며) … 내가 터뜨릴 거야.*

남수 *(차 안에서) 야!!! 저 미친….*

INSERT. *호텔, 혜나와 같이 있는 하남수 사진 컷.*

이수 E *완벽한 알리바이를 만든 후에….*

INSERT. *세트장 분장실.*

한유라를 찌르는 얼굴 없는 범인 컷.

강현 E *누군가를 시켜서 죽였을 수는 있어.*

강현 동영상을 확인해야 확실해질 텐데….

경진 (뛰어 들어오며) 와 대박, 대박!!

보는 이수와 강현, 준영

경진 (자리에 앉아서 이메일 로그인 하며) 클라우드에서 메일 왔어요!

이수, 강현, 준영 (보는데)

경진 담당자가 한유라 씨 팬이래요!!

다 같이 메일을 확인하는데.

INSERT. *모니터 화면.*

○월 ○○일에 열린 파일은 두 개입니다. 파일이 삭제되어서 이름만 확인이 가능합니다. 범인 꼭 잡아 주세요.

<hcv 20230000 19:15> <hcv 20230000 19:18>

경진 아… 파일 이름만 남아 있네.

준영 날짜하고 시간 같은데?

강현 이거… 살해 당일이잖아. 이 시간에 한유라 씨는 촬영 중이었을 텐데?

경진 촬영 중에 누가 뭘 찍어서 보냈을까요?

이수 hcv… ('무슨 약자지?' 생각하다가 번쩍) 혹시 한유라 씨가 개를 키우고 있어?

경진 유라 씨가 키우던 개는 작년에 죽었대요.

이수 그럼…?

강현 왜?

이수 유라 씨 방에 홈 카메라가 있었거든?

(인형 사이에 숨겨진 홈 캠 컷, 전원이 켜져 있다)

그거 움직임이 있으면 자동으로 찍히는 기종이야.

강현 ! 스토커가 집에 들어온 것 같다고 했었잖아.

이수 스토커 잡으려고 설치한 건가?

강현 경진아, 빌라 CCTV 다시 보자. 복도.

경진이 화면 띄운다. 모여서 보는 1팀.

강현 7시 10분부터 보자.

INSERT. 복도.

14분이 되자, 우상태가 나타난다. 복도를 걸어와 비번을 누르고 문을 열고 들어간다.

준영 매니전데?

경진 아이, 유라 씨가 뭐 부탁해서 가지러 온 거 같은데요?

강현 (찝찝하고) 하나 더 보자. (촬영 스케줄 확인하고, 촬영 날짜 불러 준다)

○월 ○○일

INSERT. 복도.

빠르게 흘러가는 시간. 또다시 우상태가 나타난다.

정상 속도로 변환하면, 뭔가 눈치 보는 듯한 우상태의 태도. 문 열고 들어가는.

1팀 (뭔가 감이 온다)

강현 (다른 날짜 부르는)

INSERT. 복도.

다시 우상태가 나타나 집으로 들어간다.

강현 저렇게 부탁할 게 많을까?

이수 아니. 기본적으로 촬영 때 매니저는 자리를 비우지 않아.
저건 유라 씨 몰래 집에 들어가는 거야.

강현 만일 그 사실을 유라 씨가 알았다면….

이수 우발적으로 죽일 이유가 될까…?

준영 사건 당일로 돌려 봐. 11시 이후.

INSERT. 복도.
11시 50분, 집에 들어가고… 나온다.
긴장하고 눈치 보며 걸어가는 우상태….

준영 우상태가 범인이라면… 증거를 치우러 들어간 거야.

강현 예를 들어 SD카드 같은? (준영을 본다. '이제 어떻게 할까….')

이수 끌고 와서 무슨 짓을 한 건지 물어보자.

강현 지금 우린 손에 쥔 게 없어. 그냥 데려오면 예방 주사만 맞히게 돼.

이수 예방 주사?

준영 확실한 증거 없이 데려왔다 풀어 주면 더 완벽한 논리로 무장한다는 겁니다.

이수 그럼 어떡해?

강현 (생각하다) 일단 우상태 집에 가 보자.
(준영에게) 한유라 씨 집에 SD카드 있는지 확인해 줘.

준영 (끄덕이고)

나가는 이수, 강현. 준영.

21. 우상태의 집 전경, 낮

○○ 오피스텔 건물. 앞에 이수의 스포츠카 서 있고.

22. 우상태의 집 앞, 낮

이수와 강현, 우상태의 집(307호) 앞에 서 있다.
초인종을 누르지만 아무 대꾸가 없다.
강현, 잠깐 생각하는데, 문자 온다. <준영: SD카드 없어.>

이수 (핸드폰 옆에서 보고) 저 안에 있어! 분명해!

강현 (보고)

이수 (문손잡이 철컥거리고) 문이 열려 있었음 좋았는데.

강현 열쇠 따고 들어간다는 소리는 하지 마라.

이수 (아쉬운 듯 복도 끝으로 가서 측면의 창문을 본다)

강현 줄 타고 내려올 생각도 하지 말고.

이수, 뭔가 생각하고 부동산 어플에 상태의 집 주소를 넣는다.
전체 건물 매매로 올라와 있다.

이수 하늘이 도와주시네?

강현 (뭔 소린가 보는데)

23. 부동산, 낮

사장, 커피 마시고 있는데, 이수의 스포츠카 와서 서고.
선글라스 쓰고 들어오는 이수, 옆의 강현.

이수 (선글라스 내리고) 사장님?

사장 (이수 알아보고) 어? 혹시… 한수 그룹?

이수 (씩 웃고, 선글라스 벗고) 아시는구나? 그럼 얘기가 빠르겠네요.

사장 에?

이수 ○○ 오피스텔 제가 사겠습니다.

사장 네? 그거 120억짜린데.

이수 아유, 싸네. 내부를 좀 보고 싶은데… 한 집만 보여 주세요. 307호.

강현 ('잘 논다.', 보는)

사장 ('수수료가 얼마냐.', 땡잡은 얼굴)

아… 거기 말고 (수첩 뒤지며) 공실이 있으니까….

이수 ('노노~' 웃으며) 재벌들 많이 못 만나 보셨나 보다. 우린 말이에요. 이상한 버릇이 있어요. 저는 지나가다가 감이 딱 오면 건물을 사거든요.

사장 ('아아… 뭔 소리야.')

강현 (피식, 보고)

이수 제가 오피스텔 앞을 지나가는데, 307호가 눈에 팍 들어오는 거예요. 저기만 보면 살지 말지 알 수 있겠다….

사장 아… 지난번에 내가 연결해 줘서 세입자 번호가 있긴 한데…. (수첩 뒤지는데)

이수 아이… 왜 이러실까. 저 바빠요. (시계 보고) 비행기 타야 돼서 5분밖에 시간 없어요.

사장 아니 그럼…. (어쩌라고)

이수 마스터키 있으시잖아요. 갓물주가 맡기셨을 텐데?

사장 (갈등하는데)

이수 맘에 들면, 120억 바로 쏩니다.

24. 우상태의 집 앞, 낮

부동산 사장, 까리한 얼굴로 도어 록을 연다.

이수 (빙글) 여기서 망 봐 주세요. 5분!

이수 들어가고, 어리바리 선 사장을 두고 강현도 들어간다.

25. 우상태의 집, 낮

#현관

문 닫고 장갑 끼고 들어가는 이수와 강현.

#거실

이수와 강현, 들어가다가 멈춘다.
거실의 풍경이 펼쳐진다. 한유라의 집안과 똑같은 벽지. 인테리어. 가구들.
곳곳에 각종 옷을 덧입혀 놓은 한유라의 등신상들이 서 있다.
강현을 돌아보는 이수. 강현도 아연실색해서 보는데.
강현을 보고 안방으로 들어가는 이수. 강현 따라 들어가고.

#안방

방 안에는 한유라의 침실과 똑같은 내부. 인형들까지 똑같이 배치되어 있고
옷장을 열면 한유라의 옷이 가득하고.
침대에는 한유라의 옷을 입은 마네킹이 누워 있다.
이수와 강현, 말문이 막힌다.
강현은 현장의 사진을 찍기 시작하고. 이수는 내부를 둘러본다.
이내, 테이블 위에서 SD카드를 발견한 강현이 리더기를 연결해 파일을 복사한다. 이수는 벽에 붙은 액자로 다가간다.
한유라의 독사진에 자신을 합성해 넣은 사진. (마치 웨딩 사진처럼 다정하게)
그 옆에 붙은 액자에는 혼인신고서. (한유라의 사인이 없고, 날짜 안 적힌)

강현 (다가서며) 이게 다 뭐야….

이수 우상태가 매니저가 아니라 변태 또라이라는 증거.

강현, 옅은 한숨을 쉬며 이수를 보고.

#집 앞

이수와 강현이 무거운 얼굴로 나오면, 돌아보는 사장.

이수 잘 봤어요.

사장 (기대하는) 그럼 계약은 어떻게…?

이수 안 되겠어요. 집이 음침해요.

사장 ?

이수 다음에 좋은 물건 있으면 연락하세요~

이수와 강현, 걸어가면, 멍하니 선 사장.

사장 명함 안 줬는데….

26. 도로, 이수의 차 안, 낮

운전하는 이수, 전화하는 강현.

강현 (연결되면) 준영아. 우상태 어디 있는지 좀 알아봐 줘.

27. 해원 신녀 신당 앞, 낮

차 안의 준영. 밖을 보면서 통화 중이다.

준영 안 그래도 보고 있었어.

준영의 시선을 따라가면, 신당 안으로 들어가는 우상태.

CUT TO

우상태가 나와서 다시 차를 타고 가면, 지켜보다가 차 밖으로 나오는 준영.

28. 해원 신녀 신당, 낮

#입구(마당)

낡은 신당 입구, 해원 신녀 적혔고, 색색 깃발 마당에 걸렸다.

걸어 들어가는 준영.

신녀의 조수가 준영을 보면, 경찰 신분증 내미는 준영.

신녀 E (방 안에서) 들어오세요.

#방 안

사납게 생긴 50대 신녀, 단아한 한복 입었고, 주변에 장군신, 촛불 등등의 장식들.

준영, 작은 상을 마주해 앉았고.

준영 방금 왔다 간 사람이 무슨 얘길 했습니까?

신녀 (준영을 보다가) 그놈이… 무슨 짓을 저질렀습니까?

준영 (말없이 보는데)

신녀 피 냄새가 진동을 하던데요….

준영 (신녀를 본다. 얘기 안 해 준다)

신녀 천도재를 할려면 얼마나 드는지 물어보더군요.

신녀를 보는 준영에서.

29. 강력팀 사무실, 밤

회의 테이블 위에 펼쳐진 우상태의 집 사진들.

(강현이 찍어 온 사진 프린트한 것)

그 뒤로 팀원들이 SD카드에 있던 영상을 모니터 하고 있다.

INSERT. *모니터 화면.*

거실, 어두운 실내. 제집인 듯 들어와 걸어가는 우상태.

안방, 서랍을 뒤지고, 뭔가를 주머니에 집어넣는 우상태.

(이후에 한유라가 볼 영상을 짧게 보여 주는 것)

말문 막혀 보고 있는 강력팀.

경진 매니저가 어떻게 저런 짓을 해요…?

준영 이걸로는 아무것도 안 돼.

강현 (끄덕이고) 그냥 스토커였다는 증거일 뿐이지. 살인으로는 잡을 수 없어.

준영 자백을 하면 몰라도….

경진 이걸로, 자백을 할까요?

이수 (생각에 잠겼다가) 일단 촬영을 다시 시작해야겠다.

일동 ('엥? 뭔 소리?')

이수 Show must go on. (씩)

30. 골드 픽처스 회의실, 밤

백상희, 하남수, 감독, 조감독 등등 모여 앉은 회의실.
이수가 입을 연다.

이수 안타까운 일이 있었지만, 촬영은 재개하겠습니다.
일행 (놀라 보는)
조감독 유라 씨는 어떡하고요?
이수 대역을 써서라도 영화를 완성해야죠. 그게 저희들의 의무라고 생각합니다.
감독 (다행이다) 그럼요~~
이수 내일부터 다시 촬영하죠. 그리고 한 가지, 여러분께 부탁드릴 게 있습니다.

모두 궁금한 얼굴로 이수를 보는데….

31. 세트장 전경, 낮

차량, 하나둘 들어오고,
하남수, 백상희, 감독, 우상태, 조감독, 인터뷰했던 스태프들 모두 내린다.
우상태만 빼고 서로 눈빛을 교환하며 세트장 안으로 들어가는 사람들.

32. 세트장 BAR, 낮

사람들, BAR 안으로 들어오면 어두컴컴한 조명 아래 사방에 켜진 촛불들.
(BAR의 열린 벽으로 한유라의 분장실이 보이고, 복도의 거울들도 보인다)
가운데 커다란 테이블. 그 앞에 이수가 서 있다.
(준영은 멀리, 어두운 벽 앞에 서서 본다)

이수	(두 팔 벌리고) 어서 오세요. 여기 앉으시면 됩니다. (스태프들 보면, 의자 가리키며) 앉으세요.

사람들 모두 자리 잡고 앉는다.

이수	(좌중을 보며) 오늘 우리는 한유라 씨를 위해 여기에 모였습니다.
사람들	(보고)
이수	천도재를 준비하려고 하는데, 아직 여기에 유라 씨의 영혼이 묶여 있다고 합니다…. (유라의 시신이 있던 자리를 잠시 본다)
사람들	(모두 그 자리를 본다)
상태	(긴장해 그 자리를 보고)
이수	우리가 유라 씨의 영혼을 풀어 주어야 합니다….

사람들 긴장해 이수를 보는데, 이 기자가 들어온다. (카메라 들고) 내부를 둘러보다 준영 옆으로 가서 선다.

이 기자	미꾸라지 한 마리가 들어오더니 1팀이 이상해졌어.
준영	(힐끔 보고) 입 다물고 보기나 하세요.

이수	(사람들을 둘러보며) 모두 눈을 감고….
사람들	(눈치 보다 눈 감고)
이수	마음속으로 유라 씨를 부르세요… 간절하게….

긴장이 흐르는 실내… 이윽고 '스륵 스륵' 이상한 소리가 들려온다.
사람들 눈을 뜨고 소리가 나는 방향을 보는데, 해원 신녀가 검은 한복을 입고 걸어오고 있다. 뒤로 하얀 천을 질질 끌면서…

조금 떨어져 따라오는 조수.
우상태, 긴장하며 보는데….

신녀 (분위기 압도하는) 억울하다… 억울해…!
내가 왜 죽어야 하나… 이리 젊고 아까운 청춘이 왜 죽어야 하나….

신녀, 천을 질질 끌며 사람들에게 다가오고.
사람들 놀라 보고 있고. 우상태는 바짝 긴장해 있고.

신녀 (테이블 주변을 한 바퀴 돌면서)
억울하다… 억울해… 아비의 예쁜 딸이고 사랑받는 배우였는데…
내가 가슴이 찢겨 숨이 막혔소… 그 사람을 믿었는데… 믿고 의지하던 그 사람이 나를 죽였소….

순간, 신녀 눈빛이 바뀌며, 사람들을 본다.

신녀 그 사람이 이 자리에 있다는 것이냐…. (마지막에 우상태를 본다)

우상태, 하얗게 질리는데, 조명이 번쩍번쩍하고, 어디선가 불어온 바람에 촛불이 흔들린다. 우상태, 너무 긴장해서 일어설 뻔하는데, 이수가 그 어깨를 지그시 누른다.
모든 사람들 신녀를 보고 있고… 신녀는 천을 질질 끌고 한유라의 분장실 앞으로 간다. 그리고 하얀 천을 잡아 분장실 안으로 던지고, 천을 잡아당기며 감는다. (이 행동을 계속한다)

신녀 이리 나와라. 내가 다 들어주마. 이리 와… 네 억울한 마음을… 찢어진 가슴을 내가 만져 주마… 이리 와라… 여기 있으면 안 된다… 나랑 같이 가자. 내가 네 한을 풀어 주마. 같이 가자. 이리 와….

하는데, '팟' 꺼져 버리는 조명. 이어 촛불마저 다 꺼져 버린다.
어둠 속에 긴장한 사람들. 이어 다시 조명이 흐릿하게 들어오는데
분장실 앞에 흰 천 끝에 한유라가 붉은 드레스를 입고 쓰러져 있다!
벌떡 일어나는 우상태!!
사람들 모두 기겁해 우상태를 본다.

남수 (짜증 나서) 왜 그래? 무섭게~?

상희 (겁에 질린) 뭐가 보이는 거야?

우상태, 사람들을 보면 모두 짜고 안 보이는 척하고 있고.

상태 (하얗게 질려서) 아… 아니… 안 보여요…. (다시 앉고)

이수 (그런 상태를 보고)

준영과 이 기자도 멀리서 그 쇼를 보고 있고.
한유라가 기어 오기 시작한다. 사람들은 안 보이는 척하는데
우상태는 얼어붙어 덜덜 떨고 있고….
한유라는 '스윽 스윽' 기어가며 우상태를 부른다.

유라 오빠… 오빠….

그 소리에 돌아보는 우상태. 기어 온 한유라가 우상태의 다리를 붙잡는다.

유라 나 좀 도와줘….

공포에 일그러진 우상태의 얼굴.
이제 모든 사람들이 우상태를 보고 있다…
우상태에게는 한유라만 보인다. 한유라는 우상태를 붙잡고 일어서기 시작하고….

유라 오빠….

고개를 드는데, 고통스러운 얼굴의 한유라.
우상태는 자기도 모르게 한유라를 붙잡는다. 한유라를 일으키는 상태.

유라 오빠… 나 너무 아파….

하는데, 한유라의 드레스에서 피가 팍 튀면서 질질 흐르기 시작한다. (특수 효과)
우상태, 피가 튄 얼굴로 하얗게 질려 보는데….

유라 (싸늘한 얼굴로) 나한테 왜 그랬어?

하는데, 한유라를 덥석 끌어안는 우상태!

상태 (오열하는) 미안해!! 유라야, 미안해. 내가 잘못했어.
사랑해서 그랬어. 너를 너무 사랑해서!!

울부짖는 우상태에서.

33. 한유라의 분장실, 사건 당일, 밤

한유라, 연두색 트레이닝복을 입고, 핸드폰을 확인하고 있다.
클라우드 연결해서 동영상을 보는 한유라.
(촬영하고 있던 시각에 찍힌 동영상이다)

INSERT. *핸드폰 화면.*
거실을 비추던 카메라, 누가 들어오면 움직이며 피사체를 쫓는다.
불이 켜지지 않은 거실, 등만 보이는 누군가. 거실을 지나 방으로 들어간다.

한유라, '누구지?' 보다가 방 안의 카메라 동영상을 틀면.

INSERT. *핸드폰 화면.*
방 안, 침대에 누워 있는 남자. 베개를 껴안고 냄새를 맡고…
일어나 서랍장을 열어 속옷을 하나 꺼내 향수를 뿌리고 주머니에 넣고,
돌아서는데, 우상태다!

경악해 핸드폰을 보고 있는 한유라.
그때, 우상태가 들어온다.

상태 유라야 수고했어. (유라의 짐을 챙기며) 집으로 갈 거지?
유라 (굳은 얼굴로) 오빠였어?
상태 (돌아보고) 어?
유라 내 집에 들락거리면서 변태 짓 한 게 오빠냐고.
상태 (모른 척) 무슨 소리야?
유라 (정떨어졌고) 누가 집에 들어오는 거 같아서. 카메라를 설치했거든.
(핸드폰 보여 주며) 여기 다 찍혔어.

상태 (놀라서 얼어붙고)

유라 (차갑게 노려보다 일어선다) 신고할 거야.

한유라, 앞으로 나서면, 정신 차리고 붙잡는 우상태.

상태 유라야 잠깐만.

유라 (뿌리치며) 이거 놔!

상태 (부드럽게) 유라야, 제발. 오빠 얘기 좀 들어 봐. 화만 내지 말고…. (잡고)

유라 (굳은 얼굴로 보는데)

상태 (설득하는) 우리… 어차피 결혼할 사이잖아.

유라 (질려서 보는) 그게 무슨 소리야?

상태 (부끄러워하며) 네가 전에 그랬잖아. 서른다섯쯤에는 결혼하고 싶다고… 내가 집도 다 꾸며 놨어. 열애설 날까 봐 조심하는 거지, 언젠가는 나랑 결혼할 거잖아.

유라 (기가 차서) 결혼… 그 상대가 너는 아니지! 미친 거야?

상태 (이해가 안 되고) 나를 보면서 말했잖아. 결혼하고 싶다고… 하남수를 거절한 것도 나 때문이잖아.

유라 정말 미쳤구나… 거울 안 봐? 네가 내 상대가 돼?

상태 (충격적이지만 이내 괜히 그러는 거라 생각하고 매달리는) 유라야. 거짓말 하지 말고… 오빠한테 왜 그래~?

유라 (싸늘) 이거 놔, 미친 변태 새끼야!

상태 (놓치고… 거울을 잠시 보는, 앞에 가위 놓여 있다) 난 널 위해서 살았는데… 널 배우로 만들어 준 것도 나잖아….

나가려던 한유라가 돌아보면, 우상태가 가위를 들고 있다.

상태 왜 날 배신해?

놀란 한유라가 돌아서서 문손잡이를 잡는데,
우상태가 가위를 들어 한유라를 찌른다.

상태 왜!

공포에 질려 돌아보는 한유라.
우상태, 울분에 차서 이를 악물고 한유라를 찌른다!

상태 왜! 왜! 왜!!

34. 세트장 내부, BAR, 낮

한유라에게 매달려 오열하고 있는 우상태.

상태 나한테 왜 그랬어… 이 세상 누구보다 널 사랑하는데….

강현(한유라 옷 입은) 내려다보고 서 있고, 이수도 차가운 얼굴로 우상태를 본다.

INSERT. *조정실.*
경진이 스위치 올린다. (옆에 세트장 화면 보이는 모니터)

세트장 전체에 밝은 조명 들어온다.

강현 (차가운) 우상태 씨!

우상태, 낯선 목소리에 갑자기 정신이 번쩍 나고.
고개를 드는데, 강현과 눈 마주친다.
주변을 보면 차가운 눈으로 자신을 보고 있는 사람들…
우상태 어리둥절해 일어서는데.

강현 (수갑 꺼내며) 한유라 씨 살해 혐의로 체포합니다. (수갑 채우고)

아직도 이게 무슨 일인지 모르겠는 우상태에서.

CUT TO
준영이 우상태를 끌고 나가고, 뒤로 이 기자가 따라붙는다.
나머지 사람들 모두 세트장 밖으로 나가고 있고.
드레스 단추가 답답한지 목 뒤의 단추를 푸는 강현에게 다가오는 이수.

이수 (빙글 단추 잡을 듯) 도와줄까?
강현 (피하고) 됐거든.
이수 연기 잘하던데? (강현 기어 오던 거 따라 하며) 배우 할 생각 없나? 좀비물?
강현 (피식) 시끄러. (하면서, 옷 갈아입으러 가고)

경진이 나오면서 이수와 로우 파이브 한다.

경진 형님~
이수 근데 촛불은 어떻게 한 거야?
경진 촛불이요?
이수 어, '확~' 꺼지던데?
경진 (소름) 그건 제가 한 거 아닌데요?

이수, 경진을 본다.

35. 세트장 외부, 낮

준영, 우상태를 승합차에 태운다.
주변에서 그런 우상태를 보는 사람들.
한쪽에서는 이 기자가 사진을 찍고.
준영이 운전석에 타는데, 이 기자가 다가와 우상태를 본다.

이 기자 옷은 왜 그랬어요?
상태 (정신없고) 옷이요?
이기자 죽인 다음에 옷을 왜 갈아입혔냐고?
상태 더러워서요….

INSERT. *세트장, 한유라의 분장실.*
바닥의 한유라 시신. 연두색 옷 곳곳에 피.
그걸 보고 있는 우상태.

상태 E 사진에 찍힐 마지막 모습인데… 그런 옷을 입을 수는 없죠. 우리 유라가….

우상태… 시신을 보다가 벽에 걸린 드레스로 시선을 옮긴다.

황당하다는 얼굴로 우상태를 보는 이 기자.
이내 차 출발하고… 멀어진다.

36. 세트장 주차장, 낮

신당 차량 앞.
해원 신녀, 옷 갈아입었고, 조수가 짐을 싣고 있는데
이수가 다가온다. 커다란 쇼핑백 들고.
이수, 조수에게 쇼핑백 내밀고 조수가 받아 들고.

이수 (신녀에게) 오늘 수고 많으셨어요.

신녀 (이수를 가만히 보는데)

이수 근데 혹시 아까… 유라 씨가 정말 왔었어요?

신녀 … 진짜 궁금한 건 그게 아니잖아.

이수 ('무슨 소리지?')

신녀 (혀 차고) 눈에 슬픔이 가득하네.

이수 ('아… 내가 묻고 싶은 질문은 이거였구나.')
오래전에 죽은 사람도… 다시 만날 수 있나요?

신녀 (짠하고 어리석고) 네가 몇 살인데 엄마를 찾아?

이수 (놀라고)

신녀 네 엄마는 먼 곳에서… 모든 번뇌를 벗었다. 남은 사람이 계속 부르면 혼이 쉬질 못해. 받아들여라… (쓰다듬으며) 네 머릿속의 질문들. 그 답은 언젠가 알게 될 거야. 네가 숨겨 놓은 사탕부터 찾아야지.

무슨 말인가 보는데, 차를 타고 떠나는 신녀.
한참 보고 서 있는 이수.

37. 이 기자의 기사 (인터넷 화면)

SBC 특종, 한유라를 살해한 범인 체포,

범인은 한유라를 배우로 만들었던 매니저였다…
마지막으로 찍힐 사진을 위해 옷을 갈아입힌 엽기적인 범죄….

38. 장례식장 전경, 밤

우는 한유라의 팬들. 곳곳에서 모여 웅성대고. 마지막 선물을 들고 울고….

39. 장례식장, 밤

#복도
각종 매체에서 나온 기자들 카메라, 사진기 들고
연예인 누가 오나 기다리고 있고.

#빈소 안
이수와 강현이 유라 부와 마주한다.
핸드폰을 유라 부에게 건네주는 강현.

강현 유라 씨 유품입니다.
유라 부 고맙습니다….

깊이 숙여 인사하는 유라 부. 이수와 강현도 인사하는데,
뒤로 고등학생 팬들이 국화를 들고 우르르 들어서고.

이수 (그들을 보며) 유라 씨를 아끼는 사람들이 많네요.
유라 부 (글썽하며 끄덕이고)

CUT TO
고등학생 팬들이 하나씩 국화를 들고 줄을 서서 인사를 한다.
그 모습을 멀리서 바라보는 이수와 강현.

#복도
이수와 강현이 나오는데, 멀리서 하남수 쫓아와서 강현을 잡는다.

남수 형사님…. (한쪽으로 끌고 가고)
강현 ('왜 이래?', 팔 빼고)
남수 (비굴) 다 아셨다면서요?
강현 뭘요?
남수 아… 제가 유라 쫓아다닌 거요.
이수, 강현 (하남수 보는데)
남수 제발 비밀로 해 주세요. 그거 나오면 저 끝나요.
강현 그건 저희 소관이 아닙니다.
남수 (난처한데)
이수 그러게 왜 스토킹을 하고 그래, 대스타께서?

하남수, 인상 쓰며 시선 돌리다 놀란다. 바로 앞에 백상희가 서 있다.

상희 스토커가 너였어?
남수 (귀찮고) 아유, 선배님은 빠지세요.
상희 유라가 그렇게 욕을 먹었는데 해명도 안 하고?
남수 아, 씨, 짜증 나게.

하는데, 백상희가 하남수의 따귀를 때려 버린다.

놀라는 이수와 강현.

조금 떨어진 위치에서 두 사람을 찍고 있던 카메라들 플래시 '팍팍' 터지고.

남수 (카메라 의식하며 조용히) 퇴물 주제에 얻다 손을 대, 미쳤어?

상희 저 기자들한테 내가 널 왜 때렸는지 얘기할까?

남수 (굳어) 두고 봐. 내가 당신 은퇴시켜 줄게.

상희 (미소로 때린 곳을 만지며) 어디 한번 해 봐. 내 상대가 될지 모르겠네.

하남수는 도망치듯 자리를 뜨고, 카메라들, 하남수를 쫓아간다.

기자 1 왜 맞으신 겁니까?

기자 2 두 분 사이에 무슨 일이 있었습니까?

그걸 보고 선 백상희, 이수, 강현.

이수 후폭풍이 좀 있을 거 같은데요.

상희 상관없어요. 나 원래 인터넷 안 봐.

이수 고소 들어오면 연락하세요. 최고 변호사로 붙여 드릴게요.

상희 매너가 좋다니까….

미소 짓고 빈소로 들어가는 백상희를 보는 이수.

이수 멋있어.

40. 장례식장 앞, 밤

이수와 강현, 주차장 쪽으로 걸어가고 있다.

강현 진범도 잡고 다 좋은데….

이수 좋은데?

강현 의문점이 하나 남았네.

이수 (보고) 뭔데?

강현 김영환 대표는 왜 세트장에서 잠을 잤을까?

이수 (강현 보다가 시선 돌린다)

41. 강하경찰서 전경, 밤

42. 유치장, 밤

유치장 안의 영환.

이수가 들어오면 일어선다.

이수 (박 경장에게) 열어 주세요.

문이 열리고 영환이 웃으며 나온다. 하지만 이수의 얼굴은 굳어 있다.

43. 복도, 밤

복도를 걸어가는 이수와 영환.

영환 역시 진이수, 못 하는 게 없지. 범인이 누구였어?

이수 한유라 씨 매니저.

영환 야, 그 새끼 그렇게 안 봤는데 미친놈이었구나.
이수야, 네가 내 친구라 정말 다행이다. 너 아니었으면 큰일 날 뻔했어.

이수 (멈춰 서고)

영환 (멈춰 선다)

이수 너 풀려나는 거 아니야.

영환 어? (어리둥절하고)

영환이 보는데, 마약 수사팀 앞이다. 놀라 굳는 영환.
이수가 '똑똑' 문을 두드리면 마약 수사팀 두 명 나와서 영환 양옆에 선다.

이수 이번에 제대로 수사 받고 약 끊어라.

영환 (경악하는데) 네가 어떻게 나한테…!

하는데, 옆에서 영환의 팔을 잡는 형사들.

영환 (성질내면서) 이거 놔 봐요. 놓으라고!

형사들 (놓지 않고)

이수 (가만히 보는데)

영환 야, 진이수, 나는 너 한 번도 친구로 생각한 적 없어.
돈 때문에 붙어 있었던 거지….

이수 (무덤덤하게 보며) … 알아. 나도 외로워서 널 옆에 둔 거야.

영환 (노려보고)

이수 너도 이제 진짜 친구를 사귀어. 늦지 않았어.
아무 이유 없이 옆에 있어 주는 사람이… 있더라.

44. 강하경찰서 주차장, 밤

이수, 걸어 나오는데, 강현이 차를 몰고 이수 앞에 세운다.
이수, 보는데.

강현 나 집에 갈 건데.
이수 (보고)
강현 더럽고 낡은 차 타고 집에 가는 거 어때?
이수 (부드럽게 강현을 보지만, 결심이 안 선다)
강현 일단 타.

이수, 강현의 차에 타고.

45. 도로, 강현의 차 안, 밤

강현, 운전하고 있고, 이수를 살짝 본다.

강현 우리 엄마가 대왕 오지랖이라 내 어린 시절이 좀 피곤했거든?
이수 (보는데)
강현 집에 가면 맨날 손님 있고, 하루 종일 전화통 붙잡고 뭘 그렇게 해결하러 다니는 지 바쁘고… 그래서 나는 그렇게 안 살려고 했는데….
한 번만 오지랖 부릴게.
이수 (보는데)
강현 너 전에. 이사 오고 나서… 좋았던 기억들이 떠오른다고 했었잖아.
이수 ('아, 그랬었지.')
강현 난 어머니를 모르고 너의 어린 시절도 모르지만. 분명 좋은 기억이 더 많았을 거라고 생각해.

이수 ('그럴 거다….')

강현 그리고… 계속 밖에 있으면 네 마음 정리 안 될 거야….

이수, '그럴까….' 생각하며 시선 돌리는데, 바닥에 정체불명의 비닐봉지가 또 있다.

이수 차가 또 더러워졌네. 이게 뭐야?

강현 순댄가? (피식) 잔소리하는 사람이 없어서 차가 고생이다.

이수 (피식 웃고) 가자.

강현 ?

이수 집에….

강현 (이수를 보는)

'부릉' 달리는 차에서.

46. 이수의 집 앞, 밤

강현의 차 서고, 이수가 내린다. 잠시 집을 보고 선 이수.
강현도 내린다. 이수를 보며 기다린다.

이수 (잠시 강현을 돌아보고) … 갈게.

강현 (끄덕이고)

이수, 천천히 현관문을 열고 들어간다.
잠시 보다가 집으로 들어가는 강현.

47. 이수의 집, 밤

#마당

이수, 대문을 등지고 그대로 서 있다.

땅바닥을 그냥 보고 선 이수.

서서히 마치 날이 밝아 오는 것처럼 주변이 밝아지고…

이수, 시선을 드는데 마당에 이수와 선영이 있다.

나무를 심으려고 하는 듯, 작은 묘목 있고, 어린 이수가 삽을 들고 땅을 파겠다고 하는 중. 작은 손으로 삽질을 하다 엄마한테 흙을 뿌리고. 선영이 피하면, 얼굴을 닦아 주는 이수, 하지만 얼굴에 흙이 더 묻었고.

둘이 같이 웃고.

그 모습을 보며 미소 짓는 이수.

#마당 안쪽

키 작은 농구대 있고, 슛 쏘는 연습을 하는 어린 이수.

드디어 골인 하면, 웃으며 달려가 이수와 하이 파이브 하는 선영.

#거실

이수 걸어 들어가면,

바닥에 엎드려 그림을 그리고 있는 어린 이수. 엄마 얼굴.

보고 웃는 선영.

#부엌

앉은뱅이 식탁 앞에 앉은 어린 이수.

요리를 하던 선영이, '아 뜨거.' 데이면 놀라 달려가 후후 불어 주고

캐릭터 밴드를 붙여 준다. 어린 이수를 사랑스럽게 보는 선영.

#침실

침대에 누워 있는 서로 간지럽히며 웃는 어린 이수와 선영.
그 모습을 보고 미소 짓는 이수.

CUT TO

옆에서 책을 읽어 주는 선영.
이윽고 이수가 잠들면, 다정하게 머리를 쓰다듬으며 사라지는 선영.
침대에는 큰 이수가 누워 있다. 눈을 감고 편히 잠든다.

48. 강현의 방, 밤

강현, 창밖으로 이수의 집을 보고 있다.
불이 꺼지고… 사방이 조용하다.
강현, 편안한 마음으로 슬며시 미소를 짓는데
뒤로 미숙이 빨래한 옷가지 들고 들어온다.

미숙 어우~ 좀 치우고 좀 살아라. 방이 이게 뭐야~
강현 (괜히 어리광 피우고 싶다. 매달리고) 엄마~~
미숙 왜~~
강현 배고파.
미숙 지금이 몇 신데. 알아서 좀 먹고 다니지.
강현 먹을 거 없어?
미숙 왜 없어? 있지. 내려와, 차려 줄게. (내려가면)

웃으며 따라가는 강현에서.

49. 강현의 집 부엌, 밤

미숙이 상 차려 주고, 강현은 옆에서 반찬 집어 먹고 있는데,
형준이 방에서 나온다.

형준 다 늦게 뭐 먹어?

미숙 (찌개 끓이며) 얘 밥 안 먹었대.

형준 아유 지금이 몇 신 데… (하다가) 그럼 소주 한잔?

강현 ('바로 그거지.') 하하!

형준 (소주병 꺼내는데)

미숙 아우, 뭐가 한잔이야. 증말~

강현 아, 엄마! 나 오늘 범인 잡았단 말이야~ 한 잔만 먹자.

미숙이 혀 차며 돌아서면, 재빨리 술을 따서 한 잔씩 따르는 부녀.
서로 보고 웃고.

50. 여관 골목, 새벽

여관이 늘어선 좁은 골목, 푸르게 날이 밝아온다.

51. 여관방, 새벽

깡마른 사내가 초조한 얼굴로 명함을 내려다보고 있다.
명함에는 <강하경찰서 강력 1팀 이강현>
마침내 결심한 듯 전화를 하는 사내.

52. 강현의 방, 새벽

자고 있던 강현, 울리는 핸드폰을 들어 받는다.

사내 E 이강현 형사님?

강현 네, 이강현입니다. (이하 교차)

성욱 오륜회 총무, 이성욱입니다. 기억…하십니까?

강현 (정신 번쩍 일어나고) 네, 기억합니다.

성욱 만나고 싶습니다… 제가 다 밝히겠습니다.

53. 강현의 집 앞, 새벽

강현, 급히 튀어나와 차를 몰고 달려간다.

54. 한강 주차장, 새벽

차를 세우고 누군가를 기다리는 강현.

생각에 잠긴 얼굴.

INSERT. *몇 달 전. 어느 카페.*

강현과 마주 앉은 이성욱. (현재 여관에서보다 얼굴 좋고, 뭔가 자신만만한)

가슴에 오륜회 배지 달고 있다. (수레바퀴 모양, 바퀴 살 다섯 개)

성욱 *저희 단체는 그런 곳이 아닙니다. 마음의 평화를 얻는 곳이에요.*

강현 *(단단한 얼굴로 보는)*

성욱 *그 사건은 우연이었을 뿐입니다. 이제 그만 하세요. (일어서면)*

강현 *(성욱을 붙잡고) 언제든. 생각이 바뀌면 연락 주세요. (명함을 준다)*

이성욱, 귀찮다는 듯 강현을 보다가 명함을 받고 나간다.

현재, 무거운 얼굴로 기다리는 강현에서.

55. 여관방, 새벽

일어나 나가려는 이성욱.
그때, 밖에 차가 서는 소리가 들린다.
창문으로 가서 밖을 확인하는 이성욱.
승합차 서 있고, 덩치 셋이 내린다. (근육질의 괴물 같은 느낌)
이내 파랗게 질리는 이성욱. 급히 방 밖으로 나가고.

56. 여관 복도, 새벽

이성욱이 계단으로 조용히 빠르게 내려가고,
엘리베이터 문 열리고 덩치들이 이성욱의 방으로 걸어간다.

57. 여관 주차장, 새벽

이성욱이 몰래 빠져나와 차에 타려고 하는데, 승합차 안에 대기하고 있던 덩치 1, 이성욱을 보고 내린다. 바로 휘파람을 세게 분다.
이성욱의 방 창문에서 내려다보는 덩치들.
이성욱은 차에 타지 못하고 골목으로 도망친다.
이어 문에서 튀어나오는 덩치 셋. 승합차를 몰고 따라가는 덩치 1.

58. 골목, 새벽

복잡한 골목을 따라 새벽길을 달리는 이성욱.

따라붙는 덩치들. 뒤따라오는 승합차.

겁에 질린 이성욱의 얼굴에서.

59. 한강 주차장, 아침

차 안에 앉아 한참을 기다린 강현.

시계를 보고 이성욱에게 전화를 해 보지만 꺼져 있다는 안내 음성.

60. 어느 공사장, 아침

(이 공사장은 공사가 멈춘 곳이다. <유치권 행사 중> 붙어 있다)

딩치 넷, 옥상에서 아래를 내려다보고 있다.

멀리 바닥에는 이성욱이 추락사 해 있다.

겁에 질린 듯 눈을 뜨고 죽은 이성욱의 얼굴에서.

10화 엔딩.

ep.11

오륜회 문신이 있었어

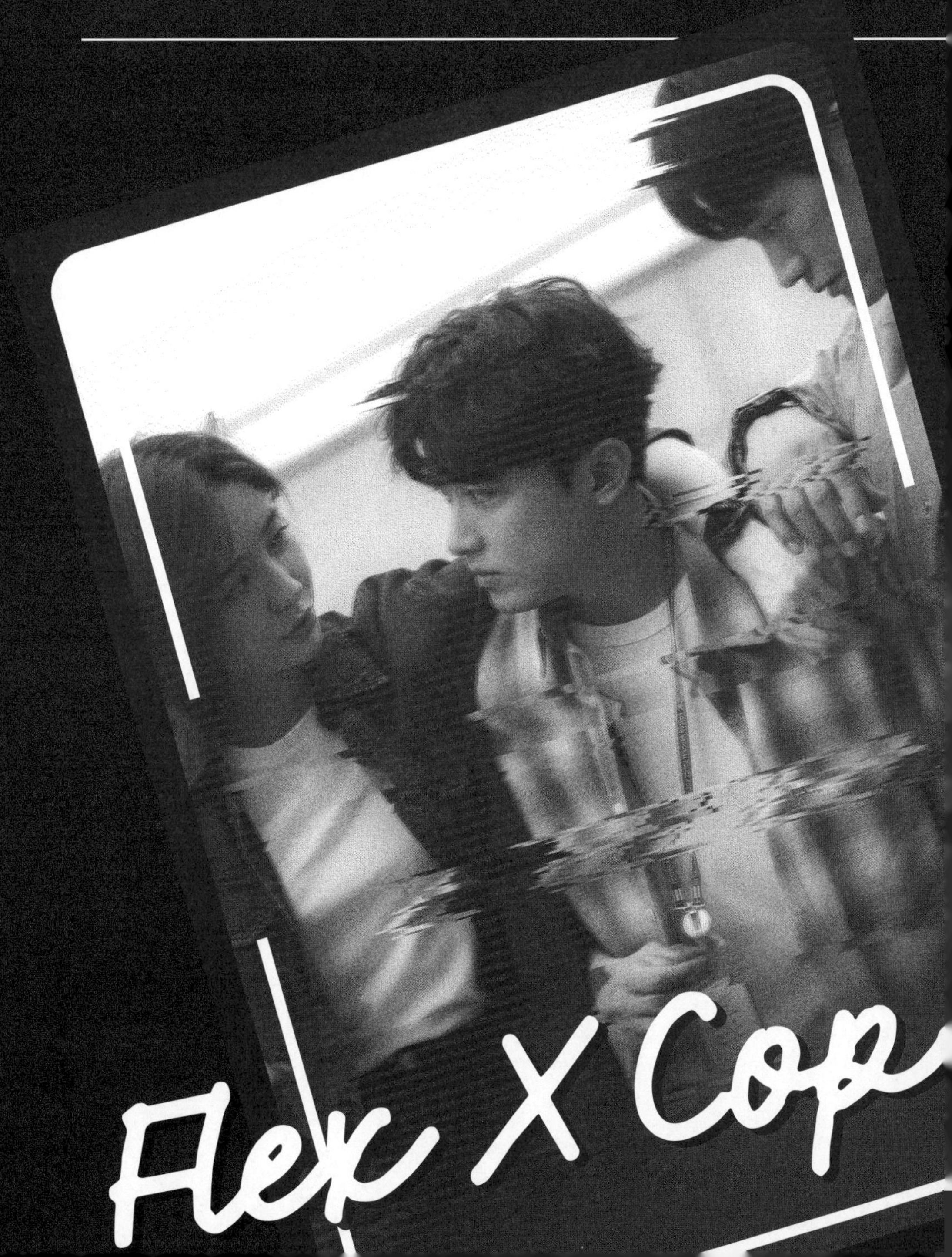

1. 몽타주

#강현의 방

핸드폰 울리고, 자다 깨서 받는 강현.

성욱 E 오륜회 총무, 이성욱입니다. 기억…하십니까?

#강현의 집 앞

급히 차를 몰고 가는 강현 위로.

성욱 E 만나고 싶습니다… 제가 다 밝히겠습니다.

#여관

창밖으로 덩치 셋(뚱뚱 아님, 근육질)이 승합차에서 내리는 걸 보는 이성욱.

긴장하며 방 밖으로 빠져나가고.

#여관 주차장

자신의 차에 오르려다 남아 있던 덩치 1에게 걸리는 이성욱.
덩치 1이 휘파람을 불면, 얼어붙었다가 도망치는 이성욱.
그 뒤를 쫓는 덩치 셋, 이어 승합차를 끌고 나가는 덩치 1.

#도로

달리는 차 안의 강현, 긴장된 얼굴.

#공사장

건물 계단을 뛰어오르는 이성욱. 뒤쫓는 덩치들.
그 뒤로 도착하는 승합차. 내리는 덩치 1. 천천히 계단으로 향하고.

#한강 주차장

주차장에 차를 세우고 언제 오나, 멀리 보는 강현.

#건물 옥상

난간 없는 코너에 몰린 성욱. 위압적으로 앞에 선 덩치 셋.
덩치 1이 올라와서 이성욱에게 다가오고….

성욱 (하얗게 굳어서) 자, 잠깐만. 내가 보리님께 전화할게.
잠깐만…. (전화를 하려는데)

천천히 다가와 그대로 이성욱의 가슴을 밀어 버리는 덩치 1.
허공에 떠올라 추락하는 이성욱의 놀란 얼굴.

#한강 주차장

해가 떠오르는 한강의 윤슬.

초조한 얼굴로 기다리다가 이성욱에게 전화하는 강현.

#공사장

추락해 사망한 이성욱 옆에 떨어진 깨진 핸드폰 울리고…
떠나는 덩치들과 승합차의 실루엣이 멀리 보인다.

2. 한강 주차장, 아침

이성욱에게 전화하다가 연결되지 않은 핸드폰 내리며, 실망하는 강현.
한숨을 내쉬는데… 핸드폰 울린다. 급히 보면, 준영이다.

강현 어.

준영 한강에서 변사자 발견됐어.

강현 현장으로 갈게. 근처야.

미련이 남는 듯 잠시 숨을 고르고.
이내 출발해 차 돌리는 강현.

3. 한강변, 아침

구급차 와서 서 있다. 차 세우고 걸어 내려가는 강현.
강변에 눕힌 시신 보이고, 구급 대원들 들 것을 가져오고 있다.

강현 (신분증 보여 주며) 경찰입니다.

구급 대원들, 시신을 들 준비를 하면서 비켜 주면,

강현, 장갑을 끼고 시신의 뒷주머니에서 지갑을 꺼낸다.
들것에 실으라고 끄덕이고 지갑을 열면, 신분증 <문동수, 31세>
구급 대원들이 시신을 들것에 올리는데, 셔츠가 밀려 올라가며 허리의 문신이 보인다. 그걸 보고 다가서는 강현.

강현 (이동하려는 구급 대원에게) 잠시만요.

문동수의 허리 문신을 자세히 보는 강현. 문신은 수레바퀴 모양인데 상처처럼 선이 불규칙한 모양이다. (마치 동그란 물체에 찍힌 듯한)
문신을 확인하고 굳는 강현.

4. 강하경찰서 과장실, 1년 전, 밤

열린 문으로 일하고 있는 형준의 모습이 보인다.
형준은 심각한 얼굴로 사건 자료를 보고 있다.
컵라면 두 개 들고 아버지를 보는 강현.

강현 (미소) 과장님, 출출하지 않으십니까?
형준 (딸 보고 미소 짓고) 들어와.

CUT TO
형준의 책상을 사이에 두고, 의자 하나 끌어다 앉은 강현. 앞에는 사발면들.

강현 왜 여태 퇴근 안 했어? 사건이 잘 안 풀리나?
형준 좀… 고민 되는 게 있다….
강현 내가 도와줄게. 뭔데? (옆에 놓인 수사 자료 보는데)

INSERT. *자료.*

죽은 세 자살자의 사진, 오륜회라고 쓰인 글자, 수레바퀴 마크.

형준 (덮으며) 아이, 신경 쓸 거 없어. 본인 사건이나 잘하세요. 이 팀장.

강현 네, 과장님.

서로 웃으며 사발면을 먹는 부녀에서.

5. 강하경찰서 복도, 1년 전, 오후

몰려 서 있는 경찰들, 기자들 엉킨 복도.
강현이 소식을 듣고 뛰어왔다. 사람들을 헤치고 나가면,
앞장선 황성구. 체포된 형준을 데려가는 형사과장.

강현 (뛰어가 형준을 잡고) 아빠!

황성구, 형사과장 (멈춰 강현을 돌아보고)

형준 괜찮아… 아빠 괜찮으니까 기다리고 있어.

이내, 형준을 끌고 차에 태우는 형사과장.
이어 옆에 타고. 황성구 앞에 타면
굳은 얼굴로 형준을 보는 강현.
그런 강현을 쳐다보는 형사들.

6. 한강변, 아침

시신을 구급차에 싣는 구급 대원들.

강현, 멍하니 섰는데, 준영이 구급차를 지나 걸어 내려온다.

준영 (다가오며) 신분증 나왔어?

강현 (그제야 준영 보고) 어? … 어…. (지갑 주고)

준영 (신분증 확인하고) 익사 사건이야?

강현 (무겁게) 준영아… 시신 몸에….

준영 (보는데)

강현 오륜회 문신이 있었어.

준영 (굳으며, 강현을 보는)

7. 납골당 전경, 오전

차를 세우고 걸어가는 이수. 진지한 얼굴.

8. 납골당, 오전

엄마의 안치단 앞에 선 이수. 가만히 엄마의 사진을 본다.

이수 엄마… 미안해… 너무 늦게 알았어…
엄마가 얼마나 힘들었는지… 왜 그렇게 날 떠났는지…
정말 알고 싶지만… 이제 그런 생각은 안 할게.
엄마가 지어 준 이름대로… 세상에 도움이 되는 사람으로 살게.
그러니까… 지켜봐 줘….

걸어 나가는 이수의 뒷모습.
안치단 안에 엄마 사진에서 이동하면,

경찰 정복을 입은 이수의 사진 액자가 들어 있다.

9. 공사장, 오전

이성욱의 시신… 그 위로 그림자가 진다. 보면, 안 팀장이다.
이성욱을 내려다보는 안 팀장, '어디서 떨어진 건가.' 건물을 올려다보는데.

팀원 유서 나왔습니다.

봉투에 담긴 유서 대충 읽어 보고 다시 넘기는 안 팀장.
옆에서 팀원 2가 봉투에 담긴 핸드폰(액정 깨진)을 내민다.
안 팀장이 버튼을 눌러보면, 부재중 통화 번호가 얼핏 보이고.

안 팀장 포렌식 맡겨. (핸드폰 주다가 문득 방금 본 번호가 걸리고)
잠깐만. (받아서 번호 다시 확인한다)

안 팀장. 어디서 많이 본 번호다… 팀원에게 핸드폰 돌려주고
자신의 핸드폰에 방금 본 번호를 찍는데…
이름 뜬다. <이강현> '뭐야, 이거.' 굳는 안 팀장의 얼굴에서.

10. 문동수의 집 앞, 낮

다세대 주택 골목.

11. 문동수의 집, 낮

손수건 쥐고 울고 있는 동수 모.
옆에서 위로하며 짜증 난 얼굴의 여동생.
맞은편에 강현과 준영.

동수 모 (한숨) 우리 동수가 공부도 잘하고 착실했는데… 작년부터 이상해졌어요. 취업이 안 된다고 힘들어 하더니… 갑자기 무슨 명상 센터에 들어간다면서….

여동생 그게 무슨 명상 센터야. (강현에게) 사이비에요.

강현, 준영 (여동생을 보는데)

여동생 (동수의 명함 가져와서 내민다)

INSERT. *문동수의 명함.*
GY(Golden Youth) 명상 센터 매니저.
명함 가운데 음각으로 수레바퀴 모양 새겨져 있다.

강현 (명함을 받아 가만히 보는)

여동생 말로는 명상 가르친다고 취준생들 꼬셔서 사이비 신도로 만드는 데예요. 오륜회라고.

강현 (보는데)

동수 모 네가 뭘 안다고 그래? (울컥하고) 오빠 그런 사람 아니야….

여동생 엄마, 내가 가 봤잖아. 뭐 하는 덴지. 거기서 자리 잡는다고 내 이름, 엄마 이름으로 사채 빚까지 지고…. (한숨)

동수 모 (한숨 쉬고 속상해서 울고)

여동생 (잠시 강현을 보다가) 오빠… 어떻게 죽었어요?

강현 아직 확실하지 않지만… 한강에서 발견됐습니다.

동수 모, 여동생 (놀라 굳는다)

강현, 준영 (왜 그러나 보는)

여동생 오빠가 익사했다는 거예요?

준영 왜 그러시죠?

여동생 불가능하니까요. 오빠 생존 수영 강사였어요. 약 같은 거에 취한 거 아니면 그렇게 죽을 수 없어요. 한강 횡단을 네 번이나 했다고요.

강현 !! 그럼… 부검에 동의해 주시겠습니까?

여동생 (단단한) 네.

동수 모 안 돼. 오빠가 하지 말라고 했잖아!

여동생 (답답하고) 엄마!! (강현에게) 부검, 해 주세요.

12. 강하경찰서 전경, 낮

강현, 차를 세우고 내리는데, 형사과장에게서 전화 온다.

강현 (받고) 네. 알겠습니다. (건물로 향하는)

13. 형사과장실, 낮

#형사과장실 앞

강현이 노크하면, 들리는 형사과장 목소리.

형사과장 E 들어와!

#형사과장실 안

강현이 들어가면, 형사과장 책상에 앉았고, 그 옆에 안 팀장이 서 있다.
무슨 일인가 싶은 강현의 얼굴.

형사과장 (강현을 보다가) 너. 이성욱… 알지?

강현 (표정 변하고)

안 팀장 (무슨 얘긴지 몰라 보는, 그는 오륜회에 대해 모른다)

형사과장 (떠보듯) 최근에 만났어?

강현 무슨 일 때문에 그러십니까?

형사과장 이성욱 자살했다.

강현 !!!

형사과장 근데, 마지막으로 통화한 게 너야.

강현 자살이라니… 어떻게 죽었습니까?! 어디서요!

형사과장 내가 질문하잖아. 핸드폰에서 네 번호가 왜 나오냐고.
(버럭) 무슨 짓을 하고 돌아다닌 거냐고!!

강현 (굳어, 입 다무는데)

문이 벌컥 열리며, 서장이 들어선다.

서장 무슨 일이야?

세 사람, 서장에게 인사하는데.

서장 (안 팀장에게) 뭔데?

안 팀장 오전에 공사장에서 변사자가 발견됐는데, 핸드폰에서 이 팀장과 통화한 기록이 나왔습니다.

서장 (굳어 보고) 너 이성욱하고 통화했어?

세 사람 (의아하게 보는데)

서장 (못 느끼고) 왜? 또 무슨 짓을 벌이려고?

강현 (싸늘) 사망자가 이성욱이라는 걸 알고 계시네요?

서장 (아차 싶지만, 표정 관리하고)

강현 어떻게 아셨어요?

형사과장 (서장 보는)

서장 보고 받았어.

강현 과장님이 여기 계신데 누구한테 보고 받으셨습니까?

서장 넌 알 거 없어. (안 팀장에게) 어떻게 된 거야?

안 팀장 일단은 자살로 보입니다. 유서도 나왔습니다.

서장 그래, 자살로 정리해서 빨리 처리해. 괜히 말 나온다.

강현 자살 아닙니다!

일동 (강현을 보면)

강현 (서장을 보면서) 저에게 오륜회에 대해서 모두 밝히겠다고 전화했습니다. 만나기로 했었어요!

서장 (굳어 보는데)

강현 (강하게) 누구한테 보고 받으셨습니까?

서장 (버럭) 이 새끼가, 지금 나 취조하는 거야?

강현 (살짝 흥분) 대답하시면 될 일입니다. 누굽니까?!

서장 입 닥쳐!! 내가 네 상관이야! 서장이라고!!

강현 (굳어 서서 서장을 보는 강현)

서장 오륜회만 나오면 정신 못 차리고 미쳐 날뛰지!

강현 (차갑게 서장 보고 선)

서장 넌 오늘부터 근신이야. 앞으로 일주일 동안 내 눈에 띄기만 해.

강현 (서장을 보는데)

서장 꺼져, 이 새끼야!

강현, 굳은 얼굴로 나가면,
과잉 반응하는 서장을 잠시 보는 형사과장.

형사과장	(징계는 과하다) 서장님….
서장	(형사과장에게 해명하듯) 저 새끼 눈 뒤집힌 거 봤잖아. 저러다 사고 친다고.
	(안 팀장에게) 수사 정보 아무것도 주지 마.
안 팀장	(이해 안 되지만 끄덕) 네.
서장	빨리 정리해.

14. 강하경찰서 로비, 낮

이수, 걸어 들어오다가, 굳은 얼굴로 나오는 강현을 본다.

이수	(다가가며 인사) 어, 이 팀장.
강현	(굳은) 어….
이수	왜 그래… 무슨 일 있어?
강현	… 아니야, 아무 것도.
이수	(가만히 보며) 무슨 일인데… 얘기해 봐….

강현, 말을 할 듯 말 듯 이수를 보는데,
이수 뒤로 안 팀장이 계단을 올라간다.

강현	나중에. 나 지금 좀 바빠서.

안 팀장을 따라 계단을 올라가는 강현.
이수, 그런 강현을 잠시 보는데….

15. 강하경찰서 옥상, 낮

흡연 구역 벤치.
안 팀장, 수사 파일 내려놓고 담배 하나 무는데,
강현이 옥상으로 걸어온다.

강현 (다가와서) 선배….

안 팀장 (난처하다는 듯 시선 피하며 담배 도로 꽂는)

강현 자살 아니에요.

안 팀장 (강현 보는)

강현 유서 좀 보여 주세요.

안 팀장 안 돼. 서장님 명령이야. 넌 손 떼.

강현 선배, 저한테 갚을 거 있잖아요.

안 팀장 아, 씨….

강현 부탁할게요.

안 팀장 (갈등하며 보다가) 안 된다고. 말귀 못 알아듣냐?

안 팀장, 커피를 뽑으려는 듯 주머니 뒤지며 자판기로 걸어가고
강현이 시선 돌리는데 테이블에 놓인 수사 자료 파일이 보인다.
강현, 안 팀장을 돌아보고, 파일을 연다.
이성욱 관련 자료, 넘기면 유서 복사본이 있다.
강현, 핸드폰을 꺼내 사진을 찍는데… 2팀원 둘이 옥상으로 걸어온다.
강현, 보는데.

안 팀장 (시선을 끌며) 동전 있냐?

사진 마저 찍고 파일 덮고 2팀원들 뒤로 걸어가는 강현.
살짝 시선이 부딪치는 강현과 안 팀장.

16. 강력팀 사무실, 낮

이수, 강현이 언제 오나 기다리고 있고, 복도로 강현이 걸어온다.
말을 시키려고 일어서는데, 뒤에서 쫓아온 준영이 강현을 잡는다.
둘이 뭔가 심각해 보이고, 이수는 도로 자리에 앉고.
강현과 준영을 삐딱하게 보고 있는 이수.

이수 맨날 둘이서 뭘 저렇게 쑥덕거려….

경진 (옆에서 와서 복도를 보고)

이수 같은 팀끼리 정보를 공유해야지, 안 그러냐?

경진 전 별로….

이수 ?

경진 딱 보니까 골치 아픈 얘기 같은데, 전 모르고 싶어요.

이수 너도 참 어떤 면에서는 대단해.

경진 인생 심플하게 살아야죠.

이수, 고개 돌리는데, 강현이 복도를 걸어가고, 준영이 사무실로 들어온다.

이수 둘이 심각하던데… 무슨 일이에요?

준영 (이수를 잠시 보다가) 이 팀장, 근신 처분 받았어요.

경진 (놀라고) 왜요?!

이수 (보는데)

준영 (자세한 얘긴 하기 싫고) 그건 알 필요 없고….

이수 알 필요가 왜 없어요? 팀인데!

준영 … 개인적인 일입니다. 상관하지 마세요.

핸드폰 울리면 받으며 나가 버리는 준영.

준영을 보던 이수가 밖으로 나간다.

17. 강하경찰서 주차장, 낮

강현, 차 안에 앉아서 핸드폰으로 찍은 이성욱의 파일을 보고 있다.
사진을 넘기면 유서. 유서를 보던 강현이 순간, 얼굴 굳는다.
앞 사진의 이성욱 주소를 확인하고 출발한다.

강현을 찾아 나오던 이수가 스치는 강현의 차를 본다. 굳은 강현의 얼굴도…
뭔가 생각하고 다시 들어가는 이수.

18. 서장실, 낮

#문 앞
노크하는 이수.

서장 E 들어와.

들어가는 이수.

#서장실 안
이수 보고 반기는 서장.

서장 어, 진 경감, 앉아요.
이수 네. (자리에 앉고)
서장 그래… 일 해 보니까 어때요?

이수 (피식) 그냥 시간 때우고 있는 거죠.

서장 조금만 참아요. 선거 끝나면 높은 자리로 갈 텐데….

이수 뭐 좀 여쭤 보려고 왔는데요.

서장 뭐든지 여쭤 봐요. (미소)

이수 이강현 팀장이 징계를 받았다 그래서요.

서장 아아….

이수 제가 궁금한 걸 못 참거든요. 근데 아무도 말을 안 해 줘요. 저 왕따예요. 여기서.

서장 아이고, 무슨 말씀을… 이강현이는 지내봐서 알겠지만 개념이 좀 없잖아요.

이수 (동조하는 척) 아, 개념이 없구나….

서장 이형준이라고 그 아빠는 뇌물이나 먹고 아주 부녀가 대한민국 경찰의 수치입니다. 아버지 사건만 나오면 흥분해서… 좀 가라앉히라고 보낸 거예요.

이수 흥분을 했구나….

서장 신경 안 써도 돼요. 회장님 시장 되시면은 잘 좀 부탁드리겠습니다. 하하….

이수 (한심한 듯 미소) 그럼요, 제가 잘~ 말씀드릴게요.

#문 앞

문을 닫고 나온 이수, 진지한 얼굴로 생각하는.

19. 몽타주, 낮

#여관

이성욱이 묵었던 여관 앞에 차를 세우고 들어가는 강현.

#골목

이성욱이 도망쳤던 길을 따라 걸으며 CCTV를 확인하는 강현.

#공사장

이성욱이 떨어진 곳을 내려다보는 강현. 무거운 얼굴.

20. 이성욱의 집, 낮

#거실

무겁게 가라앉아 있는 이성욱의 처. 손에 쥔 이성욱의 독사진들(영정 사진을 고르는 것)을 내려다보며 한숨 쉬는데, 초인종 울린다.

#현관

문 열면, 강현이 서 있다.

#거실

마주 앉은 강현과 이성욱의 처. (이성욱의 처 앞에 강현의 명함)

성욱 처 얘기는 들었어요… 그 사람이 왜 그랬는지는 모르겠지만….

강현 자살 아닙니다.

성욱 처 (본다)

강현 오늘 새벽에 저랑 만나기로 했었어요. 모든 사실을 밝히겠다고 하셨어요.

성욱 처 !

강현 혹시 만일을 대비해서… 뭔가 물건을 맡기신 건 없나요?

성욱 처 아니요….

강현 갑자기 이런 말씀 드려서 죄송하지만… 부검에 동의해 주셨으면 합니다.

성욱 처 (단단한) 아뇨. 부검은 안 할 겁니다.

강현 살인 사건일 가능성이 있습니다.

성욱 처 (강현을 보다가 명함을 보고) 형사님이 누군지 저, 알아요.

이형준 형사님 따님이죠? 계속 남편에게 전화하고 괴롭혔잖아요.

강현 …

성욱 처 내가 왜 당신을 믿어야 하죠?

강현 (굳은 얼굴로 이성욱의 처를 본다)

21. 강현의 집 전경, 밤

22. 강현의 집, 밤

#현관 앞

무거운 얼굴의 강현. 이내, 밝은 표정으로 바꾸고
문을 열고 들어간다.

강현 저 왔어요!

#거실

TV를 보며 과일을 먹고 있던 형준과 미숙이 강현을 본다.

형준 일찍 왔네?

강현 어, 요즘 서가 잠잠하네….

미숙 밥은?

강현 먹었지. 챙겨 먹고 다니라며?

미숙 과일 좀 먹어.

강현 (앞에 앉아 집어 먹으며) 나, 내일부터 휴가야.

미숙 그래? 뭐 할 거야? 엄마랑 영화 보러 갈까?

강현 아… 나 여행 갈 건데.

형준 어디로?

강현 템플 스테이 신청해 놨었거든.

미숙 같이 가자!

강현 아이, 절밥 먹으면서 명상하고 그런 거야, 재미없어. 미리 신청도 해야 되고.

미숙 아유, 휴가면 나랑 좀 놀지.

강현 미안. 다음에 같이 영화 보자.
(일어서며) 올라간다. 내일 아침 일찍 출발해야 돼.

강현이 계단을 올라가는데… 형준, 잠시 강현을 본다.

23. 강현의 방, 밤

강현, 무거운 얼굴로 옷장을 열고, 형준의 정복 상자 아래, 다른 상자를 꺼낸다. 침대에 앉아 상자를 열면 오륜회 관련 사건 파일이다.

보고서 첫 장에는 <담당 형사, 이형준> 적혀 있다.
파일을 여는 강현. 사건 자료 펼쳐진다.
사건은 여관방에서 모여 독약을 먹고 죽은 세 청년(남2, 여1)의 동반 자살 사건이다.

INSERT. *보고서 곳곳의 사진들.*
생전의 어리고 밝은 사진과 현장의 쓰러진 사체들의 교차.
그 위로 스치는 보고서의 문구들.
피해자들의 자살 이유, 불치병, 사채 빚 등 <u>*(병명을 표시하지 않았으면 함)*</u>
유서 "너무 힘들어서 한 선택입니다. 부검하지 말아 주세요."
세 사람은 서로 통화하거나 문자를 주고받은 내역이 없다.

세 사람의 공통점은 GY 명상 센터의 회원이었다는 것뿐이다.
GY 명상 센터는 오륜회라는 사이비 종교의 신입 회원을 모집하는 단체이다.
단순 자살로 보기는 어려우며 결국 이 사건의 핵심은 오륜회에 있다….

마지막 장에 남은 오륜회의 마크를 가만히 보는 강현에서.

24. 이수의 집 서재, 밤

컴퓨터로 검색을 하고 있는 이수.
<이형준 경정>으로 검색을 하자, 동반 자살 사건에 대한 기사들 몇 개 뜨고 브리핑하는 동영상이 뜬다. 동영상 누르는 이수.

INSERT. *강하경찰서 기자 회견장. (1년 전)*
기자들 앞에서 수사 상황 브리핑 중인 형준의 모습이 나온다.

형준 *세 명의 젊은이들이… 아직 서른도 되지 않은 세 청년이 사망한 비극적인 사건입니다. 겉으로는 자살로 보이지만 저는 그 배후에 자살을 유도한 단체가 있다고 믿고 있습니다. 현재 GY 명상 센터와 오륜회의 압수 수색 영장을 신청하였고….*

하는데, 웅성거리는 기자들.
형준이 보면, 황성구 서장(당시 청문감사인권관실 과장)과 형사과장(당시 청문감사인권관실 팀장)이 걸어오고 형준이 그들을 향하면.

황성구 *이형준 경정, 뇌물수수혐의로 긴급 체포합니다.*

황망한 얼굴로 서장을 보는 형준에서 멈추는 화면.

클로즈업 된 형준의 얼굴을 가만히 보는 이수.

이수 (최 이사님한테 전화) 네, 아저씨… 혹시 오륜회라고 아세요?

25. BAR, 밤

최 이사 (전화 받은) 젊은 기업인들에게 들어 본 적 있습니다.
명상하는 데라고 했던 거 같은데요?
이수 E 좀 알아봐 주세요.

최 이사 전화를 끊고 보면, 앞에 명철이 앉아 있다.

명철 이수 요즘 어떻게 지내요?
최 이사 집으로 다시 들어갔습니다.
명철 (끄덕이고)
최 이사 시간이 좀 걸리겠지만… 이해할 겁니다.
명철 쉬울 줄 알았어요. 좋은 아버지가 되는 거…
내 아버지는 너무 엄하고 무섭기만 해서… 나는 더 잘할 수 있다 했는데…이렇게 엉망이네요. 이사님께 다 맡겨 놓고.
최 이사 언젠가 솔직하게 얘기 나눌 기회가 있겠죠.
명철 ('그럴까….' 생각하는데)
최 이사 걱정 마세요. 경찰 일도 잘 적응하고 있고, 좋은 친구도 생긴 거 같습니다….

26. 이수와 강현의 벤치, 밤

강현, 벤치(9부에 나왔던)에 앉아 멀리 보며 앉아 있다.

이수 E 여기 있는 거 보니까 머리가 복잡하구먼.

강현이 돌아보면, 차 두 잔 들고 서 있는 이수.
강현이 잔을 받으면 이수 옆에 앉는다.
둘이 나란히 앉아 차를 마시며 경치를 본다.

강현 왜 안 물어?
이수 그냥 이렇게 옆에 있어 주는 거, 좋더라고.
강현 (씁쓸하게 웃는데)
이수 대충 알 것도 같고.
강현 (이수를 보는데)
이수 서상님한테 들었어. 개념 없는 이 팀장이 왜 흥분했는지.
강현 ('그렇게 들었냐.', 기운 없이 한숨)
이수 그래서 앞으로 어떻게 할 거야?
강현 글쎄….
이수 싸울 거면… 내가 네 편 할게.
강현 (의아하게 보며) 무슨 일이 있었는지 모르잖아.
이수 넌 아버지를 믿는 거고. 나는 너를 믿으니까.
강현 (놀라며 이수를 본다. 그리고 천천히) 그래, 난 아버지를 믿어….
이수 (강현을 보는)
강현 아버지는 오륜회를 파고 있었고, 놈들이 함정을 판 거라고 생각해…
지난 일 년 동안 오륜회 총무를 설득했어.
그리고 오늘, 다 말해 주겠다는 연락을 받았는데, 그 사람이 죽었어.

이수 (놀라 보고)

강현 이제 어떻게 해야 할지 모르겠다. 일단은 머리 좀 식히고 오려고.

이수 나 바닷가에 별장 있는데. 빌려줄까?

강현 아니… 갈 데 있어.

이수 나중에라도 마음 바뀌어서 재벌 별장에서 돈지랄하고 싶다, 그러면 전화해.

강현 (미소) 알았어.

서로 보는 이수와 강현에서.

27. 형사과장실, 밤

형사과장 무거운 얼굴로 앉았는데, 노크하고 들어오는 안 팀장.

형사과장 뭐야?

안 팀장 이성욱 사건… 며칠만 더 보고 싶습니다.

형사과장 (안 팀장을 본다)

안 팀장 지난번에도 급하게 자살로 종결해서 징계 먹을 뻔 했잖아요.

형사과장 (생각한다. 나도 찝찝한 게 있다) 그래, 확실하게 조사해 봐.

안 팀장 (안도하고) 알겠습니다.

안 팀장 나가면, 생각에 잠기는 형사과장.

28. SBC 전경, 밤

환하게 불 켜진 건물 전경.

29. SBC 부장실, 밤

부장, 책상에 기대서서 페이퍼 읽고 있고, 이 기자 들어온다.

부장 어, 기사 마무리했어?

이 기자 무슨 기사요?

부장 진이수 엄마. 다음 주에 서울시장 후보 토론회 있잖아. 그때 까자.

이 기자 (뚱하니 보다가) 안 썼어요.

부장 어?

이기자 그게… 국민의 알 권리는 아닌 거 같아서.

부장 (황당해서) 뭐라고?

이 기자 아이, 나도 그렇게 깨끗한 인간도 아니고, 기레기까지는 인정.
근데 쓰레기가 되기는 싫으네. 그 선을 못 넘겠어요.

부장 야, 이 새끼야!

이 기자 선배도 줄 잘 서세요. 왕종태 소문이 좀 있어요. 괜히 옆에 있다가 쪽팔리지 마시라고.

황당해 보는 부장을 뒤로 하고 나가는 이 기자.

30. SBC 보도국, 밤

이 기자, 수첩 '툭' 내려놓으며 자리에 앉는데.

(주변에 기자 몇, 그리고 빈자리에 <김정연 기자>)

이 기자 (문득) 정연이 요즘 왜 안 보이냐?

기자1 모르셨어요? 특집 기사 쓴다고 몇 주 안 나왔는데?

이 기자 새끼가 내 허락도 없이…. (정연에게 전화하는데 전화기가 꺼져 있다는 안내)

전화 끊으며 정연의 자리를 잠시 보는 이 기자에서.

31. 강현의 집 앞, 새벽

32. 강현의 집, 새벽

#거실

형준, 신문 보고 있고, 미숙은 부엌에서 김밥을 싸는데
강현이 여행 가방 메고 내려온다.

강현 어? 엄마 김밥 쌌어?

미숙 (미소) 우리 딸 오랜만에 여행 가는데 싸 줘야지.

강현이 식탁으로 가서 썰고 있던 김밥 하나 집어 먹고.

강현 오, 맛있다!

미숙 맛있어?

형준 (강현을 잠시 보고)

미숙 (도시락 뚜껑 닫아 챙겨 주며) 가면서 먹어.

강현 응, 고마워. (형준에게) 아빠, 갔다 올게!

형준 (현관문 열고 나가는 강현 보고)

#마당

걸어가며 얼굴 무거워지는 강현이고.

#거실

대문을 열고 나갈 때까지 보고 있는 형준.

돌아보면, 미숙도 뭔가 걸리는 얼굴로 강현의 뒷모습을 보고 있다.

미숙 좀… 이상한 거 같지?

형준 (미숙을 보는데)

미숙 … 무슨 일이 있나?

형준 요즘 바빴잖아… 좀 쉬고 싶나 보지. 그냥 모른 척 해.

하지만 걱정되는 미숙의 얼굴에서.

33. 강하경찰서 전경, 아침

주차하고 내리는 이수. 뭔가 진지한 태도.

34. 강력팀 사무실, 아침

이수, 들어서는데, 준영이 전화 받고 나가려고 한다.

이수 어디 가요?

준영 (지나가며) 어제 발견된 시신, 부검 결과 들으러 갑니다.

이수 (잡고) 그럼, 같이 갑시다.

준영 (놓고) 그럴 필요 없는데요.

이수 이렇게 둔해 가지고 어떻게 형사를 하나? 아직도 모르겠어요?
내가 수사의 치트 키라는 거?

준영 (맘에 안 드는 듯 보는데)

이수 갑시다! (나서고)

35. 국립과학수사연구원 전경, 낮

36. 국과수, 부검실, 낮

이수와 준영이 들어서는데, 윤 박사 정리하던 중이었고.
돌아서면서 이수와 살짝 눈인사.

윤 박사 (준영에게 부드럽게) 왔어요?

준영 (미소로 답하고)

이수 (준영 흘기고) 은근히 인기 있는 타입인가?

준영 (시신 쪽으로 가면서) 부검, 끝났나요?

윤 박사 네, 방금요.

준영 익사… 맞아요?

윤 박사 맞아요. 그런데… 강에서 죽은 게 아니에요.

이수, 준영 ?

윤 박사 강에서 익사하는 경우 장기 내에서 플랑크톤이 발견되어야 하는데, 없어요.

준영 그렇다면?

윤 박사 어딘가 다른 곳에서 익사한 시신을 상류에서 유기한 것 같아요.

이수 그럼 살인 사건이라는 거네요?

윤 박사 … 만일 억지로 익사하게 만들었다면 몸에 멍이 남거나 혈액에서 마취 성분이라도 나와야 하는데, 그것도 없어요.

이수, 준영 (그럼 어떻게 된 거지?)

준영 피해자는 생존 수영 강사를 했었대요.

윤 박사 (한숨) 정말… 어떻게 죽은 건지 모르겠네요….

하는데, 이수가 시신의 허리에서 오륜회 마크를 찾아낸다.

이수 어? 이거… 오륜회 마크잖아!

준영 알아요?

이수 조사를 좀 했죠. 우리는 팀워도 없고 아무것도 안 가르쳐 주니까!

삐딱하게 이수를 보는 준영과 흘기는 이수에서.

37. 도로, 강력팀 승합차 안, 낮

운전하는 준영과 옆자리의 이수.

이수 이제 공유 좀 합시다. 뭐가 어떻게 돌아가는 건지.

준영 (보다가) 당신이 맘대로 들쑤시고 다녀도 되는 그런 사건, 아닙니다.

이수 (차분히 보고) 이 팀장 아버지의 명예가 걸린 사건이죠.
젊은이들을 죽게 만든 사이비 교주를 잡는 거고.

준영 (진지한 이수를 보는)

이수 난 내가 가진 모든 방법을 동원해서 사건을 해결할 겁니다. 박 형사가 협조하든 안 하든.

이수를 보는 준영에서.

38. 여관 주차장, 낮

안 팀장, 주차장에 차를 세우고 내린다.

39. 여관 카운터, 낮

안 팀장, 신분증 보여 주고.

안 팀장 경찰입니다.

뚱한 얼굴로 안 팀장을 보고 있는 권태로운 얼굴의 사장.

안 팀장 여기 CCTV 어디에 있습니까?
사장 (귀찮고) 주차장이랑 출입구에 있습니다.
안 팀장 확인 좀 할 수 있을까요?
사장 여기서 사람이 죽은 것도 아닌데 왜들 그래요?
안 팀장 왜들?
사장 어제도 여자 형사가 와서 다 가져갔어요.
안 팀장 ('강현이구나.' 생각하고, 사람 좋게 웃으며) 다시 한번 부탁 좀 드리겠습니다.

사장이 CCTV 복사를 하기 시작하면
무거운 얼굴로 생각에 잠기는 안 팀장.

40. 강력팀 사무실, 낮

심각한 얼굴로 이야기를 나누는 이수와 준영.

이수 같은 날, 오륜회 관련 인물 둘이 죽었다.
준영 (끄덕이는데)
경진 (옆에 서서 진지한 얼굴로 듣고 있고)
이수 이성욱은 오륜회 총무이자 핵심 멤버.
준영 문동수는 오륜회의 모집책인 GY 명상 센터의 매니저.

이수 오륜회 안에서 뭔가 일이 벌어지고 있다는 거네….

경진 그게 뭔데요?!

그때, 안 팀장이 성큼성큼 다가온다.

안 팀장 문동수 사건 니들이 맡고 있지?

준영 왜 그러십니까?

안 팀장 이성욱하고 문자를 주고받은 기록이 있어. 텔그램이라 지금 분석 중이야. 문동수 사인이 뭐야?

준영 익사입니다. 강에서 발견됐는데, 다른 곳에서 죽었을 가능성이 큽니다.

안 팀장 (무겁게 보는데)

이수 이성욱은 어떻게 죽었어요?

안 팀장 (맘에 안 드는 듯 이수를 보는데)

준영 말씀하십시오. 저희 팀입니다.

이수 (그 말에 살짝 감동)

안 팀장 공사장에서 투신했어. 주머니에서 유서 나왔고.

안 팀장이 유서 복사본을 보여 주면, 같이 보는 1팀.

INSERT. *유서 내용.*
부족한 삶이었습니다.
저는 검소하게 살았어요.
언제나 걱정해 준 아내에게 미안합니다.
앞으로는 남에게 주는 사람이 되고 싶었지만
평생을 부지런히 살며 십시일반 일해도 부자는 될 수 없었습니다.
이제는 모든 것을 내려놓을 시간입니다.

장례는 짧고 간소하게 치러 주십시오.

안 팀장 이성욱이 묵었던 여관에서 CCTV를 찾았어. (USB 꺼내면)

경진이 모니터에 연결한다.

INSERT. *모니터 화면.*
주차장에 서는 승합차. 이성욱이 나오면, 승합차에서 덩치 1이 내리고 이성욱이 밖으로 나가면, 따라 나가는 덩치 셋. 이어 출발하는 승합차.

안 팀장 차량은 GY 명상 센터 명의로 되어 있어.
준영 (멈춘 화면 속의 덩치들을 보며) 이놈들이… 죽였다면…?
안 팀장 공사장에는 CCTV가 없어서 살인을 입증하진 못해.
(모니터 보며) 얼굴만으로 신원을 찾을 수도 없고.
준영, 경진 (무거워지는데)
안 팀장 근데 이거… 어제 이 팀장이 확인한 거 같다.
준영 (놀라 보고)
안 팀장 이 팀장 어딨냐?
준영 (전화해 보는데, 전화를 받을 수 없다는 안내음)
이수 (뒤에서) 이 팀장 템플스테이 가서 전화 못 받을 텐데….

준영, 경진, 안 팀장, 이수를 돌아보는데,
이수는 여태 유서를 보고 있다.

경진 (다가서며) 왜 그래요?
이수 유서가 좀 이상해….

안 팀장 필적 확인했어. 뭐가 이상해?

이수 내용이 뭔가 앞뒤가 안 맞는데?

안 팀장 (준영 보면)

준영 원래 좀 엉뚱해요.

하는데, 옆으로 기울여서 보던 이수가.

이수 어!!

일동 (이수를 보고)

이수 와 대박!!!

와… 나는 정말… 이런 걸 타고 났다고 하는 건가?

준영 (짜증) 뭡니까?

이수, 바닥에 유서를 '탁' 놓더니, 책상에서 자를 가져와서 사선으로 댄다.

모두 유서를 본다. 글을 사선으로 읽으면.

INSERT.

부족한 삶이었습니다.

저는 검소하게 살았어요.

언제나 걱정해 준 아내에게 미안합니다.

앞으로는 남에게 주는 사람이 되고 싶었지만

평생을 부지런히 살며 십시일반 일해도 부자는 될 수 없었습니다.

이제는 모든 것을 내려놓을 시간입니다.

장례는 짧고 간소하게 치러주십시오.

이수 부, 검, 해, 주, 십, 시, 오!!!

유서를 보고 놀라는 일행들!!

41. 이성욱의 집, 밤

이성욱의 처와 마주 앉은 준영과 안 팀장.

준영 (CCTV 덩치들 사진을 보여 주고) 이 사람들이 누군지 혹시 아십니까?

성욱 처 (건성) 글쎄요.

준영 이 사람들이 남편 분을 죽였을지도 모릅니다.

성욱 처 (무심한 듯 보고)

안 팀장 (유서를 보여 준다, 사선으로 부검해 주십시오 줄을 쳐 놓은)
이성욱 씨 유서입니다. 부검을 허락해 주시죠.

성욱 처 오륜회에 대해서 잘 모르시는군요.
오륜회에서 가장 중요한 건 절대 몸에 칼을 대지 않는 것입니다.

준영, 안 팀장 ('뭔 소리지?', 보고)

성욱 처 아, 이 얘기부터 해야겠네요. 저는 오륜회의 회원입니다.
남편을 거기서 만났어요.

준영, 안 팀장 !

준영 살인범을 잡고 싶지 않으십니까?

성욱 처 남편은… 응답을 받은 거예요….

준영, 안 팀장 (황당하게 보는데)

성욱 처 이 사진들은 이미 어제 다 봤습니다.

준영, 안 팀장 !!

성욱 처 여자 형사 분이 가져오셨어요. 똑같은 말도 했죠. 부검하자고.

준영 (보는데)

성욱 처 그래서 제가 얘기했어요. 확실한 증거를 가져오라고.

놀라 이성욱의 처를 보는 준영과 안 팀장에서.

42. 이수의 집 전경, 밤

43. 이수의 집 서재, 밤

이수, 컴퓨터로 오륜회를 검색하고 있다.

INSERT. *모니터.*

GY 명상 센터 홈페이지. (오륜회 마크는 있지만 오륜회라는 단어는 없다)

평화로운 음악과 함께 아름다운 풍경 화면들.

<고통스러운 하루하루를 견디고 계십니까? 누구에게도 말하지 못할 슬픔이 있습니까? 저희가 함께 하겠습니다. 마음의 평화를 찾아 드리겠습니다. 여러분은 존재 자체로 귀한 사람입니다.> 문구가 끝나면,

명상 센터 주소와 연락처 뜬다.

이수 뭐 하는 덴지 도통 모르겠네. 이게 뭐야?

이수, 중얼중얼하는데, 뒤로 최 이사가 들어온다.

이수 아저씨, 좀 알아보셨어요?

최 이사 네, 요즘 기업인들 사이에서 오륜회 보리님이라는 사람이 인기가 있답니다.

이수 보리님?

최 이사 깨달았다는 뜻이래요.

이수 사이비 냄새가 진하게 나네요.

최 이사 그분과 식사를 하려면 1억을 내야 한답니다.

이수 지가 무슨 워렌 버핏이래요? 그래서 그 보리님이 누군데요?

최 이사 알려진 게 별로 없어요. 철저히 신원을 숨기고 있어서 아무도 진짜 이름이 뭔지 모르더군요. 오륜회가 생긴 지는 5년 정도 됐답니다.

이수 (최 이사 보는)

최 이사 그런데… 오륜회에서 자살한 사람이… 여럿 나온 모양이에요.

이수 그 이유를 알아내야겠어요.

최 이사 이번 일은 좀 위험해 보입니다. 안 하셨으면 좋겠어요.

이수 (최 이사 보다가 빙글) 그럼, 부탁 하나만 할게요.

44. 경기도 외곽 2차선 도로, 아침

커다란 바이크 타고 달리는 이수.

주변으로는 목가적인 풍경들.

45. 오륜회 나한원, 아침

#길

오륜회 마크가 새겨진 나한원 팻말.

스치며 들어가는 이수의 바이크.

#농장

바이크를 따라가면 넓게 펼쳐진 사과 농장이 나타난다.

멀리 수련원 스타일의 하얀 건물, 다른 쪽에는 체육관과 작은 사택.

농장 곳곳에서 사람들이 사과를 따고 있다.

(다양한 연령의 사람들 - 이 사람들은 비교적 건강한 상태, 보리님의 팬클럽 같은 분위기. 선업을 쌓기 위해 명상과 노동을 즐기며 잠시 다녀가는 느낌)

이수의 바이크가 우르릉거리며 들어서자, 사람들 고개를 들고 이수를 본다.

이수 (내려서 걸어오며) 여기가… 노동력 착취의 현장인가?

사람들 (보는데)

이수 (손 들며) 경찰 필요하신 분?

사람들 어리둥절 보는데, 입구에서 작은 승합차 들어와서 길을 따라 올라간다. 옆면에 <GY 명상 센터>

#수련원 앞

하얀 건물 앞에 서는 승합차.

젊고 상냥한 언변을 구사하는 여자(이하 매니저), 먼저 내려서 차 문을 열어 준다.

매니저 (먼저 내려 문을 열어 주며) 자, 모두 내리실게요.

여덟 명이 내리는데, 다들 불행하고 힘들어 보인다. 허름한 행색에 삶에 찌든 혹은 병색이 완연한 사람들… (연령대 20~40대 다양)

일곱 명 내리고, 마지막으로 배낭 메고 내리는 이는 강현이다!

긴 머리 가발에 답답해 보이는 뿔테 안경을 쓰고 소심한 캐릭터 연기하며 매니저를 따라가는 강현에서.

#농장

이수, 주변을 둘러본다.

이수 여기 보리님이 누구신가?

사람들, 이수를 보는데, 한쪽에서 일어서는 남자. (신우혁, 30대 남)
커다란 밀짚모자를 쓰고 인자한 미소를 지으며 이수에게 다가온다.

우혁 제가 여길 만든 사람입니다.

이수 사이비 교주가… 젊은 데다 미남이시네. 짜증 나게.

우혁 (미소, 여유)

이수 여기 이 사람들 돈 받고 일하는 겁니까?

우혁 저희들은 모두 세속의 번뇌를 벗기 위해 일을 하고 있습니다. 돈보다 값진 것이죠.

이수 그런 게 어딨어요. 자본주의 시대에.

신우혁, 사과 하나를 따서 이수에게 내민다.

우혁 저희가 키운 겁니다. 한번 드셔 보시죠.

이수 (사과 보다가) 거절할게요. 독 들었을 거 같아.

서로 보는 신우혁과 이수.

46. 수련원, 낮

#기숙사 복도

방 앞에 선 신입 회원들, 맨 뒤에 소심하게 선 강현.

매니저 배정된 방으로 들어가서 짐 놓고 나오실게요.

두세 명 있던 남자들은 다른 쪽으로 안내 받고.

강현은 종이 보고 (페이퍼에 이름, 이소은, 3호) 배정된 방으로 향한다.
뒤에서 따라오는 여자. (예지 - 깡마른, 궁색한)

#강현의 방
강현이 방으로 들어가면, 따라 들어오는 예지.
강현, 어색하게 인사하고 방 안을 보는데, 침대 위에 수련복이 놓여 있다.
침대에 가방을 내려놓는데, 익숙한 듯 수련복으로 갈아입는 예지.
고민이 깊은 듯 한숨 가득, 행동에 기운이 없다.

#복도
수련복으로 갈아입은 회원들, 모두 복도에 섰고.

매니저 이제 명상실로 가실 게요~

어리바리 따라가는 사람들… 강현도 따라간다.

47. 신우혁의 사택 앞, 낮

우혁 들어가시죠.

이수를 데리고 들어가는 신우혁.

48. 신우혁의 사택, 낮

#응접실

수수하게 꾸며진 응접실로 이수와 신우혁이 들어온다.

우혁 잠시만 기다려 주세요. 옷 좀 갈아입고 나오겠습니다.

이수 천천히 하세요. 시간 많아요~

신우혁이 안쪽으로 가면, 실내를 둘러보는 이수.
실내에 있는 장식품들은 모두 자연 친화적인 느낌이다.
괜히 장식품을 만지며 창밖 하늘을 보는 이수.

#안방

(넓고 휑한 구조)

화장실 앞쪽 작은 드레스 룸. 전신 거울 앞에서 장을 열고 옷을 꺼내는 신우혁.
신우혁이 옷을 갈아입는 사이, 어느새 나타난 덩치 1이 신우혁에게 핸드폰을 내민다. (이미 상대방과 통화 연결된)

우혁 (받아 들고 차갑게) 진이수가 찾아왔습니다.

상대 E 신경 쓰실 거 없습니다. 아무 생각 없는 놈입니다.

우혁 저는 신경이 쓰입니다….

상대 E 그럼 이렇게 하시죠.

신우혁, 말없이 듣고 핸드폰 끊어 덩치 1에게 넘긴다.
손을 씻으며 거울을 보는 신우혁, 살짝 입꼬리 올려 웃는다.

49. 수련원 명상실, 낮

열두어 명, (신입 회원 + 바람잡이들) 한쪽에 선 덩치 2.

동그랗게 모여 앉았고. 매니저가 그중 한 자리에 앉아.

매니저 (진솔한 미소) 나한원에 오신 것을 환영합니다~! (박수 치면)

일동 (같이 박수 치고)

매니저 먼저. (앞에 놓인 박스를 열고) 여기에 여러분의 핸드폰을 모두 넣을 겁니다.

옆으로 박스 넘기면, 사람들 하나씩 핸드폰 넣고 옆 사람에게 넘기고.
강현도 찝찝한 얼굴로 핸드폰 넣고.

매니저 E 여기 있는 동안은 여러분을 힘들게 했던 세상의 모든 관계를 끊는 훈련을 할 거예요. 그래서 핸드폰은 쓰지 않습니다.

매니저 (박스가 오면) 감사합니다.
(박스를 닫고 자물쇠를 채운다) 이렇게 자물쇠로 잠가 버리면… (좌중을 보며) 어때요? 벌써 마음이 편해지죠? (비소)

매니저가 박스를 넘기면 가지고 나가는 덩치 2. 보는 강현.

매니저 이제 여러분을 괴롭히는 모든 고민들을 여기 쓸 거예요.

바람잡이들이 일어나 신입들에게 종이와 펜을 나눠 준다.

매니저 간절한 마음으로 적으면 보리님이 답을 주실 겁니다.

강현이 둘러보는데, 사람들 모두 진지하고 엄숙하게 종이에 쓰고 있다.
슬쩍 옆을 보면, 예지, <더는 버틸 힘이 없습니다. 사채업자들에게 쫓기고 있어요. 제발 응답을 주세요. 저는 준비 됐습니다. 보리님 제발 저를 선택해 주

세요….> 적고 있고…

시선 돌리다가 매니저와 눈이 마주치는 강현. 소심한 척 연기하며 흰 종이를 내려다본다. '뭘 쓰지…?' 그런 강현을 잠시 보는 매니저에서.

CUT TO

매니저 이제 식사하러 가실 게요.

하면, 하나 둘 일어나 종이를 바람잡이에게 넘기고 나가는 사람들.
강현이 종이를 내고 나가는데, 강현을 보다가 종이를 집어 드는 매니저.
<이소은. (이름 적혀 있고)
내용 - 보리님을 만나서 물어보고 싶은 게 있습니다. 오랜 시간 저를 괴롭혀 온 질문입니다. 저를 만나 주세요.>
석연치 않은 눈빛으로 페이퍼를 보는 매니저.

50. 신우혁의 사택 응접실, 낮

테이블의 다기 세트. 신우혁이 차를 따라서 이수에게 내민다.
이수, 앞에 놓인 차.

우혁 향이 좋지요?

이수 전 커피만 마셔요.

우혁 (보는데)

이수 이성욱 씨가 죽었습니다.

우혁 (자신의 잔에 따르며) 네. 얘기 들었습니다. 안타까운 일이에요.

이수 단도직입적으로 물어볼게요.

여기서 왜 이렇게 자살하는 사람이 많이 나옵니까?

우혁 (한 모금 마시고… 이수를 보는) 사람들이 저를 오해하기 때문입니다.

신우혁을 보는 이수.

우혁 세상에는 특별한 사람들이 있죠. 세계 경제의 흐름을 읽어 내는 사람도 있고, 천재적인 아이디어를 만드는 사람도 있고… 저처럼 삶과 죽음의 진리를 깨달은 사람도 있어요.

이수 (삐딱하게 보는데)

우혁 저는 보육원에서 자랐습니다. 늘 다른 사람을 부러워하며 살았죠.

INSERT. *학원가 편의점, 밤.*

일하는 십대의 신우혁, 창밖으로 엄마가 데리러 온 학생을 잠시 보는.

우혁E *부모가 있는 아이들, 집이 있는 친구들, 누군가의 동정심에 기대지 않고 살아갈 수 있는 운 좋은 사람들.*

INSERT. *시설 앞, 낮.*

조그만 가방을 들고 나서는 신우혁. 희망이라고는 없는 얼굴.

우혁E *18살이 되면 시설에서 나가야 됩니다. 저는 공사장에 갔어요.*

INSERT. *공사장, 낮.*

벽돌 지고 나르는 신우혁, 안전 바에 긁혀 팔에 피가 난다.

팔을 잠시 보던 신우혁이 지게를 던져 버린다. 박살 난 벽돌들을 보는 신우혁.

우혁 E 처음엔 착실하게 일했지만 점점 화가 나는 거예요. 나는 왜 이렇게 살아야 하나… 부자가 되고 싶다… 돈만 있으면 행복해질 거 같다…
그래서 누구든 다 받아 주는 회사로 들어갔죠.

INSERT. 다세대 주택이 즐비한 골목, 낮
싸구려 양복에 가방을 메고 뭔가 희망찬 20대의 신우혁.
어딘가로 향하면, 똑같은 옷차림의 젊은 남자들 우르르 가고 있고.

우혁 E 다단계였어요. 결론은 뻔했죠.
엄청난 빚을 지고… 월세방에서 쫓겨난 날, 처음 그 생각을 했어요.
… 죽을까?

INSERT. 도로.
비 오는 거리. 멍하니 생각에 잠겨 길을 걷는 신우혁.

우혁 E 어떻게 죽으면 될까… 생각을 하고 있었는데….

신호등이 파란불로 바뀌고, 바닥을 보며 횡단보도를 걷는 신우혁.

우혁 E 천둥 같은 깨달음이 나를 찾아온 겁니다.

커다란 파이프 기둥들을 실은 트럭이 빠른 속도로 달려온다.
신우혁이 잠시 트럭을 보는데,
트럭의 앞차가 급브레이크를 밟고 트럭이 앞차에 부딪힌다!
그 충격으로 짐칸의 윗부분에 묶여 있던 파이프들이 날아온다!
굳어 보는 신우혁의 허리에 파이프 하나가 박힌다!

'헉-' 놀란 신우혁이 쓰러진다. 허리에 박혀 있는 파이프.
신우혁의 몸에서 나온 피가 빗물과 함께 도로에 퍼지고…
환한 빛이 신우혁을 덮친다.

우혁 E 그때 알았죠. 내겐 이미 다섯 번의 기회가 있었다는 걸.

INSERT. 신우혁의 다섯 번의 생.
신우혁은 각 시대의 인물이었다가 마치 누군가가 그의 영혼을 밀치는 것처럼 뒤로 빠져나와 다른 인물이 되고, 주변을 보다 다시 빠져나가는 느낌으로 다섯 번의 생을 스친다.
조선 시대, 대장장이, 불꽃을 튀기며 쇠를 때리는 신우혁, '탁-' 뒤로 빠져나오고,
조선 시대, 밤, 성벽을 따라 뛰는 무관 느낌의 신우혁에서 '탁' 빠져나오고,
일제 강점기, BAR에서 피아노를 치는 모던 보이 신우혁.
1960년대 건설 현장, 안선모 쓰고 현장 시찰하는 사장 아들 분위기의 신우혁.
도로, 피를 흘리며 쓰러져 있는 신우혁, 깨달음에 눈을 뜨는.
(이상은 모두 거짓말이므로 같은 배우가 연기함)

우혁 E 모두 죽을 거라고 했지만 저는 살아났고….

INSERT. 병실, 허리에 남은 수레바퀴 흉터를 보는 신우혁.

우혁 저는 그 깨달음을 알리기 위해서 살기로 했습니다.
희망이 없는 사람들에게 다음 생이 있다는 걸 전파하고 있죠.
그걸 오해한 친구들이 자살을 하는 경우가 생기는 거고요….

이수 내가 신의 아들이다, 뭐 그런 얘긴 아니라서 다행인데
그래 봤자 헛소리네요.

우혁 (미소) 저에게는 다 보입니다. 진이수님은 두 번째 생을 살고 있군요. 지난 생에서….

이수 (진절머리) 아, 그런 얘긴 그만하죠? 피차 구란 거 아는데? (신우혁 보다가) 아니면… 진짜 믿는 건가? 전생이 있다고?

우혁 (이수를 가만히 보며) 어렸을 때 엄마가 죽었죠?

이수 (멈칫 보는)

우혁 참 따뜻했던 분이셨는데… 자살을 했군요….

이수 (놀라지만 아닌 척하는데)

우혁 (인자하게) 어머니를 만나고 싶지 않으세요? 그분은 환생을 하셨습니다.

이수 (굳어 신우혁을 보는)

우혁 생각할 시간이 필요하실 거 같은데… 며칠 여기 머무르시는 건 어떨까요?

이수 (신우혁을 보는데)

51. 수련원 식당, 저녁

식당에서 밥을 먹는 사람들. 신입 회원들 모여 앉았고, 사이사이 바람잡이들. 사과밭에서 일하던 사람들도 한쪽에서 조용히 식사를 하고 있고 강현 옆의 예지. 힘내려고 먹고 있는 모습.

바람잡이1 예지 씨 잘 먹네. 맛있어요?

예지 (수줍게 웃으며) 예… 신기하게… 여기 오면 밥도 맛있고, 잠도 잘 와요.

강현 (예지를 보는데)

바람잡이2 마음이 편해져서 그렇죠….

강현 (보다가) 저는 문동수 매니저님한테 인도된 건데… 여기 안 계시네요?

바람잡이1 아, 문 매니저님… 그러고 보니 요 며칠 안 보이시네?

바람잡이2 며칠 전에 보리님이 찾으셔서 사택으로 들어가셨는데… 그리고선 저도 못 봤어요. 숙소에 짐도 그대로인데….

바람잡이1 급한 일이 생기셨나.

강현 (생각하고) 사택에 들어갔다… 근데, 어떻게 하면 보리님을 만날 수 있어요?

바람잡이1 아유, 이번이 처음이죠? 예지 씨는 세 번째 왔는데 아직도 못 만났어요.

강현 (예지를 보면)

예지 (지친 얼굴로 한숨을 쉬는)

매니저, 멀리서 강현을 잠시 본다.

52. 수련원 건물 앞마당, 밤

여러 회원들 모여 있고, 가운데 장작불이 타고 있다.
회원들과 바람잡이들 앞에는 소원 등과 펜이 놓여 있다.

매니저 (한결 차분한) 여러분 마음속의 소망을 적어 보세요.
간절한 마음이 하늘에 닿을 겁니다.

각자 쓰기 시작하는 회원들.
등을 가만히 내려다보던 강현이 한자로 <정의> 적는다.
옆을 보면, 예지 <후생>을 적는다.
안타깝게 보는 강현에서.

CUT TO
하나 둘, 하늘로 올라가는 소원 등들.
회원들 모두 그 모습을 보고 있고… 강현도 자신의 등을 본다.

53. 사택 3층 손님방, 밤

작은 방, 침대와 옷장, 테이블 갖춰진. 화장실 딸린.
멍하니 생각에 잠겨 있던 이수.
창밖으로 소원 등들이 떠오르면 잠시 그 모습을 본다.

54. 수련원 건물 앞마당, 밤

회원들에게 작은 컵에 담긴 음료를 나눠 주는 매니저.

매니저 마지막으로 평온의 차를 드립니다.

하나씩 받아 마시는 회원들.

매니저 오늘 밤은 아무 걱정 없이… 편히 주무시게 될 거예요….

강현 앞에 서서 차를 주는 매니저.
받아 마시는 강현을 보는 매니저…
매니저가 지나가면, 강현이 주머니에서 손수건을 꺼내 입에 있던 음료를 뱉어 주머니에 넣는다.

55. 수련원 강현의 방, 밤

방에 들어온 강현, 가방 안에 있던 지퍼 백에 음료로 젖은 손수건을 넣고 마약 검사지를 넣는다.
검사지 색깔 변한다. 차 안에 마약이 들어 있었던 것이다.
그때, 예지가 들어온다. 깊은 한숨을 쉬며 앉는 예지.

예지를 보는 강현.

강현 예지 씨는… 어떻게 여기 들어오셨어요?

예지 (한숨) 아버지가 사채 빚을 지고 실종되셨어요… 엄마랑 저랑 어떻게든 갚으려고 해 봤는데… 계속 눈덩이처럼 늘어나요…
자다가 죽었으면 좋겠다는 생각뿐이었는데 보리님을 알게 된 거예요. 다음 생에 좋은 집에 태어난다고만 하면 언제든지 죽을 수 있어요. 죽는 거 무섭지도 않잖아요, 사는 게 무섭지. 안 그래요?

강현 (아연실색해 보는데)

예지 정성을 바쳐야 한다고 해서 사채를 더 썼어요. 근데 보리님이 응답을 안 주시네요… 제 정성이 부족한 걸까요…?

안타깝게 보는 강현에서.

CUT TO
11시. 예지는 자고 있고 밖은 어둡고 조용하다.
자는 척하다 일어나 잠시 예지를 보는 강현.
예지는 악몽을 꾸는지 식은땀을 흘리며 인상을 쓰고 있다.
그때, 밖에서 차량이 움직이는 소리가 들린다.
창밖을 보면, 덩치 1이 차를 몰고 와서 내린다.
덩치 1을 보는 강현.

INSERT. *여관 주차장 CCTV의 덩치 1 컷.*

이어 신우혁이 사택에서 나와서 차에 타고 두 사람은 떠난다.
가방을 메고 나가는 강현.

56. 사택 밖, 밤

사택과 담장 사이의 짙은 어둠 속에서 움직이는 강현.

강현은 사택의 주변을 살펴본다. CCTV는 안 보이고, 보안 장치도 없다.

주변을 경계하며 비닐장갑을 끼고 창문을 살짝 밀어 보는 강현. 열린다!

강현 등에 진 가방에 신발을 벗어 넣고 (족적이 안 남도록)

창을 넘어 사택 안으로 들어간다!

57. 사택 복도 - 응접실, 밤

짙은 어둠 속을 도둑처럼 걸어가는 강현.

이수와 신우혁이 대화를 나눴던 응접실로 접어들고.

소파가 잘 보이는 방향으로 장식품 뒤에 몰래 카메라를 설치한다.

한쪽에 서재로 통하는 문이 보인다.

강현은 문손잡이에서 지문을 채취한다. (손전등 사용) 증거를 비닐에 넣고

최대한 소리 안 나게 조심히 문을 여는데. '끽-' 소리 조그맣게 난다.

긴장해 멈추고 주변의 공기를 느끼는 강현.

조용하다. 살짝 열린 문틈으로 들어가는 강현.

58. 수련원 강현의 방, 밤

살짝 문을 열고 방 안을 보는 매니저.

강현의 침대가 비어 있다. 날카로워지는 얼굴의 매니저.

59. 사택, 밤

#서재

서재로 들어온 강현, 문을 닫는데 (미닫이) 살짝 덜 닫히고.
책상으로 다가가 손전등을 입에 물고 손잡이의 지문을 채취하고…
책장 구석에 몰래 카메라를 설치하는데.

#복도

누군가 걸어온다.

#서재

강현, 주변 경계하면서 맨 위 서랍을 열려는데, 잠겨 있다.
주머니에서 장치를 꺼내 자물쇠를 열어 보려고 하는 강현.
집중하느라 소리를 못 듣는 강현.

#응접실

들어온 누군가의 시선. 덜 닫힌 서재에서 불빛이 흘러나온다.

#서재

열릴 듯 안 열리는 자물쇠.
'안 되겠다' 포기하려는 순간,
밖에서 누군가 걸어오는 소리 들린다!
강현, 소스라치며 고개 든다.
천천히 문이 열리는데, 열리는 문 뒤에 선 강현.
상대가 돌아보려는 순간, 그대로 업어치기를 해 버린다.
쿵 떨어진 사내가 '으…' 하는데 그 입을 막으며 얼굴을 가까이 대는 강현.
이수다!!!

강현 (놀라서, 소리 죽여) 진이수? 네가 왜 여깄어?

이수 으…. (신음하는)

('아…' 허리 잡고) 너는 왜 여깄어? 여기가 절이야?

강현 장난치지 말고. 여길 왜 들어왔어?

이수 보리님이 누군지 궁금해서.

강현 ! 만났어?

이수 어.

강현 레벨을 올려야 만날 수 있다고 하던데?

이수 (씩) 난 태생부터 하이레벨이잖아.

강현 (흘기다가) 무슨 얘기 했어?

이수 그냥… 정성스런 헛소리… 그보다 문동수 강에서 죽은 게 아니야. 다른 데서 익사당하고 유기된 거야.

강현 그래, 그 살해 장소가 여기 같아.

이수 ?

강현 교주 만나러 여기 들어와서 사라졌대. 이 안 어딘가에서 죽은 거야.

이수 (어딜까 생각하는데)

60. 고급 BAR, 밤

61. BAR 룸 안, 밤

신우혁이 룸 안으로 들어선다.

등을 지고 있던 상대가 돌아보면, 황 서장이다.

마주 앉아 이야기를 하는 서장과 신우혁.

우혁 이성욱이 어떻게 됐습니까?

서장 자살로 종결될 겁니다… (보다가) 근데 어쩌다가?

우혁 욕심을 부려서요… 욕심이 화를 부른다고 그렇게 말을 했는데도….

서장 … 진이수는 어떻게 하셨습니까?

우혁 돌을 하나 던져 놨습니다.

서장 철부지 재벌이야 알아서 구워삶으실 거고… 신경 쓰이는 놈은 따로 있습니다.

우혁 (보는데)

서장 (강현의 파일 내밀며) 이강현이라고… 이형준이 딸이에요.

우혁 (눈여겨보는)

서장 사건에서 제외시켰는데.… 지금 어디 있는지 확인이 안 됩니다.
혹시 몰라서 얼굴 익혀 두시라고….

우혁 (덩치 1을 돌아보면)

덩치 1이 돈이 든 상자를 서장 옆에 두고, 사진을 가져간다.
술을 마시는 신우혁. 한쪽에서 전화를 하는 덩치 1.

62. 사택 내 일각, 밤

보디가드들이 머무는 숙소 분위기의 공간에서 전화를 받는 덩치 2.

63. 사택의 서재, 밤

강현 하여튼 너, 당장 나가.

이수 너부터 나가.

강현 여기 위험해. 재벌이라고 봐주는 그런 놈들 아니야.

이수 그 위험한 데를 너는 왜 혼자 들어왔어? 박 형사한테도 얘기 안 했어?

강현 이건 내 일이야. 걔들까지 위험해져.

이수 (가만 보다가) 사실은 너… 아무도 안 믿는구나?

강현 ('!, 그랬던가?')

INSERT. *복도를 걸어… 응접실을 지나 다가오는 덩치 2.*

이수 다들 걱정하고 있는데… 나는?

강현 너는 뭐?

이수 나는 네 친구 아니냐고.

강현 (어리둥절 보다가) 관계 설정을 꼭 여기서 해야겠니?

이수 난 네가 오지랖 부릴 때부터 친구라고 생각했는데….

강현 (그건 됐고, 지문 찍은 증거물 봉투 준다) 이거, 핸드폰으로 준영이한테 보내.

이수 (받아 보다가) 핸드폰 뺏겼는데?

강현 ?

이수 세상과 관계를 끊는 게 먼저라고 해서….

강현 아휴….

순간, 열리는 서재의 문!
놀라 굳은 이수와 강현에서.

11화 엔딩.

ep.12

너흰 여기서 다 죽을 거야

1. 몽타주, 밤

#사택 밖

주변을 살피던 강현이 창문을 넘어 안으로 들어간다.

#사택 안

지문을 뜨고 곳곳에 몰래 카메라를 설치하는 강현 컷.

#사택의 서재

서랍을 뒤지고 있는데, 인기척이 들리자 놀라는 강현.
들어서는 사람을 업어치기 하고! 보면, 이수다!

강현 (놀라서, 소리 죽여) 진이수? 네가 왜 여깄어?

이수 ('아…' 허리 잡고) 너는 왜 여깄어? 여기가 절이야?

#BAR 룸

신우혁과 은밀히 만나고 있는 서장.

서장 (강현의 파일 내밀며) 이강현이라고… 이형준이 딸이에요.

사진을 보는 신우혁.

#일각

전화를 받는 덩치 2.

2. 사택의 서재, 밤

강현 (지문 찍은 증거물 봉투 준다) 이거, 핸드폰으로 준영이한테 보내.

이수 (받아 보다가) 핸드폰 뺏겼는데?

강현 ?

이수 세상과 관계를 끊는 게 먼저라고 해서….

강현 아휴….

하는데, 벌컥 문이 열린다.

놀라는 이수와 강현!!

불이 '탁' 켜진다.

이수 놀라 돌아보면, 덩치 2.

이수를 보는 덩치 2, 강현은 이미 책상 뒤로 숨었다.

덩치 2 (의심스럽게) 여기서 뭐 하시는 겁니까?

이수 (자연스럽게) 잠이 안 와서요. 사발면 있어요?

덩치 2 함부로 돌아다니시면 안 됩니다.

이수 문이 열려 있던데? 식당인 줄 알았죠.

덩치 2 (맘에 안 드는 듯 보다가) 따라오시죠.

덩치 2 따라 나가며 증거물 봉투 주머니에 넣는 이수.
책상 밑에서 숨죽이고 있는 강현.
강현 쪽을 살짝 보고 불을 끄고 나가는 이수.

3. 사택의 주방, 밤

사발면 앞에 놓고 있는 이수.
건너편에 서서 이수를 보는 덩치 2.

이수 (덩치 2 보다가) 싸움 잘하게 생겼는데, 내 밑으로 올래요?
보리님은 얼마 주시나?
덩치 2 (헛소리 귀찮고) 어서 드시죠.
이수 아직 3분 안 됐어요.

4. 사택 밖, 밤

창문으로 뛰어내려 나오는 강현. 주변 경계하며 어둠 속으로 걸어가고.

5. 수련원 복도, 밤

조용히 문을 열고 살금살금 들어가는 강현.
맞은편의 문이 소리 없이 열리며 닫히는 강현의 방문을 보는 매니저.

6. 수련원 강현의 방, 밤

강현, 침대에 누워 한숨을 쉰다. 생각이 많은 얼굴.

7. 사택 이수의 방, 밤

이수, 방으로 들어와서 지문이 찍힌 증거물을 창틀에 올려 둔다. 나란히.

그리고 등을 돌려 메모지에 뭔가 적기 시작한다.

8. 나한원 전경, 밤

하늘에서 내려다본 나한원의 전경.

이수의 방 창문에만 불이 켜져 있는데… 불이 꺼지자 어둠에 잠긴다.

9. 강하경찰서 전경, 아침

최 이사, 차를 세우고 내린다. 무거운 얼굴로 건물을 보는.

10. 강력팀 사무실, 오전

화이트보드에는 이성욱과 문동수의 사건 자료들 붙어 있고

(두 사람 사이에 <대학 선후배>라고 적혀 있다)

준영과 경진이 회의 테이블에서 이전 자살 사건 기록들과 오륜회 관련 자료들을 보고 있는데, 안 팀장과 2팀원 둘이 다가온다.

안 팀장 (파일 올려놓으며) 문자 기록 나왔어.

INSERT. *문자 기록.*

문동수: 보리님이 성형외과에 갔습니다.

사진 – 밤, ○○성형외과로 들어가는 신우혁의 사진, 파파라치 컷. (얼굴은 잘 보이지 않는다)

이성욱: 내가 알아볼게.

문동수: 조심하세요.

이성욱: 너도 조심해.

준영 (사진 보면서) 문동수가 몰래 교주를 쫓아다닌 거 같네요.

경진 성형외과를 왜 갔을까요?

안 팀장 이제부터 알아봐야지. 너넨 알아낸 거 없어?

준영 (사진을 펼쳐 보이고) 사진을 좀 찾았는데… 이걸로는 신원을 확인할 수가 없어요.

신우혁을 찍은 사진들을 보는 준영, 경진, 안 팀장, 2팀들.

INSERT. *사진.*

명상 센터의 단체 사진들, 요양 병원에서 봉사 활동을 한 사진들.

최 이사 E 실례하겠습니다.

돌아보는 강력팀원들. 걸어오는 최 이사.

최 이사, 사진으로 프린트한 지문들을 테이블 위에 놓는다.

최 이사 오륜회 내부에서 찾은 지문들입니다.

일동 (놀라 보고, 뭔 소리가 싶고)

최 이사 확인해 보시죠.

준영 (사진들 보다가) 이걸 어떻게…?

최이사 진 경감님이 오륜회 근거지로 들어가셨습니다.
거기에 이 팀장님도 계신다고 하더군요.

준영 (놀라서 핸드폰을 여는데)

최이사 연락은 안 될 겁니다. 핸드폰을 압수당했답니다.

경진 그럼 이건 어떻게 받으신 거예요?

최이사 … 방법은 말씀드릴 수 없습니다.

안 팀장 (침묵 깨고) 지문 돌려 봐.

경진이 앉아서 사진을 스캔하고 지문을 돌린다.

CUT TO
모든 강력팀원들 모여선 가운데, 모니터에 결과 뜬다.

INSERT. *모니터.*
신우혁. 36세, 사기 전과 3범
덩치 1, 김용철, 32세, 폭행 전과 9범

11. 수련원 현관, 오전

강현이 나가려고 하는데 들어오던 남자와 문을 사이에 두고 마주치고
고개 들어 보면, 김용철이다.
고개 숙이며 다른 쪽으로 가는 강현.
문을 열고 들어와 복도를 걸어가는 김용철. 돌아보는 강현.

12. 수련원 매니저의 방, 오전

김용철, 매니저 방을 두드리고 매니저가 문을 연다.

용철 신입 회원 리스트, 가져와요.

매니저 아, 잠시만요.

매니저가 들어가 책상을 뒤지면, 잠시 보는 김용철.
문이 닫힐듯하면, 다시 열어 보는 김용철.
자료를 찾은 매니저가 가져온다.

매니저 여기요.

받아 드는 김용철.

13. 사택의 서재, 오전

서재 책상 앞에 앉은 신우혁. (뒤로 핸드폰 들어 있는 박스가 있다)
김용철이 서류를 내려놓으면, 본다.
한 장씩 확인하며 넘기는 신우혁.

14. SBC 보도국, 오전

자리에 앉아 있는 이 기자.
등 뒤로 벽에 붙은 스크린에서 뉴스 영상이 흐르고 있다. (묵음)
무심히 메일을 확인하던 이 기자, 정연이 보낸 메일을 발견한다.
열어 보는 이 기자.

INSERT. *모니터.*

선배, 저 지금 오륜회를 파고 있어요. 그동안 오륜회의 핵심 인물들에 대해서 조사하고 있었어요….

긴장하는 이 기자 뒤로, 스크린에 이 기자가 나타난다.

INSERT. *스크린.*

공사장에 선 이 기자 아래로 자막,

<오륜회 총무 공사장에서 변사체로 발견>

불안하게 화면을 돌아보는 이 기자에서.

15. 강현의 집, 낮

#부엌

밥을 차리던 미숙, 문득 강현이 생각이 나고.

핸드폰으로 전화를 하며 거실로 걸어온다.

#거실

TV에는 작은 소리로 SBC 뉴스가 틀어져 있고.

걸어 나오며 전화기가 꺼져 있다는 안내음을 듣던 미숙.

미숙 얘는 왜 이렇게 전화를 안 받아?

하며 시선을 돌리다가, TV 속 이성욱의 사진을 보고 굳는다.

방에서 나오던 형준이 그런 미숙을 보는데.

미숙 (얼어붙어서) 여보….

형준, 미숙을 보다가 TV를 본다.
이 기자는 강하경찰서를 배경으로 뭔가 설명하고 있고. (이성욱 사진, 코너에 있다)
어떤 생각이 떠오른 형준이 강현의 방으로 향하고.
미숙은 그 자리에 주저앉는데….

#강현의 방
형준이 들어와 방을 뒤진다.
덜 닫힌 옷장을 열어 보는 형준. 그곳에 있는 박스.
열어 보면, 자신의 정복과 오륜회 사건 파일들…
굳는 형준의 얼굴.

#거실
여전히 이성욱의 얼굴을 보고 있는 미숙.

16. 몽타주, 1년 전, 낮

#대문 앞
장바구니 들고 걸어오는 미숙. 집 앞을 서성이는 이성욱을 발견한다.

미숙 (다가가며) 무슨 일이세요? 여기 우리 집인데?
성욱 (돌아보며 살짝 어색하게) 아… 집을 잘못 찾은 모양이네요.

이성욱이 가면, 잠시 보는 미숙.
돌아보면, 대문 앞에 택배 상자가 놓여 있다.

'이게 뭐지?' 보다가 박스를 들고 들어가는 미숙.
먼 곳에서 그런 미숙을 보는 이성욱.

#부엌

식탁 위에 박스를 올려놓고, 장바구니를 식탁 옆에 세우는 미숙.
박스 살펴본다. 주소와 함께 <이형준 형사님 감사합니다.>
잠시 생각하다 뜯어보는 미숙.
안에서 한지 상자가 나온다. 꺼내 열어 보려는 찰나, 장바구니 쓰러지면서 사과들이 굴러 나오고. 미숙은 사과를 집어 들면서 형준에게 전화한다.

#강하경찰서

기자 회견장 앞, 형준이 전화를 받고. 이하 교차.

형준 어, 여보.
미숙 여보, 무슨 택배가 왔는데?
형준 택배? 올 거 없는데?
미숙 보내는 사람이 안 써 있어.
형준 일단 둬. 나 지금 들어가 봐야 돼.
미숙 알았어. (끊고)

형준이 장소로 들어가면 터지는 플래시들.

#거실

미숙, 박스를 잠시 보는데 초인종 울린다. 돌아보는 미숙.

#대문

대문을 열면 들이닥치는 청문감사인권실 직원들.

직원1 (영장 펼쳐 들고) 영장 집행합니다.

미숙, 당황해 그들을 보는데….

#부엌

직원들 들어오자마자 바로 상자를 연다.

나오는 돈다발. 경악하는 미숙에서.

17. 강현의 집 거실, 낮

멍하던 미숙이 돌아보면, 형준이 재킷을 들고 서 있다.

미숙 여보… 무슨 일 있는 거지?

우리 강현이… 어디 있는 거야?

형준 (무겁게 미숙을 보고) 나갔다 올게.

무거운 걸음으로 나가는 형준.

현관을 나가 대문으로 향하는 형준을 불안하게 보는 미숙에서.

18. 골목, 낮

걸어 내려가는 형준. 굳은 얼굴로 생각에 잠긴.

19. 경찰청 진술녹화실, 1년 전

강하경찰서의 진술 녹화실과는 다른, 어두운 분위기.

서장과 형준이 마주 앉았고, 테이블 위에는 돈 상자. 옆에는 기록하는 형사과장.

(형사과장은 형준의 직속 후배였기 때문에 배신감에 차 있다)

서장 돈, 누가 보낸 겁니까?

형준 (굳어 보다가) 거기까지는 시나리오를 못 짰습니까?

형사과장 (혐오하듯 보고)

서장 발뺌해서 될 일이 아닙니다, 지금. 증거가 나왔잖아요.

형준 진짜 돈을 받은 게 누군지… 내가 끝까지 팔 겁니다.

서장 (보다가, 형사과장에게) 잠깐 나가 있지.

형사과장 나가고, 서장은 녹화 버튼을 끈다.

서장 계속 버티면 누가 다칠까요? 따님이 이제 막 팀장 달았다면서요?

형준 ('이 새끼가!!')

서장 아버지와 딸이 같은 서에 있었으니 엮지 못할 것도 없습니다.

형준 (보는데)

서장 좀 일찍 은퇴한다 생각하고 물러나시죠.

20. 강하경찰서 서장실, 낮

책상에 앉은 서장과 마주 선 형사과장. (뭔가 결재 받던 중)

서장 (사인하며 무심한 척) 이성욱이 사건 어떻게 됐어?

형사과장 조사 마무리 중입니다.

서장 조사할 게 있어? 자살이라며?

형사과장 (차분히 보고) 특별히… 신경 쓰시는 이유가 있습니까?

서장 (답답하고) 보도 나갔잖아. 괜히 시끄러워진다고. 내가 싫어하는 거 몰라?

형사과장 … 빨리 정리하겠습니다.

서장 나가 봐.

형사과장, 나가면서 잠시 서장을 본다.

21. 형사과장실, 낮

형사과장이 문을 여는데, 초조한 얼굴로 형준이 서 있다.

형사과장 (안색 바뀌며) 여기 함부로 들어오시면 안 됩니다.

형준 (한 번 누르고) 강현이 어디 있는지 알아?

형사과장 그걸 제가 어떻게 압니까?

형준 이성욱이 죽었다는 뉴스 봤어. 오륜회에 무슨 일이 생긴 거지?

형사과장 일반인에게 그런 정보를 줄 수는 없습니다. 나가 주시죠.

형준 강현이가 연락이 안 돼. 혼자 움직이고 있을지도 몰라.

형사과장 (잠시 보는데)

형준 다치지 않게 해 줘. 부탁이다.

형사과장, 돌아서서 문을 연다. 어쩔 수 없다는 듯 나가는 형준.
형준이 나가면, 형사과장이 문을 닫으며 뭔가 생각한다.

22. 강하경찰서 로비, 낮

형준이 걸어 나오는데, 들어오던 준영과 마주치고.

준영 선배님….

형준 (보다가) 강현이… 오륜회에 들어갔지?

준영 … 그런 것 같습니다.

형준 같다니? 너한테도 얘기 안 하고 갔어?

준영 신분을 숨기고 들어갔을 겁니다. 저희도 조용히 알아보는 중이에요.

형준 (한숨을 쉬는데)

준영 저를 믿어 주세요. 강현이 무사히 돌아오게 하겠습니다.

준영을 보는 형준에서.

23. 강력팀 사무실, 낮

준영이 사무실로 들어서는데 회의 테이블에 이 기자가 앉아 있다.

이 기자 오륜회에 무슨 일이 있는 겁니까?

준영 기삿거리 없습니다. 할 얘기도 없고.

이 기자 할 얘기는 내가 있어요.

준영 (보면)

이 기자 (기사 프린트 보여 주며) 오륜회 교주는 5년 전에 큰 사고를 당했어요.

INSERT. *기사 사진들.*

현장에 쓰러진 남자의 모습과, 트럭에 받힌 앞차 등, 사고 사진들.

이 기자 수술을 받고 살아난 뒤에 환생을 전파하기 시작했죠.

INSERT. *3류 잡지 같은 곳에 미스터리한 남자 신모 씨로 소개되는 기사.*
(○○병원 환자복을 입은 인터뷰)

준영, 사진 속의 환자복을 자세히 보는데.

이 기자 거기에 속아서 지금까지 12명이 죽었고… 오륜회 총무도 죽었죠. 이제 박 형사가 가진 거 좀 꺼내 봐요.

준영 (이 기자 보다가) 전 가진 게 없어서.

이 기자 기삿거리 찾는 거 아니에요. 내 새끼 하나가 거기 들어갔어요.

준영 (보면)

이 기자 말 더럽게 안 듣는 애가 하나 있거든.

이 기자를 보는 준영에서.

24. 강현의 집 거실, 낮

형준이 들어오는데, 미숙이 벌떡 일어나 현관으로 온다.

미숙 어떻게 됐어? 우리 강현이 어디 있대?

형준 … (말 고르고) 뭐 좀 조사하고 있대….

미숙 (불안하고) 근데 왜 연락이 안 돼? 위험한 거야?

형준 (자신도 불안하지만) 괜찮을 거야. 동료들이 있으니까….

불안한 미숙과 그런 미숙을 달래는 형준.

25. 나한원 수련관 복도, 낮

강현, 복도를 걸어가며, 곳곳에 선 덩치들을 주시하는데,
봉투를 든 예지가 달려와 강현을 잡는다.

예지 (기쁘게) 보리님이 응답을 주셨어요!

강현 (보는데)

예지 내일 아침 9시에 제 후생을 알려 주신대요! (뭉클)

그 말에 멍해지는 강현. 자살하겠다는 건가…
예지, 방으로 들어가려는데, 강현이 예지를 잡으려고 돌아선다.
그때, 매니저가 강현의 손목을 확 끌어당긴다.
매니저에 끌려 매니저 방으로 들어가는 강현.

26. 수련원 매니저의 방, 낮

매니저, 강현을 던지듯 방 안으로 집어넣고,
강현은 책상으로 밀린다.

매니저 당신, 정체가 뭐야?

강현 (긴장하고)

매니저 문동수는 왜 찾는 거야? 어젯밤에도 사택에 몰래 들어간 거, 내가 다 봤어!

강현 (긴장해 보는데)

매니저 (다가오며) 강하서 강력팀 이강현 형사, 맞죠?

강현 (등 뒤로 책상 위의 볼펜을 하나 집어 드는데)

매니저 (피식 웃고) 전에 한번 인사했었는데, 기억을 못 하시네요?

강현 (놀라 어리둥절)

정연 SBC 김정연 기자입니다.

강현 (볼펜 놓고) 어떻게 여기 매니저가…?

정연 퇴직금 뺐죠. 회사에서 메꿔 줄려나…

(미소) 세상에 이런 기자도 있답니다.

강현 그동안 혼자서 오륜회를 조사하고 있었던 거예요?

정연 사람들이 많이 죽었잖아요….

강현에게 사진을 보여 주는 정연.

INSERT. *다단계 회사 단체 사진 속 젊은 신우혁과 이성욱.*

정연 E *신우혁과 이성욱, 둘은 다단계 회사에서 만났어요.*

큰 교통사고를 당한 후에 윤회의 비밀을 알아냈다면서 오륜회를 만들었어요.

다단계 회사에서 습득한 노하우로 사이비교를 창업한 거죠.

INSERT. *명상실, 젊은이들을 자애롭게 보고 있는 신우혁.*

우혁 *저에게는 여러분의 모든 생이 다 보입니다.*

CUT TO

더 많아진 청년들. 깊은 믿음으로 보는 청년들의 얼굴들.

우혁 *다음 생에 복을 받으려면 정성을 쌓아야 합니다….*

정연 E *궁지에 몰린 청년들은 쉽게 오륜회에 빠졌지만 돈이 되진 않았죠.*

정연　그래서 신우혁은 선업을 쌓아야 한다며 봉사 활동을 다녔어요. 요양 병원으로. (요양 병원 단체 사진 컷) 먼저 환자들에게 교주가 만든 차를 대접해요.

강현　마약이 들어 있죠? 어제 확인했어요.

정연　(끄덕이고) 차를 마시면 몸이 편해지니까 노인들은 점점 중독되게 되죠.

INSERT. *요양 병원 병실.*

보온병에서 차를 따라 할머니에게 주는 청년.

마치 손자처럼 다정하게 이야기 나누는 청년과 할머니.

정연 E　*회원들이 환자의 상태에 대해 자세한 보고서를 제출하게 하고.*

INSERT. *사택의 서재.*

여러 장의 페이퍼. 환자들의 상태와 사연들.

그중의 하나를 보며 관심 있는 얼굴의 신우혁. 병실의 할머니 사진.

정연 E　*타깃을 정하죠. 돈이 많고, 갑자기 죽어도 이상할 것 없는 노인에게 접근해서 전 재산을 바치면 좋은 후생을 얻는다고 속이는 거예요.*

INSERT. *요양 병원 병실.*

할머니의 손을 꼭 잡고 있는 인자한 얼굴의 신우혁.

우혁　*제가 어제 어머님 꿈을 꾸었습니다.*
다음 생에 어머님이 행복하게 건강하게 사는 모습을 봤어요….

할머니　*(고마운 듯 끄덕이고)*

우혁　*그 옆에, 일찍 돌아가신 따님이 같이 계시더라고요.*

할머니　*(울컥하고) 정말요?*

우혁 *네… 두 분이 환하게 웃고 계셨어요… 이제 고통을 끝내셔도 됩니다.*

할머니 *(울먹이며 끄덕이는) 감사합니다….*

우혁 *(할머니의 손에 파란 약을 하나 쥐여 준다)*

CUT TO

약을 삼키고 눕는 할머니, 편안한 얼굴.

이내 사망을 알리는 바이탈 모니터.

INSERT. 요양 병원 복도.

할머니 병실로 뛰어가는 간호사들.

그들과 스쳐 걸어가는 신우혁과 이성욱. 이성욱의 손에는 낡은 보스턴 백.

열어 보면, 신문지에 쌓인 현금 다발들. 서로 보고 '씩' 웃는 두 사람에서.

강현 예지 씨가 응답을 받았다고 하던데… 그건….

정연 독약을 받는다는 거죠. 일곱 명이에요.

강현 (심각해지는데)

정연 일단 빠져나가세요. 교주가 눈치를 챈 거 같아요. 신입 회원 문서를 달라고 해서 팀장님 건 뺐어요.

강현 아무한테도 알리지 않고 왔는데, 어떻게?

정연 교주 인맥이 어디까지 뻗어 있는지 몰라요.

밤에 틈을 만들 테니까 준비하고 있어요.

강현 (무거운) 아뇨. 사람들을 구해야 돼요.

정연 어떻게요?

생각하는 강현.

27. 종합 병원 전경, 낮

준영이 차를 세우고 경진과 함께 들어간다. (이 기자가 보여 준 사진의 로고)

28. 응급 외과 과장실, 낮

문이 열리고 준영과 경진이 들어온다.

고개 들어 보는 과장.

준영 (신분증 보여 주고) 5년 전에 응급 수술을 받은 환자 때문에 왔습니다.

과장 (한숨) 그런 문제는 영장이 필요한 거 모르세요?

경진 저희가 좀 급해서 그래요.

준영 트럭의 파이프에 관통된 환자, 기억하세요?

과장 (짜증 나서 보고)

준영 신우혁. 폐와 간이 모두 손상됐는데 수술 후에 살아났고, 그게 기적이라면서 사이비 종교를 만들었습니다.

과장 (살짝 관심이 생기고)

경진 그걸 믿는 사람들이 계속 자살을 하고 있어요. 도와주세요….

과장 (잠시 두 사람을 보다가 컴퓨터로 찾아본다)

기억납니다… 근데….

준영 (보는)

과장 그 사람은 죽었어요.

준영, 경진 !!

과장 (자료 보면서) 신우혁은 같이 실려 온 환자네요. 교통사고로.

INSERT. *교통사고 현장 사진.*

쓰러진 남자, 멈춰 선 트럭. 그 앞에 트럭에 받힌 차량.

그 안으로 들어가면, 운전석의 신우혁. 보조석에 이성욱.

이내, 사진이 동영상으로 바뀌며.
갈비뼈를 다친 듯 가슴을 누르며 내리는 신우혁.
바닥에 쓰러진 남자를 보는 신우혁. 배에 꽂힌 쇠파이프를 홀린 듯 보는 신우혁.

29. 성형외과 전경, 낮

30. 성형외과 원장실, 낮

성형외과 원장 앉아 있고.
앞에 안 팀장 서 있다.

안 팀장 시간이 없어서 간단하게 얘기할게요.

원장 (무슨 일인가 살짝 긴장)

안 팀장 여기서 누가, 얼마나 자주 프로포폴을 맞았는지 조사할 수 있습니다.

원장 (꿀꺽) 네….

안 팀장 (신우혁의 사진 내밀고) 신우혁, 여기 왔었죠?

원장 네.

안 팀장 뭐 때문에 온 겁니까?

원장 얼굴… 전체를 성형하겠다고 했습니다. 귀까지….

안 팀장 언제?

원장 내일 밤이요….

안 팀장 (명함 내민다) 오면, 바로 연락해요.

원장 예….

31. 종합 병원 주차장, 낮

차에 오르는 준영, 그때 안 팀장으로부터 전화 온다. (스피커폰)

(안 팀장의 차 안과 교차)

안 팀장 신우혁은 성형하고 도망칠 생각이야.
명상 센터 자금이 해외 계좌로 빠져나간 것도 확인했다.

준영 그 사실을 이성욱이 알아내서 죽인 거네.

경진 (굳어서) 팀장님하고 이수 형님, 위험해요.

안 팀장 수술하러 오면 연락하기로 했는데….

준영 잡을 근거가 없죠.
우리가 가진 카드는 이성욱뿐입니다. 살해 증거를 찾아야 돼요.

서로 보는 준영과 경진에서.

32. 수련원 명상실, 밤

신입 회원들 서 있고, 그 사이에 이수도 있다. (수련복 입은)

정연 오늘 밤은 명상으로 마무리하겠습니다.
그 전에 몸을 좀 풀어 줄게요. 서로 짝을 지어서 서 보세요.

두 줄로 마주 서는 사람들.
이수는 강현의 앞줄 한 칸 옆.
강현 앞의 남자를 '툭' 친다.

이수 자리 좀 바꾸죠?

남자 ?

이수 (강현 가리키고) 내 스타일이라.

남자, 자리를 바꿔 주면, 강현 앞에 서는 이수.

정연 인사부터 합시다. 반갑습니다.

이수, 강현 반갑습니다~

악수하며 시선 스치는 이수와 강현.

CUT TO

둘씩 짝지어서 스트레칭을 하고 있는 사람들.

다리 벌리고 당기기, 등배지기, 마주 서서 어깨 풀어 주기 등등을 하는 이수와 강현.

이수 (어깨 풀어 주며) 아유 어깨가 많이 뭉치셨네~

강현 그쪽이야말로. 유연성이라고는 없으시네요~

쓸데없는 잡담을 하다가. 서로 얼굴 가까이 닿은 자세에서.

강현 지문 어떻게 했어?

이수 보냈지.

강현 어떻게?

이수 방법이 다 있어.

강현 다시 연락해. 내일 아침 9시, 사택으로 들어간다.

이수 (강현을 보는)

강현 교주가 독약을 줄 거야. 일곱 명한테. 그 현장을 덮쳐야 돼.

이수 (굳은 얼굴로 끄덕이는)

둘이 이야기를 끝내고 자세를 바꾸는데, 신우혁이 지나가다가 (뒤에는 김용철) 창을 통해 이수를 본다. 그리고 그 옆의 강현도….

33. 이성욱의 집, 밤

이성욱의 처 앞에 앉은 준영과 경진.
준영, 5년 전 교통사고 현장 사진들 보여 준다. CCTV 컷들.

준영 (사진 속의 사고 당한 남자 가리키고) 사고를 당한 사람은 죽었습니다.

성욱 처 (놀라 보면)

준영 (사진 속의 신우혁 가리키고) 신우혁은 트럭 앞차에 타고 있었어요.

성욱 처 그게 무슨 소리에요….

준영 이 차에 이성욱 씨도 타고 있었습니다. 두 사람은 다단계 회사에서 만났고, 사고를 당한 후, 같이 오륜회를 만든 겁니다.
(신상 명세 보여 주며)
신우혁은 사기 전과 3범, 이성욱 씨는 사기 전과 2범입니다.

성욱 처 (경악하는데)

준영 신우혁은 돈을 빼돌리고 도망치려고 했어요.
그 사실을 눈치 챈 이성욱 씨를 죽인 겁니다.

경진 (서류 내밀고) 부검 허락해 주세요.

성욱 처 하지만… 그럼 환생을 못 하는데요….

경진 (답답하고) 아직도 모르시겠어요? 그게 다 거짓이라고요! 사기에요!!

준영 (말리듯 경진을 보고)

성욱 처 (머리가 안 돌아간다)

준영 저희 동료 둘이 오륜회에 들어가 있습니다.
당신을 속이고… 남편을 죽인 사람을 잡을 수 있게 도와주세요.

준영의 얼굴을 보는 이성욱의 처에서.

34. 사택의 서재, 밤

책상 앞에 앉은 신우혁, 뭔가 걸린다.
매니저가 줬던 신입 회원 명부를 다시 펼쳐 보는 신우혁.
다 넘겨도 강현은 없다. '탁', 파일을 내려놓는데, 삼각형 종이가 떨어진다.
(정연이 급히 종이를 찢으면서 스테이플러에 남은 조각이 끼어 있었던 것) 그걸 보고 표정이 변하는 신우혁. 페이지를 보니, 6 다음이 8이다. 기가 차서 고개를 드는 신우혁. 문 앞에 서 있던 김용철.

우혁 매니저 데려와.

35. 수련원 매니저의 방, 밤

방문 앞에 서 있는 김용철.
정연이 문을 열면, 바로 주먹을 날리는 김용철.
정연이 순간 정신을 잃으며 쓰러지는데, 소리 나지 않게 안아 드는 김용철.

36. 수련원 강현의 방, 밤

예지는 자고 있고, 강현은 깊은 생각에 잠겨 있다.

문득 창밖을 보는데, 김용철이 누군가를 어깨에 들쳐 메고 걸어간다.
'뭐지?' 보다가 사택에서 흘러나온 불빛에 정연의 얼굴을 확인하는 강현!
잠시 숨을 고르다가…
결심한 듯 안경을 벗고, 가발을 벗고, 경찰 신분증을 목에 거는 강현.
삼단봉 주머니에 넣고 나간다.

37. 사택 입구, 밤

사택 입구에는 덩치 2가 서 있다.
직진하는 강현.

강현 (신분증 들고) 경찰이다. 열어.

덩치 2, 강현을 잠시 보다가 순순히 문을 연다.
들어가는 강현.

38. 사택의 응접실, 밤

강현이 걸어 들어가는데, 김용철이 멀리 서 있다.

강현 매니저 어딨어?

김용철이 비켜서면, 구석에 쓰러져 있는 정연.
그와 동시에 양옆에서 나타나는 덩치 3, 4.
강현, 삼단봉을 꺼내 '착-' 펼치는데, 뒤에서 강현의 목을 팔로 조르며 들어올리는 덩치 2! 숨이 막히며 삼단봉을 떨어뜨리는 강현! 보고 선 김용철.

강현, 버둥거리는데 반동을 이용할 벽이 없다.
팔꿈치로 덩치 2를 치는 강현. 첫 방은 스치지만, 두 번째 가격이 덩치 2의 목을 치면서, 바닥에 떨어져 구르는 강현.
잽싸게 삼단봉을 찾아 잡고, 옆에 있던 장식품 - 대형 거울이나 큰 항아리 - 을 깨 버리는 강현. 와장창 깨지는 장식품.
강현, 일어나 자세를 잡고, "진이수!!" 부른다. 덩치들 강현을 보는데.
'우다다' 뛰는 소리 들리고, 계단 참에서 훌쩍 뛰어내려 강현 옆에 서는 이수!!

이수 내일 아침이라며? 왜 이렇게 빨리 왔어?
강현 좀 급해서. 너 믿고 시작했어.
이수 (씩 덩치들 보며) 니들은 이제 죽었다. (손 들고) 자수할 사람? 없나?

하는데, 서재 문이 열리고 신우혁이 나타난다.

우혁 손님은 다 온 거 같네….
이수 자수할 거야?
우혁 (피식) 용철아, 매너 좀 가르쳐 드려라.

긴장해 보는 이수와 강현.
덩치들, 이수와 강현에게 다가오고
서로 보고, 덩치들을 보는 이수와 강현에서.

39. 이성욱의 집, 밤

긴장된 분위기에서 서류에 사인하는 이성욱의 처.

40. 이성욱의 집 앞, 밤

준영과 경진, 걸어 나오고, 준영, 걸으면서 윤 박사와 통화한다.

준영 부검 시작해 주세요!

41. 국과수 부검실, 밤

윤 박사, 부검대 위의 이성욱 시신을 내려다본다.
이내, 메스를 들고 부검을 시작한다.

42. 사택의 응접실, 밤

덩치 3에게 목을 붙잡혀 테이블로 떨어지는 강현! 테이블 유리 박살나고.
덩치 2에게 밀려 창문에 부딪히는 이수! 유리창 박살난다.
그 난장판에서 조금 뒤에 물러서서 차를 마시는 신우혁.
김용철도 신우혁 곁에서 싸우는 그들을 보고 있다.
목이 졸리던 강현은 삼단봉을 접어 덩치 3의 눈을 찔러 버린다.
비명을 지르는 덩치 3. 테이블에서 굴러 내려와 이수를 보는 강현.
이수 머리에 피 흐르고 있고. 덩치 2의 옆구리를 공격한다.
하지만 끄떡없는 덩치 2. 미치겠다는 얼굴로 옆으로 피하는 이수.
바로 덩치 2가 따라붙는데, 이수 벽을 차고 뒤돌며 돌려차기로 덩치 2의 머리를 날린다. '쿵-' 쓰러지는 덩치 2, 바로 강현을 보는 이수.
강현은 덩치 4의 발차기를 맞으며 밀리고 있다.
달려가 덩치 4의 등을 발로 차는 이수!
덩치 4가 비틀거리는 사이, 주저앉은 강현을 일으켜 주는 이수.
이수의 뒤에서 덩치 4가 주먹을 내지르는데, 강현이 삼단봉으로 놈의 팔을 내려치고. 뒤돌은 이수의 주먹과 강현의 삼단봉이 동시에 놈의 얼굴을 '퍽-' 친다. 풀썩 주저앉는 덩치 4.

우혁 (찻잔 내려놓고 용철 보며) 이제 정리하자.

신우혁이 서재로 들어가고, 김용철이 다가온다.
다른 쪽에서는 한쪽 눈을 찡그린 열 받은 덩치 3.
두 사람을 보는 이수와 강현.
주먹을 들고 거리를 재며 이수를 보는 김용철. 뭔가 분위기 전혀 다르다.
긴장한 이수가 김용철을 발로 차는데 그걸 팔로 막고, 다리를 잡아 던져 버리는 김용철.
강현은 덩치 3에게 삼단봉을 휘두르지만 잡혀 빼앗기고. 날아가는 삼단봉.
이내 제대로 주먹을 날리는 덩치 3. 팔을 들어 막지만 충격이 상당하다.
강현이 주먹을 날리지만 파워가 부족하고. 뒤로 물러서지만 바로 날아드는 덩치 3의 주먹에 제대로 얼굴을 맞고 쓰러지는 강현.
이수 빨리 자세 잡고 김용철과 마주 선다. 마치 주먹을 날릴 듯한 자세의 김용철.
배를 노리고 들어가려고 하는데 물러서며 발차기를 날리는 김용철.
머리를 맞고 쓰러지는 이수!
쓰러진 이수와 강현의 모습.

43. 사택의 서재, 밤

신우혁은 책상 위에 걸터앉아 있고, 김용철이 떨어져 선 가운데.
바닥에 이수와 강현이 손이 앞으로 묶인 채 (케이블 타이) 포개져 쓰러진 상태.
(대리석 혹은 나무로 된 바닥에는 커다란 네모 모양으로 홈이 파여 있다. 마치 어떤 무늬인 것처럼)

우혁 (박수를 치면서) 일어나세요!!

소리에 정신이 깨는 이수. 고통에 신음하며 일어나 강현을 걱정스럽게 보고…강현도 눈을 뜨고 몸을 일으킨다.
서로의 안전을 확인하는 이수와 강현.

우혁 자, 얘기 좀 해 볼까?

이수, 강현 (신우혁을 올려다보고)

우혁 (서장이 준 파일 보고) 강하서 강력팀 이강현 형사… (파일 '탁' 책상에 두고)
그리고 재벌 3세… 둘이 여길 왜 들어왔어?

일어서는 강현. 일어서는 이수.
강현이 책상을 보면 경찰서 내부 문건, 자신의 신상 파일이다.

강현 너 체포하러 왔지.

우혁 (피식) 내가 뭘 잘못했는데?

강현 자살 교사, 자살 방조, 살인 교사… (용철을 보며) 넌, 살인.

우혁 머리가 나쁜가? 아버지가 그 꼴이 났으면… 배우는 게 없어?
꼭 이렇게 고집부려서 아버지가 딸자식 장례 치르게 만들어야 돼?

강현 그동안… 몇 명을 죽인 거야?

우혁 잘 모르겠네… 100까지 세다 말아서.
어차피 죽을 사람들이었어. 내가 행복하게 죽게 해 준 거라니까?

이수, 강현 (혐오하는 얼굴로 보는)

우혁 1000억만 모을려고 했는데… 여기까지만 해야겠다.

이수 천하의 개새끼네.

우혁 내가 너 같은 팔자였으면 이런 짓 하지도 않았어.

금수저로 태어나면 그냥 게임 끝이잖아. 불공평하다니까.

이수 넌 금수저였어도 쓰레기였을 거야. 관상이 그래.

우혁 너넨 여기서 죽을 거야. 시체를 찾기까지는 시간이 좀 걸릴 거고.
난 아무도 모르게 사라질 거야.

이수 그렇겐 안 될 걸?

우혁 (보면)

이수 (하늘 가리키고) 저 하늘에… 한수 전자 개발팀에서 만든 드론이 떠 있거든.
보이지도 않고 소리도 안 들리는 신형이야.

우혁 (안 믿는다)

이수 지금 우리 동료들이 여기로 달려오고 있다고.

강현 ('진짜가.', 보는)

INSERT. *검은 밤하늘.*
아무것도 없는 것 같은데 반짝, 작은 빛이 깜빡인다.
다가가면, 반투명의 드론.
드론의 시점 샷, 이수의 방 창문에. <출동!!> 적힌 메모.

우혁 (이수를 보다가 피식) 구라 세네. 사기 쳤어도 성공했겠어.
근데 경찰 쪽은 내가 보고 있어. 너네 동료는 안 와.

신우혁은 책상 뒤로 걸어간다.
이수와 강현은 책상 위에 쓸 만한 걸 찾는다. 문구용 칼이 있다.
신우혁은 강현이 열려고 했던 서랍을 연다.
서랍 안에는 버튼이 있다.
강현이 칼을 낚아채는데, 버튼을 누르는 신우혁!
바닥이 아래로 열리며 이수와 강현은 밑으로 떨어진다!!

바닥 아래에는 거대한 수조가 있고, 이수와 강현이 풍덩 떨어진다.
충격을 받고 위를 보는 이수와 강현.

우혁 (내려다보며) 다음 생이 있으면 좋겠지? (씩) 없어, 그딴 거.

INSERT. *수조 안.*
이수와 강현. 굳은 얼굴.
서서히 천장 문이 닫힌다. 이제 닫힌 천장 틈으로 새어 나온 빛 뿐이고.
커다란 파이프에서 거센 물줄기가 쏟아져 들어온다.
천장까지 곧 차오를 것 같다.
서로를 보는 이수와 강현에서.

44. 강하경찰서 입구, 밤

차를 세우고 급히 뛰어 들어가는 최 이사.

45. 강력팀 사무실, 밤

준영, 안 팀장, 경진, 2팀원들 모여 있고
최 이사가 태블릿으로 영상을 보여 준다.

INSERT. *드론 시점 영상들.*
창틀의 <출동!!> 메모.
사택으로 들어가는 강현.
창문으로 보이는, 싸우는 이수와 강현의 컷.

바로 준영과 경진이 나가려고 하는데.

안 팀장 먼저 출발해.

준영 팀장님은요?

안 팀장 지원팀 데리고 갈게. 일을 크게 벌리는 게 나을 거 같다.

준영 (끄덕이고)

46. 강하경찰서 전경, 밤

튀어나오는 준영과 경진.

뛰어가면서 준영이 전화를 한다.

준영 선배님, 저희 지금 오륜회로 들어갑니다!

INSERT. *강현의 집. 전화 받고 긴장하는 형준.*

경진 (이 기자에게 전화하는) 이 기자님!

47. SBC 보도국, 밤

전화를 받는 이 기자.

긴장하는 이 기자에서.

48. 특공대 사무실, 밤

특공 대원들 몇 앉거나 서서 안 팀장을 보고 있고.

안 팀장 오륜회 교주 따러 간다. 아직은 아무 증거도 없어.

대원들 (안 팀장 보고)

안 팀장 근데 지금 움직이지 않으면 동료가 죽을지도 몰라. 빠질 사람은 빠져도 돼.

대원들 바로 장비 챙기며 일어선다.
안 팀장 앞장서면 따르는 특공 대원들.

49. SBC 생방팀 사무실, 밤

문 열고 방송팀 보는 이 기자.

이 기자 정연이 데리러 가자.

무슨 일인가 보는 방송팀에서.

50. 수조 안, 밤

강현이 가져온 칼로 이수의 케이블 타이를 끊어 준다.
이수도 강현의 손을 풀어 준다.
주변을 살피는 두 사람.
이제 물이 거의 다 차서 천장에 손이 닿는다.
있는 힘껏 천장을 밀어 보지만 꿈쩍 않고…
이수는 물이 나오는 파이프로 가서 손으로 만져 보지만 별다른 수가 없다.
'어떡하지?' 혼란스러운 이수. 뒤에서 강현의 거친 숨소리가 들린다.
돌아보면, 호흡이 거칠어진 강현.

강현 (서서히 겁에 질리며) 문동수가 이렇게 죽은 거야….

이수 (다가가는데)

강현 (추위와 공포에 하얗게 질린다) 진이수… 미안해….

이수 (강현 보고) 약한 소리 하지 마. 박 형사 지금 달려오고 있다니까!

강현 나… 난 수영을 못 해.

이수 수영이 아니야. (얼굴 잡고) 나 봐. 숨을 천천히 쉬는 거야… 후… 후….

강현 (조금씩 따라 하지만 몸이 부들부들 떨리고)

이수 (여유로운 척) 우리 집에서 사진 봤지? 나 프리다이빙 하는 거?

강현 (잠깐 생각, 끄덕이고)

이수 (이수의 프리다이빙 사진 컷)

장비 없이 자기 몸에 있는 산소로 100미터까지도 내려가. 10분도 참는다고.

강현 (이수를 보는데 물이 입까지 찼다)

이수 네 몸에 산소는 충분해. 버틸 수 있어. (따라 하라는 듯 깊이 숨을 들이쉬고)

강현도 깊게 숨을 들이쉰다.
물에 완전히 잠긴 두 사람.
강현은 여전히 겁에 질려 있다.
그런 강현을 보는 이수. 물이 멈췄다.
바닥의 하수구 구멍을 보는 이수. 강현을 한 번 보고 잠수해 내려간다.
구멍을 열어 보려는 이수. 칼로 틈을 쑤셔 보지만 칼날이 부러지고 칼이 휘어 버린다.
그런 이수를 보는 강현, 점차 숨이 막혀 오는데….

51. 도로, 밤

달리는 준영의 차, 굳은 준영과 경진의 얼굴 컷.

그 뒤로 2팀 승합차, 인원들.
뒤로 달려오는 특공대 버스, 안 팀장 컷.
그 뒤로 SBC 생방팀 차량. 이 기자 컷.
맨 뒤의 최 이사 차, 어두운 얼굴의 최 이사 얼굴 컷.
달리는 차량들 뒤로 순찰차 몇 대 합류하여 달려간다.

52. 수조 안, 밤

하수구 구멍을 뜯으려던 이수는 실패하고 다시 떠오른다.
하지만 이미 의식을 잃은 강현.
이수는 강현을 깨우려고 하지만 강현은 눈을 뜨지 않고.
강현의 몸이 떠오르고… 이수는 그런 강현을 피에타처럼 안는다.

INSERT. *죽은 어머니의 모습과 강현의 현재 모습이 겹쳐 보인다.*

일그러지는 이수의 얼굴에서.

53. 사택 앞 길, 밤

사택 앞으로 신우혁의 차가 나온다.
김용철이 운전석, 신우혁이 보조석. 뒷자리에는 현금과 금이 든 큰 가방 두 개.

우혁 피곤하네… 어디 가서 마사지 좀 받자.
용철 네.

차량 입구로 달려가는데…

갑자기 나타난 특공대 버스, 차를 가로막고!
신우혁 놀라는데!
이어 준영의 차와 2팀 승합차 신우혁의 차를 지나쳐 사택으로 달려가고.
'우다다' 내려서 신우혁의 차를 포위하고 총을 겨누는 특공대 대원들.
사색이 된 신우혁을 끄집어내는 안 팀장.

안 팀장 이강현이 어딨어?
우혁 (대답 않는다)

뒤이어 차 세우고 카메라 들고 신우혁을 둘러싸는 방송팀.
이 기자, 정연을 생각하며 사택 쪽을 잠시 본다.

54. 사택 곳곳, 밤

#사택 앞
차량 거칠게 세우고 뛰어 들어가는 1, 2팀.
뒤로 차를 세운 지구대 경찰들도 뛰어 들어간다.

#응접실
싸움 때문에 엉망이 된 실내.
무거운 얼굴로 들어가는 준영.
일부는 계단으로 올라가고 또 다른 사람들은 각기 흩어지며 집을 뒤지기 시작한다. 준영이 소파 뒤에서 정연을 발견하고 깨운다.
정신을 차리는 정연. 경진이 재갈과 손을 풀어 주면.

준영 여기 들어온 형사가 있어요.

정연 네. 알아요.

준영 어디 있어요?

정연 (고개 젓고)

위층에서 내려오는 2팀원.

2팀원 2층에 아무도 없어!

경찰 하나가 정연을 부축해 나가고.
급히 서재 쪽으로 들어가는 준영. 따라가는 경진.

#서재
벽장을 열어 보고 이리저리 돌아다니고 정신없는 가운데
하얗게 굳는 준영. 어디에도 강현이 안 보인다.

경진 (불안하고) 팀장님 어디 있는 거예요?

하는데, 소음 속에 어떤 소리가 들린다. 멈칫하는 준영.
순간, 창으로 뛰어내리는 덩치 2, 3이 보인다. (베란다에 숨어 있다 뛰어내린 것) 또 다른 방향에서 튀는 덩치 4.

2팀원 잡아!!

형사들 쫓아 뛰고.

#사택 앞

형사들에게 제압당하는 덩치 2, 3 컷.
특공대의 총구에 손을 드는 덩치 4 컷.
방송팀 들어오며 이 장면을 모두 찍는다.

#서재
소란 속에 다시 들리는 어떤 소리.

준영 다 조용!!!

경찰과 형사들이 모두 멈추면 그제야 소리가 들린다.
쇠와 쇠가 부딪히는 소리. '탁… 탁…'

INSERT. *수조 안.*
기운이 다 빠진 이수가 필사적으로 칼을 천장에 치고 있다.

준영 밑이야!!

준영이 틈으로 손가락을 집어넣으면… 물이 묻는다.

준영 (경진을 보며) 물이다.
(한강변 혹은 부검실 문동수 시신 컷) 밑에 수조가 있어!!

2팀원 E (바깥쪽에서) 여기 지하 계단 있어!!

소리를 듣고 튀어가는 경진.

준영 (바닥을 주먹을 치며) 이강현!! 진이수!! 우리 왔어!! 버텨!!

INSERT. *수조 안.*

지친 얼굴로 준영의 목소리를 듣는 이수.

#지하실

지하실에 내려왔지만 하수구는 찾을 수 없다.

형사들 모두 난감한데, 벽을 찬찬히 만져 보던 경진.

경진 비키세요.

하더니, 아래쪽 벽을 총으로 쏜다.

벽에 금이 가며 흘러나오기 시작하는 물.

이내, 모든 형사들 벽에 난사한다. '탕- 탕- 탕- 탕!!'

드디어 한곳이 무너져 내리며 물이 쏟아져 나온다.

INSERT. *수조 안.*

수위가 내려가며 숨을 쉬는 이수. 강현을 살피는데 여전히 의식이 없다.

이수 이강현!! 정신 차려!! (흔들고 때리는데)

#사택 앞

신우혁을 끌고 오는 안 팀장. (수갑은 채우지 않았다)

우혁 아무 증거도 없이 이래도 되는 건가, 경찰이?

안 팀장 (보는데)

준영 (튀어나와서) 수조 어떻게 열어?

우혁 무슨 얘긴지 모르겠네?

준영 (바로 주먹 날리고) 대답해!!

신우혁이 준영을 보는데, 겁에 질렸고.
준영이 다시 주먹을 들자 피하며.

우혁 서랍!! 서랍에요!!

다시 뛰어 들어가는 준영.

INSERT. *수조 안.*
물이 고인 바닥에서 심폐소생술을 하고 있는 이수.
하지만 강현은 반응이 없다.

#서재
급히 들어온 준영이 책상 서랍을 연다.
없고… 없다… 잠긴 서랍을 발로 차는 준영.
'퍽- 퍽!!'

INSERT. *수조 안.*
인공호흡을 하는 이수… 강현이 미동 없다.

이수 *강현아… 제발… 일어나…! 이강현!!*

하다 하다 안 되자 주먹으로 강현의 가슴을 퍽 때리는 이수!

강현이 물을 뱉으며 눈을 뜬다.
안도의 한숨을 내쉬는 이수.

순간, 천장이 열린다. 위를 올려다보는 이수. 준영이 서서 보고 있다.
'하아…' 숨을 내쉬며 서로 보는 이수, 강현, 준영에서.

55. 사택의 응접실, 밤

강현, 한쪽에 앉아 있고, 준영이 앞에 서 있다.

준영 (숙여 눈 맞추며) 괜찮아?

강현 … 잡았어?

준영 (끄덕이고) 응.

강현, 갑자기 울컥하며 준영을 안는다.
조금 떨어진 곳에서 다친 머리를 처치 받고 있던 이수, 그 모습을 보더니.

이수 같이 죽다 살아난 건 난데, 둘이 껴안고 난리야….

경진 (옆에 있다가) 제가 안아 드릴게요. (껴안고)

이수 (뭔가 포근한데)

경진 (너무 다정) 걱정했어요….

이수 (과하다) 떨어져라.

강현 앞으로 신우혁을 끌고 오는 안 팀장.

안 팀장 네가 채워. (수갑 주고)

강현 (일어서서 신우혁을 보며) 당신을 자살 교사, 살인 교사, 살인 미수 혐의로 체포합니다. 변명의 기회가 있고, 불리한 진술을 거부할 수 있으며, 체포적부심을 신청할 수 있습니다.

굳게 다문 입으로 고개를 숙인 신우혁의 손목에 수갑을 채우는 강현.

56. 사택 앞, 밤

이수, 강현, 준영, 경진. 2팀들 걸어 나오는데.
소란에 일어난 회원들 사택 앞에 몰려 서 있다.
끌려가는 신우혁과 덩치들을 보는 경악한 얼굴들.
강현, 예지에게 다가간다.

강현 예지 씨… 교주는 사기 전과 3범이에요. 다 거짓말이에요.

예지 (망연자실 보는데)

강현 (명함을 준다) 연락해요. 법으로 해결할 수 있게 도울게요.

경찰 명함을 보고 선 예지.

멀리 서 보고 있던 준영과 이수.

준영 (슬쩍 이수 치고) 이따 술 한잔하죠? (지나가고)

이수 뭐야…. (좋으면서 구시렁대는데)

형준의 차 와서 서고, 형준과 미숙이 내린다.

미숙 (눈물 바람으로 강현에게 달려가며) 강현아!

(강현 등 찰싹찰싹 치며) 이 나쁜 기집애!! 너 진짜 왜 그래….

강현 미안해~~

강현, 미숙을 안아 달래며 형준을 본다.

서로 보는 부녀. 형준은 승합차에 앉은 신우혁을 잠시 보고.

한쪽에서는 정연이 이 기자와 만났고.

이 기자 너는. 나중에 혼날 줄 알아.

정연 (매달리고) 아이~~ 선배님!

이 기자 뭐가 선배님이야….

그런 광경들을 보던 이수.

이수 갑자기 외롭네….

경진 (보고 다가오며) 또 안아 드려요?

이수 꺼져. (하다가, 멀리 선 최 이사 발견) 아저씨!

이수, 다가가면, 최 이사, 한숨 쉬며 본다.

최 이사 덕분에 명 좀 줄었습니다.

이수 (활짝 웃고) 나도 걱정해 주는 사람 있네….

최 이사 타세요.

이수 어… 전 따로 갈게요. 뒤풀이가 있어서.

그런 이수를 미소로 보는 최 이사.

57. 국과수 부검실, 밤

피 묻은 앞치마, 고글의 윤 박사.

위를 자르고 속을 보다가, '이게 뭐지?' 하는 얼굴로 뭔가를 꺼낸다.

이성욱의 위에서 나온 것은 USB다.

INSERT. *여관방.*

창밖으로 덩치들을 확인한 이성욱이 USB를 삼킨다.

58. 강하경찰서 형사과장실, 밤

노크 소리 들리고, 윤 박사 들어온다.

보는 형사과장.

윤 박사	박찬건 과장님. (USB 내려놓으며) 이거 확인해 보셔야겠어요.
형사과장	이게 뭡니까?
윤 박사	이성욱 씨가 죽으면서까지 밝히고 싶었던 진실?
형사과장	?
윤 박사	원래 강력 1팀에 줘야 되는 건데… 과장님께 드리는 게 맞을 거 같네요. 혹시 몰라서 복사는 해 놨어요.

어리둥절 보는 형사과장을 두고 인사하고 나가는 윤 박사.

USB를 연결하면. 해외 계좌 자료.

화면 가득 자살한 피해자들의 자료(사진, 내용, 금액) 나온다. 백여 개.

그 가운데 동영상이 두 개 있다.

INSERT. *모니터 화면.*

이성욱이 촬영한 영상.

성욱 *저는 신우혁과 함께 오륜회를 만들어 수많은 사람들이 전 재산을 바치고 자살하도록 종용했습니다. 그렇게 수백 억을 모았는데… 신우혁이 돈을 빼돌리고 혼자 도주하려고 합니다. (한숨) 제가 지금 살아 있을지 모르겠네요… 그동안 제가 모은 증거들입니다. 신우혁을 잡아 주십시오.*

CUT TO 다음 파일.
고급 한식집에서 누군가와 이야기를 나누는 신우혁.

서장 *수사를 막아 달라 이겁니까?*

형사과장, 목소리 알아듣고 놀라는데.

INSERT. *모니터.*

우혁 *방법이 있습니다. 사람만 좀 빌려주시죠.*

옆에서 돈이 든 상자를 올리는 이성욱의 손. 그리고 카메라가 살짝 각도를 튼다. 상자를 열어 보는 서장이 보인다.

서장 *힘든 사람들한테는 종교가 필요하죠…. (웃고)*

경악하는 형사과장. 이내 굳은 얼굴로 일어서 나간다.

59. 서장실, 밤

서장, 당황한 얼굴로 통화 중이고.

서장 뭐? 그게 무슨 소리야? 특공대가 움직여? 누구 지시로!!
방송? (TV 켜는데)

INSERT. *TV 화면.*
현장에서 체포되는 신우혁의 모습이 나오고. *(SBC)*

서장, 경악하는데 문이 열리고 형사과장과 형사 둘이 들어온다.
움찔 보는 서장.

서장 뭐, 뭐야?
형사과장 (굳은 얼굴로 다가와서 수갑 들고) 황성구 씨. 당신을 뇌물 수수, 공무상 비밀 누설, 공무집행방해죄로 체포합니다.
서장 이 새끼가, 미쳤어?
형사과장 (위압적으로) 추태 부리지 말고 가시죠. 영상 증거 나왔습니다.

경악한 서장의 얼굴에서.

60. 맥줏집, 밤

이수와 준영, 테이블에 어색하게 앉아 있고,
준영, 말없이 이수의 잔을 채워 준다.

준영 이거 마시고 말 까자.

이수 하? 이제 와서? (얄밉게) 싫은데요?

준영 싫으면 계속 높여. 난 깔게. (피식, 맥주 마시고)

이수 참내… (마시면서 흘기고) 야! 됐냐?

준영 (삐딱한 미소) 처음엔 참 재수 없었는데….

이수 난 여전히 그래….

준영 … 고맙다.

이수 (의아하고)

준영 너의 어떤 무계획적이고 대책 없는 작전… 덕분에 잡았다. 신우혁.

이수 (보는데)

준영 이게 강현이한테 어떤 의미인지 넌 잘 모를 거야.

이수 (흘기고) 칭찬을 어렵게 해.

준영 (미소 지으며 술잔 채우는데)

이수 (무심한 척) 근데… 너네 둘이 뭐… 뭐가 있어?

준영 무슨 소리야?

이수 아니, 뭐 썸이 있다거나 전에 사귀었다거나….

준영 에? 나 좋아하는 사람 있어. (하다가) 너 강현이한테 관심 있냐?

이수 아니~ 그냥 궁금해서 물어본 거야. (구시렁) 막 껴안고 그러길래….

준영 우린 찐친이지. 찐친 바이브.

이수 그 자리 내가 노리고 있다.

준영 되겠냐, 우리 10년이다. 술이나 먹어.

건배를 하는 이수와 준영에서.

61. 한수 그룹 회장실, 밤

명철, TV 화면으로 신우혁 체포 영상을 보고 있다.

명철에게는 앞쪽의 형사들보다 뒤로 걸어가는 이수가 더 잘 보인다.
응급 처치를 하고 머리를 잡고 걸어가는 이수.
승주가 문을 열고 들어온다.

승주 아버지. 보셨네요.

명철 어….

승주 이수, 오늘 좀 위험했었나 봐요….
전화 한번 해 주세요.

명철, 승주를 보다가 시선 돌리는데.

62. 강현의 집, 밤

기분 좋게 반찬 몇 가지 놓고, 소주를 마시고 있는 부녀.
형준은 강현의 마음을 알기에 별다른 말을 안 한다.
강현도 그냥 아버지 마음을 안다. 서로 보는 부녀.
소주 잔을 들고 옆에 앉는 미숙.

미숙 나도 한 잔 줘.

강현 고미숙 씨. 웬일이야~~ (따라 주고)

미숙 딸내미 때문에 고생해서 그런다. 먹고 취할 거야.

형준 무서운데…. (피식)

미숙 (쭉 마시고는 쓴지) 으으~~

웃는 부녀, 강현이 안주 집어서 입에 넣어 준다.
다 같이 웃는 가족들.

63. 이수의 집 침실, 밤

기분 좋게 들어와서 겉옷을 벗는 이수.

문득 창밖을 보면, 화기애애한 강현네 가족. 미소가 번지는 이수.

핸드폰 울린다. 꺼내 보면, <회장님>이다.

살짝 굳으며 받는 이수. (이하 교차)

명철 나다.

이수 네….

명철 (어색해 말을 고르다가) 괜찮니?

이수 (살짝 놀라고) 네….

명철 그래… 내일 병원 가 봐라.

이수, 전화 끊고 묘한 기분… 서서히 얼굴이 풀어진다.

64. 경찰청 간부회의실, 밤

어두운 조명, 무거운 얼굴의 경찰 간부들.

경찰청장 (일동 보며) 현직 경찰서장이 사이비 교주에게 돈을 받고 내부 정보를 흘렸다.

일동 (무겁게 바닥 보는)

경찰청장 그리고 교주를 수사하는 형사한테 뇌물죄를 뒤집어씌웠다…

(둘러보며) 내가 책임지고 물러나면 되는 건가….

모두 말이 없고, 대안도 없는데,

끝자리에서 형사과장이 일어선다.

형사과장을 보는 사람들.

형사과장 비리 경찰이 있었지만, 수많은 피해자를 자살로 몰고 간 교주를 잡은 것도 우리 경찰입니다.
최대한 빨리 수사를 마치고 모든 사실을 있는 그대로 밝히겠습니다.
억울하게 파면당한 이형준 경정을 서장으로 임명해 주십시오.

일동 (형사과장을 보는데)

형사과장 그것이 경찰의 쇄신을 보여줄 수 있는 옳은 방법이라고 생각합니다.

형사과장이 깊이 고개를 숙인다.
그런 형사과장을 보는 경찰청장에서.

65. 강현의 집 전경, 아침

아침 해가 떠올라 강현의 집을 따뜻하게 비춘다.

66. 강현의 집 거실, 아침

소파에 앉아 형준의 정복 재킷을 보고 있는 미숙, 옆에는 열린 정복 박스.
미숙이 정복에 무궁화 하나를 더 단다. (1계급 특진을 한 것)
그러다 눈물이 핑 도는 미숙. 그동안 얼마나 자책을 했던가… 이런 날이 올 거라고는 생각지 않았다.
셔츠의 단추를 채우며 나오는 형준.
미숙, 눈물 슥슥 닦고, 재킷을 들고 형준에게 간다.
미숙을 보는 형준.
형준에게 옷을 입혀 주는 미숙. 다시 눈물 고이고.

형준 왜 울어… 좋은 날인데….

미숙 (눈물 훔치고) 안 울어….

형준 (미숙을 가만히 보다가) 우리 미숙이 고생 많았다….

미숙 (형준을 보다 따뜻하게 안고) 축하해….

계단을 내려오다가 두 사람을 보고 멈추는 강현. 미소로 본다.

67. 강현의 집 앞, 아침

형사과장의 차가 서 있고. 형사과장이 앞에 나와 서 있다.

형준이 나오면, 숙여 인사하는 형사과장.

형사과장 선배님… 죄송했습니다….

형준 아니야… 내가 미안했다….

형사과장 (차 문 열고) 제가 모시겠습니다.

미소로 타는 형준.

어느새 나온 미숙과 강현이 보고 있다.

강현은 형사과장에게 고맙다는 눈빛을 보내고.

형사과장 타면, 형준과 미소로 보는 강현.

68. 강하경찰서 기자 회견장, 낮

형준에게 임명장을 주는 경찰청장.

서로 악수하면, 박수를 치는 강하경찰서 경찰들.

강현, 이수, 준영, 경진, 형사과장, 안 팀장 및 2팀들까지 모두 박수 친다.

그 사이 서로 미소로 보는 이수와 강현.

이수가 손을 내밀면, 로우 파이브 하는 강현에서.

69. 명철의 집 마당, 새벽

날이 밝아오고 있다.

명철의 집에서 서서히 멀어지는 카메라…

집에서 마당으로 화면 넓어지면서… 마당에 쓰러진 사람이 보인다.

남자에게로 다가가는 카메라.

일그러진 얼굴로 죽은 60대 초반의 남자.

손에는 핸드폰. 배에는 피에 젖은 옷.

남자 시신을 불안하게 내려다보는 카메라에서.

12화 엔딩.

ep.13

시신이 발견됐어요

1. 명철의 집, 밤

#전경

명철의 집이 보인다.

골목으로 차량 한 대가 와서 선다.

차에서 내리는 남자. (60대)

남자의 바지는 피에 젖었고, 바닥에 피가 뚝뚝 떨어지고 있다.

남자, 고개를 들어 명철의 집 담을 올려다본다.

자신의 차 위로 힘겹게 올라가서

담 위로 올라가는 남자… 벽에 묻어 흐르는 피…

담 위에 올라서서 옆구리를 누르며 힘겹게 서서 명철의 집을 보는 남자…

옅은 불빛이 흘러나오는 집…

이내, 기력이 다했는지 마당으로 떨어지는 남자.

#마당

짙은 어둠 속에서 쓰러져 명철의 집을 보는 남자… 창백한 얼굴.

핸드폰을 꺼내 전화를 건다… 화면에 보이는 상대는 보이지 않는다.

툭 떨어지는 남자의 손. 연결음이 계속되는 핸드폰에서… 암전.

2. 뉴스 화면, 오전

앵커 서울 시장 선거가 일주일 앞으로 다가왔죠.
어제 두 후보의 토론회가 있었습니다.

CUT TO 토론회 화면

종태 저는 사실 그래요. 우리 후보자님 재벌 2세, 아드님들 두 분 재벌 3세.
서민의 삶을 알겠어요? 모른다 이거예요. 모르는데 어떻게 대안을 만듭니까?

명철 (여유) 저는 지난 20년간 한수 그룹을 이끌어 왔습니다.
한수 그룹에는 132,567명의 직원이 있습니다. 기업의 총수와 서울 시장이 하는 일은 다르지 않다고 봅니다. 비전을 제시하고 불합리한 규칙을 정비하고 복지에 힘쓰는 것. 거기에 제가 베테랑입니다.

3. 강력팀 사무실, 오전

모니터로 토론회를 보고 있는 이수.

INSERT. *모니터.*

종태 *기업이야 이윤을 내는 게 목적 아닙니까? 돈밖에 모른다는 거죠.*

명철 *맞습니다. 이윤을 내는 게 목적이고 그 목표를 이루어 냈죠.*
이제 서울 시민의 행복을 목표로 하겠다는 겁니다.

이수, 무심하게 보는데…
뒤로 강현이 옆구리 누르며 들어온다.
컴퓨터 끄고 강현에게 다가가는 이수.

이수 병원에서 뭐래?

강현 조심하래, 아직 안 붙었대.

이수 아니 지금 일주일도 더 지났는데, 하여튼 골골해 가지고… 형사 생활 어떻게 할래?

강현 아주 잘 나셨네. 인공호흡을 해야지. 때리면 어떡하냐?

이수 인공호흡도 했거든?

강현 (보고)

INSERT. *12부 수조 안.*
절박한 얼굴로 인공호흡을 하는 이수의 컷.

이수 해도 해도 안 되니까 때렸지. 다른 방법이 없어서.

강현 (보는데)

이수 살려 놨더니 말이 많아요. 생명의 은인한테. 너는 나 아니였으면~

강현 (자리로 가면서) 어… 귀에서 피날 거 같아. (자리에 앉으면)

이수 (피식) 뭐 마실래? 커피 사러 갈 건데….

강현 단 거 하나 때려야겠어. 바닐라 라떼.

이수 오케이. (나가면)

잠시 생각하는 강현.

INSERT. *12부 수조 안.*

'헉-' 눈을 뜨는 순간의 강현 시점.

간절한 얼굴로 보고 있던 이수의 얼굴.

생각에 잠긴 강현의 얼굴에서.

4. 강하경찰서 앞, 오전

이수, 커피 두 잔 캐리어에 들고 들어가는데, 마주 오며 인사하는 경진.

경진 형님~ 어제 회장님 토론회 잘 봤습니다.

이수 어.

경진 말씀 잘 하시던데요?

이수 말로 뭘 못하냐.

경진 (커피 보고) 제 것도 있어요?

이수 어… 이거 내 건데… (주고) 너 먹어라.

경진 (미소) 회장님 찍을게요.

이수 됐어, 나도 투표 안 할 건데.

경진 에? 왜요?

이수 맘에 드는 사람이 없어서…. (하는데)

준영 (뒤에서 오며) 커피 사 와? (보고, 남은 하나 가져가려 하면)

이수 (막고) 안 돼, 이거 이 팀장 거야.

준영 나는?

이수 사다 먹어.

경진 (보다가) 둘이 언제 말 놨어요?

준영 며칠 됐어.

경진 되게 친해 보이네요.

준영, 이수 안 친해! (가는)

5. 명철의 집 앞, 오전

대문이 열리고 나오는 승주의 차. (앞에 운전사)
승주, 보면, 집 담 아래로 차 한 대가 서 있다.

승주 (운전사 보고) 저거 뭡니까?
운전사 (스치며 보고) 잘… 모르겠는데요.
승주 치우라고 하세요.
운전사 네.

승주, 태블릿으로 지지율 확인하는데, 명철이 왕종태를 앞서고 있다.
미소 번지는 승주 얼굴에서.

6. 명철의 집 마당, 오전

야외 테이블에 희자, 앉아 있다. (실내복, 혹은 잠옷) 숙취로 머리가 아픈 듯 하고.
마당 담 쪽에서 정원 관리사가 낙엽을 치우고 있다.
정원 관리사를 보는 희자, 뭔가 못마땅한 듯.
도우미 둘이 나와서 한 명은 희자에게 외투를 걸쳐 주고, 다른 한 명은 커피를 놓아 주는데.

희자 (정원 관리사 보며) 나중에 하라 그래. 거슬려.

도우미 하나 잰걸음으로 관리사에게 가는데, 멈칫하는 관리사.

뭔가를 보고 놀란 듯 뒤로 물러서는 관리사. 도우미도 놀라 뒤돌아 온다.

희자 뭐야? (일어서서 다가가는데)

도우미 사모님, 보지 마세요.

희자 뭔데?

도우미 어떤… 어떤 남자가… 있는데….

희자 (흘기고) 말도 똑바로 못해? (다가가는데)

도우미 (잡고)

희자 놔!

희자, 다가가면, 60대 초반의 남자가 담벼락 아래 죽어 있다.
편안한 복장, 배에는 피가 흘러나온 자국. 뭔가를 말하려는 듯 입을 벌리고 눈을 가늘게 뜬 얼굴. 손에는 핸드폰.
그 모습을 보고 얼어붙는 희자. '이 사람이 왜 여기에?'
희자를 보는 방향의 시신의 얼굴. 하얗게 굳은 희자.

7. 강력팀 사무실, 오전

이수, 준영, 경진, 들어오는데,
강현, 전화 받으며 주소 받아 적고 있다.

강현 변사자 신고 들어왔어. 가자.

이수, 강현에게 커피 주고.
다 같이 나가는 1팀에서.

8. 강하경찰서 주차장, 오전

승합차에 오르는 경진(운전석), 준영, 이수, 강현.
자신의 차 안에서 김밥을 먹던 이 기자가 출동하는 1팀을 본다.
이내 1팀의 승합차를 따라 출발하는 이 기자.

9. 명철의 집 앞 골목, 오전

골목을 올라가며 긴장하는 이수. 경진이 차를 세우면.

이수 현장이 여기야?
강현 왜?
이수 아버지 집이야… (굳어서) 누가 죽은 거야?
강현 (안심하라는 듯 이수를 보고) 외부인이야.
이수 (옅은 한숨을 쉬는)

뒤로 도착하는 KCSI팀 차량.
대문이 열리고… 차에서 내려 들어가는 강력 1팀.
장비를 챙기며 내리는 KCSI팀.
멀리서 차를 세우고 보는 이 기자.

10. 강하경찰서 서장실, 오전

서류 보던 중이었던 형준, 고개 들어 보면 긴장된 얼굴의 형사과장.

형준 진명철 회장 집에서?
형사과장 네.

형준 신원 밝혀졌어?

형사과장 아직입니다. 1팀이 갔는데, 지원팀 보낼까요?

형준 (생각하고) 아니. 일단 조용히 진행하지.

형사과장 네. (나가면)

형준, 생각하는 얼굴이고….

11. 명철의 집 마당, 오전

KCSI팀 잔디와 담을 살펴보고, 사진을 찍고 있고.

강력 1팀, 시신을 보고 섰다. (모두 장갑)

핸드폰을 손에 쥐고 죽은 남자의 모습.

무릎 꿇고 앉아 피가 배인 윗옷을 살짝 들어 보는 강현. 배에 칼에 찔린 상처가 보인다.

KCSI 대원이 핸드폰을 눌러보면, 비밀번호 설정되어 있고. 봉투에 넣고.

담벼락에 흐른 핏자국을 보는 일행.

강현 담을 넘어 들어온 거 같은데….

KCSI 대원 안쪽으로는 핏자국이 없습니다.

준영, 담 아래를 보는데, 낡은 SUV 차량 서 있고, 차 지붕에 신발 자국, 핏자국 있다.

준영 저거 밟고 올라왔네.

강현 (옆에서 보고) 가 보자.

강현과 준영이 나서는데, 잠시 건물 안을 보는 이수.
안에서 이수 방향을 보고 있던 희자, 이수를 보고 어둠 속으로 사라진다.
가만히 보는 이수에서.

12. 명철의 집 골목, 오전

강현과 준영, 차로 다가간다.
차 문 열려 있고, KCSI 대원 둘이 안을 확인하고 있다.
보면, 운전석에 번진 피. 피에 물든 핸들…
그걸 보는 강현과 준영.

강현 칼에 찔린 상태에서….

준영 여기까지 운전해서 온 거야.

강현 (준영 보다가) 가서 얘기 좀 들어 볼게.

강현, 집으로 다시 향하고…
준영은 차량을 보고 섰는데… KCSI 대원이 글러브박스에서 물건들을 발견해 박스에 담는다. 보던 준영, 인화된 사진 봉투를 보고 집어 든다.
사진을 꺼내 넘겨보는 준영. 5세 정도의 아이를 찍은 사진들이다.
(몇 장만, 아이는 잘사는 집 아이 느낌)

멀리서 숨어 이 장면을 카메라로 찍는 이 기자. '특종이다.' 싶은 얼굴.

13. 명철의 집 마당, 오전

도우미들, 정원 관리사와 선 이수와 강현.

강현 (사람들 표정 관찰하며) 죽은 사람이 누군지 아세요?

도우미들 (고개 젓고)

관리사 처음 보는 사람이에요.

강현 (담을 돌아보며) 어제 보안 장치가 울렸나요?

이수 마당에는 없어. 고양이나 새들이 주변에 많아서….

강현 (이수 보고, 관리사 보며)

혹시 최근에 집 주변에 이상한 일이 있었나요? 수상한 사람을 봤다던지….

도우미들 아뇨… (서로 보고) 그런 건 없었는데….

강현 (생각하고) 안에 누가 계시죠?

도우미1 사모님이 계세요.

강현 잠깐 얘기 좀 해야겠어요.

도우미 1, 긴장하며 앞장서고, 강현이 따라가는데.

이수, 약간 망설이는 모습.

강현 (돌아보고) 왜?

이수 아니야…. (따라가고)

14. 한수 그룹 회장실, 오전

보고 받는 명철.

명철 그게 무슨 소리야? 시체가 발견됐다고?

비서 네. 담을 넘어오다가 사망한 거 같습니다.

명철 (무슨 소리야)

비서 절도범일지도 모릅니다… 지금 경찰이 와서 수사 중입니다.

명철 (무슨 일인가 싶은)

15. 명철의 집 다이닝 룸, 낮

테이블에 등 돌리고 앉아 와인을 따라 마시는 희자.
벌컥 벌컥 마시고… 손 덜덜 떨고 있는데….

도우미 E 사모님… 형사님들이 오셨어요….

희자, 침착하게 표정 바꾸는데,
이수와 강현이 다가온다.

강현 실례하겠습니다. 강하서에서 나왔습니다.
희자 (돌아보다 이수 보고 발끈) 네가 여길 왜 들어와?
이수 (덤덤하게 보고) 수사 중이에요.
희자 네가 형사야? 나가!
강현 (이수를 보고 희자를 보는, 차분히) 진정하세요.
희자 (이수를 노려보는데)
강현 (나서며) 몇 가지만 말씀해 주시면 됩니다.
희자 (강현을 보면)
강현 밖에서 발견된 시신… 보셨죠? 아는 사람입니까?
희자 (표정 굳으며) 아뇨. 모르는 사람이에요.
이수 (그 얼굴을 가만히 보는)
희자 시끄럽게 굴지 말고 빨리 치워요.
강현 조사 마치는 대로 정리할 겁니다.
희자 (호기심에) 근데… 그 사람. 어떻게 죽은 거예요?

강현 아직 확실하지 않지만, 칼에 찔린 흔적이 있습니다.

이수 (희자를 가만히 보고)

희자 (짜증 나고) 난 아는 거 없으니까 그만 하죠.

강현 다시 연락드릴 수 있습니다. (명함을 내밀며) 갖고 계세요.

희자가 강현 보며 명함을 안 받으면, 테이블에 놓고 나가는 강현.
이수도 강현과 함께 나가면, 의자에 앉는 희자.
소름 끼친다는 얼굴로 얼굴을 가리는데….

16. 명철의 집 현관, 낮

나오며, 이수를 보는 강현.

강현 괜찮아?

이수 (피식) 어렸을 때부터 저랬어. 캐릭터가 일관성이 있다고 해야 되나….

이수, 아무렇지 않은 척 앞서는데, 강현은 잠시 이수를 본다.
그때, 승주가 들어오고.

승주 이수야!!

이수 어, 형.

승주 어떻게 된 거야? 죽은 사람이 누구야?

이수 아직 몰라.

승주 (이게 뭔 일인가 싶다가 강현 보고 인사하면)

강현 처음 뵙네요. 강하서 강력팀 이강현입니다. (손 내밀고)

승주 진승주입니다. (악수하는)

강현 사망자는 칼에 찔린 상태에서 이 집 담을 넘었습니다.

승주 (놀라고) 왜요?

강현 최근에 마음에 걸리거나 신경 쓰이는 일이 있었습니까?

승주 아… 특별한 일은 없었던 거 같은데요.

강현 그래요….

승주 어머니가 놀라셔서 들어가 봐야겠습니다.

강현 네.

승주 (이수 팔을 부드럽게 치고) 연락할게.

이수 응.

승주, 안으로 들어가고 나가는 이수와 강현.

17. 명철의 집 다이닝 룸, 낮

승주가 들어서자, 돌아보는 희자.

희자 (승주에게 매달리며) 승주야…!

승주 (희자를 안아 주며 달래는) 놀라셨죠?

희자 (치를 떨며) 너무 끔찍해… 이게 무슨 일이야….

승주 (다독이는) 괜찮아요….

희자 무서워… 너무 무서워….

하얗게 질려 떠는 희자를 다독이는 승주…
그러다 문득 뭔가 불안한 느낌의 얼굴로 변한다.

18. 명철의 집 일각, 낮

창밖으로 철수하는 형사들을 보며 보고 있는 승주.

약간 긴장한, 불안한 얼굴.

19. 명철의 집 앞, 낮

시신, 구급차에 실려 나가고

강력 1팀과 KCSI팀도 철수한다.

사진을 찍고 있는 이 기자.

잠시 후, 정원 관리사가 밖으로 나와 담배를 피우려는데 다가가는 이 기자.

불을 찾는 정원 관리사에게 라이터 켜서 내밀며.

이 기자 무슨 일이에요?

20. 강력팀 사무실, 밤

모여서 모니터를 보고 있는 이수, 강현, 준영.

INSERT. *모니터.*

골목에 설치된 CCTV 시점. 피해자 SUV 와서 서고. *(새벽 2시 25분)*

피해자 배 누르며 내려서 주변을 보다가… 결심한 듯 차 위로 올라간다.

이내, 담장 안으로 꼬꾸라지는 피해자. *(새벽 2시 31분)*

이수 왜 아버지 집으로 들어갔을까? 저렇게 다친 상태에서?

강현 신원을 확인하면 알 수 있겠지.

이수 (불길하게 보는데)

경진 (들어오며) 신원 나왔어요. 한대훈, 59세. (파일 보여 주며)

일동 (모여 보는데)

경진 전과는 없고, 최근에 실종 신고가 됐어요.

INSERT. *파일.*

가족 관계 - 얼핏 보이고. 아내가 있고, 아이는 없다.

실종 신고서를 보는 강현. 신고자는 아내다.

강현 (이수에게) 가서 만나 보자. (준영과 경진에게) 포렌식 빨리 해 달라고 하고. 한대훈 차량 블랙박스, 골목 CCTV 모두 확인해 줘.

21. 한대훈의 집, 밤

넉넉지 않은 집 안 분위기. 지친 얼굴의 한대훈의 처. (50대 초반)
거실에 마주 앉은 이수, 강현, 한대훈의 처.

대훈 처 (착잡한) 그 사람이… 죽었어요?

강현 놀라지 않으시네요?

대훈 처 언젠가… 이렇게 되지 않을까… 생각했었어요.

이수, 강현 (보는데)

대훈 처 그 사람이 사라진 건 6개월 전이에요. 이혼을 하려면 실종 선고를 받아야 한다고 해서 신고한 거예요.

강현 왜 한대훈 씨가 죽었을 거라고 생각하셨어요?

대훈 처 10년 전에 만나서 결혼했어요. 그때는 번듯한 사업가였는데, 계속 망하고 또 사업을 시작하고 그랬어요. 뭐랄까 허황된 꿈을 꾸는 사람이랄까… 몇 년 전부터는 그것도 다 그만 두고… 도박에 손을 댔어요. 집에도 잘 들어오지 않다가… 6개월 전에 연락도 없이 사라졌어요. 그래서 뭔가 안 좋은 일에 엮여서 죽은 걸까… 생각했죠.

이수, 강현 (보는데)

대훈 처 어떻게 죽은 거예요?

강현 아직 확실하진 않지만 살해당한 것 같습니다.

대훈 처 (깊은 한숨, 포기한 지 오래지만 남편이다)

이수 혹시… 남편 분이 한수 그룹하고 무슨 관련이 있나요?

대훈 처 한수 그룹이요?

이수 네.

대훈 처 아뇨. 그 사람이 그런 대기업하고 무슨 관련이 있겠어요?

한대훈의 처를 보는 이수의 얼굴에서.

22. SBC 전경, 밤

23. SBC 부장실, 밤

부장, 이 기자가 찍어 온 사진들을 보고 있다.

부장 이게 뭐야?

이 기자 특종이요.

부장 (맘에 안 들고) 손 뗀 거 아니었어?

이 기자 한쪽 편에 안 선다고 했지, 기사를 안 쓴다고 했나…
이건 팩트잖아요, 게다가 특종이라니까.

INSERT. *명철의 집 사진과 함께 인터넷 기사.*

<단독 보도> 진명철 서울 시장 후보 자택에서 살해당한 시신 발견.

24. 명철의 집 골목, 밤

골목을 올라가는 명철의 차 안, 뒷자리 명철과 비서.
명철, 인터넷 기사를 확인한다.
집 앞에는 기자들이 카메라를 들고 몰려와 있다.

비서 (난처한) 어떡할까요?

명철 (보다가) 세워.

명철이 차에서 내리면 터지는 플래시들.
사이로 방송팀과 나온 이 기자도 보인다.

기자 1 자택에서 시신이 발견된 게 사실입니까?

기자 2 사망자는 후보와 관련된 사람입니까?

기자 1 한 말씀해 주시죠!

명철, 그만하라고 손을 들고 잠잠해질 때까지 기다린다.
기자들 입을 다물면, 입을 여는 명철.

명철 경찰이 수사 중인 사건입니다. 사건의 진실은 경찰이 밝힐 겁니다.
저도 그 사람이 누군지, 어떻게 된 일인지 아직 모릅니다.

기자들 웅성대고, 명철은 대문으로 들어가는데.

이 기자 만일 피해자가 후보 집안과 관련이 되어 있다면 어떻게 하실 겁니까?

들어가려다가 돌아보는 명철.

명철 그분의 죽음이 저희 집안과 관련이 있다면, 책임을. 질 겁니다.

터지는 플래시.

25. 명철의 집, 밤

#마당

무거운 얼굴로 걸어가는 명철.

#현관

명철이 문을 열고 들어가는데 분위기 어두침침하다.
한숨을 쉬며 들어가는 명철.

#거실

테이블에는 와인 병, 취해서 소파에 기대 있는 희자.
명철, 그런 희자를 한참 본다.
시선에 눈을 뜨는 희자, 명철 보고 긴장한다.

희자 여보….
명철 (서늘하게 보는) 솔직히 말해.
희자 (긴장해 보고)
명철 당신이랑 관련 있어?

희자 (황당하다는 듯) 지금… 무슨 생각을 하는 거야? 나를 의심하는 거야?

명철 대답만 해.

희자 (노려보고) 아니야. 아무 상관없어!

명철 (가만히 보다가) 거짓말이면 당신이 감당 못 해.

희자 당신이 무슨 자격으로 날 의심해?

명철 (술병 보고) 술에 의지하는 거 병이야. 선거 끝나면 치료 받아.

서재로 가는 명철.

희자, 와인 잔을 던져 버린다.

벽에 부딪혀 피처럼 흐르는 와인.

26. 명철의 집, 서재, 밤

명철이 소파에 앉아 생각에 잠겨 있는데, 승주가 들어온다.

승주 아버지….

명철 어떻게 우리 집 마당에서 시체가 나와?!

승주 (보는데)

명철 … 죽은 사람이 누구야?

승주 아직 모르겠어요….

명철 (피곤한 듯 이마 짚으며 한숨 쉬다가)

… 네 엄마랑 관련이 있을지도 몰라.

(하다, 문득) 너는… 아니지?

승주 아버지. 아니에요. 엄마도 모르는 사람이라고 했어요.

명철 넌… 네 엄마를 믿냐?

승주 (말문 막혀) …

27. 왕종태 의원 사무실, 밤

INSERT. *TV 화면.*

이 기자 *만일 피해자가 후보 집안과 관련이 되어 있다면 어떻게 하실 겁니까?*

들어가려다가 돌아보는 명철.

명철 *그분의 죽음이 저희 집안과 관련이 있다면, 책임을. 질 겁니다.*

보면서, 피식 웃는 왕종태.
이내 SBC 부장에게 전화를 한다.

종태 재미있는 기사가 떴네요.
부장 (이하 부장실 교차) 네.
종태 전에 부탁한 거 어떻게 됐습니까?
부장 준비 중입니다.
종태 이렇게 시끄러울 때 같이 내보내는 게 좋지 않겠어요?

28. 강하경찰서 전경, 아침

29. 강력팀 사무실, 아침

INSERT. *모니터 화면, 한대훈의 차량 블랙박스.*
차를 운전하고 있는 한대훈. 옆자리에 30대 남자 같이 타고 있다.

모여서 보고 있는 이수, 강현, 경진.

경진 처음엔 이 남자랑 같이 있었어요.

INSERT. *모니터 화면.*
○○산 입구 표지판을 지나 차를 세우고 내리는 두 사람. (새벽 1시 10분)
산을 오르는 두 사람.
시간이 흐르고… 다시 급하게 차에 오르는 한대훈. (새벽 1시 55분)
배를 짚고, 차를 몰고 떠난다.

이수 저 남자 누구야?
경진 (수배자 포스터 가져오고) 이 사람이에요. 오광식.

보면, <오광식, 32세, 폭행 전과 6범>

강현 핸드폰으로 위치 따.
경진 네.

이수와 강현, 모니터 속의 오광식을 본다.

30. 국과수 부검실, 오전

한대훈의 시신을 내려다보고 있는 준영.
온몸에 크고 작은 멍이 있고 목에는 가는 줄로 목을 조른 흔적.
윤 박사 들어오며 샌드위치 입에 넣다 내려놓고.

윤 박사 일찍 왔네요?
준영 (끄덕 인사하고) 네. 사안이 급해서.

윤 박사 (다가가며) 부검은 끝났어요.

(목을 보여 주고) 목이 졸린 흔적이 있어요, 빨랫줄 같은 걸로 보여요.

(온몸의 멍 C.U.) 타박상이 많은데, 오래된 것부터(색이 바랜 것)

최근에 생긴 것(보라색 멍)까지 다양해요.

치명상은 배에 생긴 자창. 깊이는 7cm, 폭으로 봐선 잭나이프 같아요.

준영 (상처를 보는)

윤 박사 운 좋게 내부 장기 손상이 없어서 병원에 갔다면 살았을 텐데… 다른 곳으로 가서 과다 출혈로 사망했어요. 어떻게 그럴 수 있나 몰라.

준영 고통을 잊을 만큼 원하는 게 있었던 거죠.

윤 박사 (보면)

준영 저도 배를 찔린 적이 있어요.

윤 박사 (반짝) 보여 줘요.

준영 (당황하고)

윤 박사 (다가서며) 어디에요?

준영 (살짝 셔츠를 들어 보여 준다)

윤 박사 (가까이 보며 살짝 만져 본다) 아팠어요?

준영 범인하고 싸우느라 아픈 줄도 몰랐어요. 구급차 보니까 아프더라고요.

윤 박사 아드레날린이 그런 역할을 하죠…

맨날 시신만 보다가 아문 상처를 보니까… 좋네요.

준영 (셔츠 내리고 한대훈을 보며) 피해자도 뭔가 강렬한 감정이 있었겠네요.

윤 박사 (같이 보며) 그랬겠죠. 분노든 욕망이든….

31. 호텔 앞 골목, 낮

저렴한 호텔 앞, 강현의 차 서고,

이수와 강현이 차에서 내린다.

전화 오면 받는 강현. 준영이다.

강현 응. 용의자 나왔어. 오광식. 폭행 전과자야.
너는 ○○산으로 가 봐. 피해자가 거기서 당한 거 같아.

호텔로 들어가는 이수와 강현에서.

32. 호텔 안, 낮

#카운터
신분증과 오광식의 사진을 보여 주는 이수와 강현.

이수 이 사람 어디 있어요?
직원 … 401호요.
강현 며칠 됐어요?
직원 4일요.
강현 결제는?
직원 이틀치만 했어요.

#401호 앞
이수, 문을 두드린다.
대답 없다.

이수 (두드리며) 직원입니다. 결제를 안 하셔서요….
광식 E 나가면서 한다고 했잖아!!
이수 아이, 문 좀 열어 보세요. 사장님이 결제 받아 오래요~

오광식이 구시렁대면서 문을 여는데.

#401호

오광식, 문 열다 멈칫, 이수와 강현을 본다.

보면, 술병과 과자, 사발면, 오광식은 문신의 몸에 런닝 차림.

광식 (뒤로 물러서며) 뭐, 뭐야?

이수 ('씩-' 신분증 들고) 경찰이야.

오광식 뒤로 물러서는데, 긴장해 보는 이수와 강현.

테이블 한쪽에 잭 나이프 보인다.

광식 (창문을 보는데)

이수 좋은 생각 아니야. 운 나쁘면 죽어.

강현 (다가서며) 오광식, 저항하지 마. (수갑 꺼내는데)

오광식, 강현을 뚫고 나가려고 휙 달려든다.

이수, 강현을 막아서며 오광식을 발로 '뻥-' 차 버린다.

오광식이 벽에 처박혀 '으으-' 신음하는데,

이수, 다가가서 오광식의 팔을 꺾어 수갑을 채운다.

이수 오광식, 한대훈 살해 혐의로 체포한다.

광식 (깜짝 놀라서) 한대훈이 죽었어요?!!

이수, 오광식을 일으키며.

이수 연기 좋네. 배우가 되지 그랬니….

끌고 나가는 이수와 잭나이프 증거물 봉투에 챙기는 강현에서.

33. 공원, 낮

#입구

블랙박스에서 봤던 위치에서 내리는 준영.
핸드폰으로 받은 블랙박스 화면을 확인한다.

INSERT. *핸드폰 화면.*
산에 오른 시각, 새벽 1시 10분 체육시설
다시 내려온 시각, 새벽 1시 55분. 총 시간은 45분이다.

#산

산을 오르는 준영. 시간 확인. 오후 4시 20분.

#체육 시설

산 속에 위치한 운동 기구들까지 온 준영. 시간 확인하면 4시 40분.
주변을 둘러본다. 별다른 게 보이지 않는데
한쪽에서 빨랫줄을 발견한다. 이걸로 목을 졸랐을까…
주변을 보면, 몸싸움의 흔적이 느껴지는 발자국들. (세 가지 종류의 발자국)

INSERT. *준영의 비전.*
밤, 한대훈이 올라와서 잠시 서면, 뒤에서 목을 조르는 범인 1.
한대훈이 몸부림치며 저항하면 앞에서 한대훈을 찌르는 범인 2.

현장과 신발 자국, 빨랫줄을 찍는 준영.

34. 강하경찰서 진술 녹화실, 밤

오광식 앉아 있고, 맞은편에 이수와 강현.
테이블에는 잭나이프. 블랙박스의 사진들.

광식 아, 진짜 나 아니라니까요!
강현 (차분) 뭐가 아닌데?
이수 자수하고 광명 찾고, 출소하면 연기 학원 끊어.
광식 하…. (답답한데)

경진이 들어와서, 오광식 앞에 선다.

경진 아~~
광식 (자연스럽게 아~)

경진이 면봉으로 DNA 채취해서 나가고.

광식 진짜 그런 거 아니에요.
강현 그럼 뭔데. 얘기해 봐. 들어줄게.
광식 하아…. ('어디서부터 어디까지 얘기를 해야 되나….')
빚을 졌어요. 도박으로… 조폭들 돈이에요….
이수, 강현 (보는데)
광식 근데, 한대훈도 빚이 엄청 많았나 봐요. 조폭들이 한대훈 빚을 받아 오면 다 까준다고 해서… 그래서 붙어 다닌 거예요.

강현 (시신의 멍 자국 사진들을 펼치며)

붙어 다닌 게 아니라 감시하면서 폭행했겠지.

광식 아이. 좀 때리긴 했죠. 안 맞고 누가 말을 들어요….

강현 그래도 말을 안 들으니까 산에 데려가서 찔렀어?

광식 아니라니까요.

이수 너도 좀 맞아야 말을 들을 거야?

광식 무슨 건수가 있다고 했어요. 빚이 자그마치 12억인데, 그거 한 방에 해결할 수 있다고 큰소리를 치더라고요. 그래서 따라간 거예요.

강현 그래서?

광식 산에 올라갔는데, 이상한 놈들이 나타나서 한대훈을 공격했어요.

INSERT. *오광식의 기억. 컷.*

- 뒤에서 한대훈의 목을 조르는 범인 1 컷.

- 숨어서 보다 놀라는 오광식 컷.

- 앞에서 한대훈을 찌르는 범인 2 컷. (준영의 상상과는 다른 앵글로)

- 한대훈이 범인 2를 치고 달아나는 컷.

- 따라가는 범인 1, 2.

- 오광식이 놀라 보다가 이내 따라가는데, 멈춰 선 범인들.

- 멀리 차를 타고 가는 한대훈의 모습.

- 범인들 방향을 바꿔 뛰어간다. (자신들의 차로)

강현 (못 믿겠다. 칼 들고) DNA 조사해 보고 다시 얘기하자.

광식 아. 이걸로는 사과 깎아 먹었어요. 폼으로 들고 다닌 거라고요.

35. 진술 녹화실 앞, 밤

이수와 강현이 진술 녹화실에서 나온다.

이수 저놈이 범인이야. 사과 같은 소릴 하고 있어.

강현 감이 왔어?

이수 왔지. 제대로.

하는데, 경진이 다가와서 파일 열어 보여 준다.

경진 한대훈 핸드폰 포렌식 나왔어요.

INSERT. *파일.*

통화 내역. 오광식, 호텔 번호가 있고.

경진 오광식하고 통화한 기록이 많긴 한네… 마시막 통화가….

INSERT. *파일.*

마지막 장을 넘기면, 새벽 2시 32분, 진승주.

이수 (놀라 굳는다)

경진 (이수 보고) 통화를 하지는 않았어요.

강현 (이수를 보는데)

이수 내가 가서 물어볼게.

강현 (보고) 응.

가는 이수를 잠시 보는 강현.

어쩌면 이수네 집안과 관련된 일일지도 모른다.

36. 한수 그룹 전경, 밤

37. 한수 그룹 부회장실, 밤

#복도

무거운 얼굴로 걸어가는 이수.

#부회장실 안

문 열고 표정 관리하며 들어가는 이수.

이수 형!

승주 (서류 보던 중) 어, 왔어?

이수 바빠?

승주 (편안한 미소) 바쁘지. 회사 업무는 내가 맡고 있으니까 (소파에 와서 앉고) 앉아.

이수 응.

승주 (사건은 잊고 있다는 듯) 무슨 일이야?

이수 피해자 신원이 나왔어.

승주 (보면)

이수 (한대훈의 사진을 보여 준다) 이름은 한대훈이야.

승주 (무심히 사진 받아 보고)

이수 (승주 표정 자세히 보며) 아는 사람이야?

승주 글쎄… 낯이 익은 거 같기도 하고….

이수 피해자가 마지막으로 전화한 사람이 형이야….

승주 (놀라며) 나?!

다시 사진을 보다가 책상으로 가서 명함이 가득 담긴 박스를 열어 확인한다.

승주 아…. (명함 하나 들고 소파에 다시 와서 이수에게 준다)

이수 (받아 보면, 투자 컨설팅 회사 대표 한대훈)

승주 지난주에 아버지 자서전이 나왔잖아.

이수 어.

승주 여기서 출판 기념회를 했는데… 넌 안 왔지.
그때, 명함을 받은 거 같아.

38. 승주의 회상, 며칠 전

#한수 그룹 전경

고급 차량들 연이어 들어오고.

#이벤트 홀

넓은 홀에 명철의 자서진 쌓여 있고, 샴페인 마련된 테이블들.
고급으로 차려입은 손님들.
명철에게 인사하고 서로 악수하고.
희자도 화려하게 차려입고 손님들과 이야기하며 연신 샴페인을 마시고.
승주 옆으로 다가온 재벌 3세들 몇.

재벌1 회장님 당선되면 형이 회장 되는 건가?

승주 무슨 소리야….

재벌2 뭘 모른 척 해. 너밖에 없지.

재벌3 40대에 한수 회장이라… 부럽다. 난 아직도 실장인데.

재벌1 난 언제 물려받나… 우리 노땅은 뭘 먹는지 나보다 몸도 더 좋아.
어디 아프기라도 해야 기회가 생길 텐데.

승주 (표정 굳으며) 니들 입조심 좀 해야겠다.

일동 (입 다무는데)

승주, 다른 방향을 보면, 샴페인을 많이 마신 듯한 희자.
승주, 다가가서 희자의 손에서 샴페인을 받아 들고, 비서에게 눈짓한다.
비서들 둘 다가와 희자를 데리고 가고.
보던 승주가 돌아서면, 번듯하게 차려입은 한대훈이 서 있다.

대훈 한대훈입니다. (명함 내밀면)

승주 (묘한 표정으로 보는)

39. 한수 그룹 부회장실, 밤

이수 그게 다야?

승주 응. (선수 친다) 그 남자가 왜 나한테 전화를 했을까?

이수 피해자는 칼에 찔린 상태에서 아버지 집으로 갔어.
죽기 직전에 형한테 전화를 했고….

승주 (긴장해 보면)

이수 뭔가 아는 게 있다면 말해 줘….

승주 이수야… 내가 단 한 번이라도 너한테 거짓말한 적 있어?

이수 … 없어.

승주 믿어. 나는 모르는 사람이야.

40. 한수 그룹 엘리베이터, 밤

생각에 잠겨 있는 이수.

엘리베이터가 지하 1층에 도착해 문이 열리는데…
결심한 듯 3층을 누르는 이수. 다시 닫히는 문.

41. 한수 그룹 보안실, 밤

보안실로 들어오는 이수.
직원들, 이수 알아보고 일어나 인사하고. 안에서 팀장급(30대 후반)이 나온다.

팀장 무슨 일이십니까?
이수 출판 기념회가 있던 날 내, 외부 CCTV 모두 복사해 주세요.
팀장 (긴장) 뭐… 때문에 그러시는지?
이수 (차갑게 본다. '여기는 내 나와바리다.') 내가 그걸. 설명해야 됩니까?
팀장 아, 아뇨. 알겠습니다.

팀장이 눈짓하면, 직원들 CCTV 영상 찾아 복사한다.

42. 한수 그룹 부회장실, 밤

무겁게 가라앉은 승주의 얼굴….

INSERT. *이벤트 홀, 며칠 전.*

대훈 *한대훈입니다. (명함 내밀면)*
승주 *(가만 보다가 마지못해 명함을 받는데)*
대훈 *언제 따로 한번 보죠. 할 얘기가 있어요.*
승주 *(무슨 소린가 보는데)*

대훈 *전에 만난 적 있는데 기억이 안 나려나?*

(손으로 키 가늠하며) 이만할 때니까…. (묘한 미소)

승주 *(이상한 기분에 보는데)*

43. 한수 그룹 주차장, 밤

차에 올라타서 USB를 보는 이수.

옆에 두고 출발한다.

44. 강력팀 사무실, 밤

강현과 준영, 준영이 찍어 온 사진들을 보는데.

경진 (들어오며) 빨랫줄의 DNA는 오광식하고 일치하지 않아요.

강현 (실망하는)

준영 범인은 최소 두 명이야.

경진 오광식 풀어 줄까요?

강현 일단 둬. 폭행은 인정했으니까.

강력팀 문 앞에서 결재 파일을 든 형준이 강현을 본다.

형준 이 팀장.

강현, 돌아보면.

형준 잠깐 볼까.

강현 나가면, 잠시 보는 준영에서.

45. 강력팀 사무실 앞 복도, 밤

형준, 무거운 얼굴로 서 있고,
강현이 브리핑한다.

강현 오광식은 범인이 아닌 것 같아요. 오광식이 얘기했던 용의자들을 찾고 있어요.

형준 그래… (생각하고) 진이수 말이야.

강현 (보는데)

형준 수사에서 제외시켜라. 피해자는 진명철 집안과 관련이 있을 가능성이 있어.

강현 아직 확실하지 않아요.

형준 확인하면 늦어. 진이수는 경찰이기 이전에 재벌이다.
본성 자체가 위험하기도 하고… 전에 얘기했지?

강현 (보는데)

INSERT. *8부, 강현의 집 거실.*

형준 *(가만히 본다) 가까이 하지 마라.*
그런 일을 겪은 사람은… 마음에 균열이 생겨. 언젠가는… 터진다.

강현 (형준을 보는데)

형준 (파일 들어 보이며) 너도 위험하다고 생각하잖아.

강현이 파일을 열어 보면, 8부 강현이 썼던 이수에 대한 보고서다.

강현 (잠시 생각하다) 아버지 일 겪으면서… 동료를 믿지 않게 됐어요.
아무도 아버지가 결백하다는 걸 믿어 주지 않았으니까요.
오륜회에 들어가서 깨달았어요. 동료가 어떤 존재인지.

형준 (보는데)

강현 진이수 형사 없었으면 저 거기서 죽었어요.

형준 (보는데)

강현 (돌아서려다가) 그리고 서장님, 함부로 제 서랍 열어 보지 마십시오.

사무실로 들어가는 강현을 잠시 보는 형준에서.

46. 이수네 골목, 밤

생각에 잠겨 운전하고 있는 이수.
이수의 집 앞에 사람들이 몇 모여 있다.
보는 이수. 옆에서 핸드폰 <아저씨> 진동하는데 모르는 이수.

47. 도로, 밤

운전하는 강현. 생각에 잠겨 있는데, 준영에게 전화 온다.

강현 (스피커폰 연결하고) 어.

준영 진이수 기사 떴어.

강현 무슨 기사?

CUT TO
속도 높이는 강현에서.

48. 이수의 집 앞, 밤

이수, 차를 세우고 내리는데,
일제히 플래시 켜고 달려드는 기자들. 한쪽에 이 기자도 있다.

기자 1 진명철 후보의 혼외자라는 사실을 알고 계셨습니까?
기자 2 언제부터 알았습니까?
기자 3 진명철 후보와 친어머니가 불륜이라는 것도 알고 계셨습니까?
기자 4 친어머니가 자살한 게 사실입니까?

이수, 갑작스런 질문에 아득해지고…
플래시 계속 터지며 이수의 모습을 찍어 대는데…
이 기자는 질문을 하지 않고 멀리서 보기만 하고.

기자 1 예선부터 진명철 후보와 사이가 좋지 않았다는 얘기가 있는데, 어머니의 죽음 때문입니까?
기자 2 지금 심경이 어떠신가요?
기자 4 혹시 어머니의 죽음과 진명철 후보가 관련 있는 겁니까?

생각지도 못한 질문에 이수가 얼어붙었는데,
마치 히어로처럼 미숙이 나타나 기자들에게.

미숙 아유, 지금이 몇 시인데 이렇게 소란을 떠는 거예요?
조용히들 하세요!

당황한 이수를 꽉 잡는 미숙.
그때, 강현의 차가 달려와 이수의 앞에 서고.

강현 타!!

이수를 차에 태우는 미숙.
차 떠나고. 그거마저 찍는 기자들에게.

미숙 아, 그만 좀 찍어요. 수사 때문에 바빠서 간 거니까. 다들 집에 가요!! 해산!!
기자1 아줌마가 뭔데 나서요?
미숙 나 여기 통장이에요. 명함 줘요.
기자1 ('뭐야.' 보다가, 명함 내밀면)
미숙 (명함 보고) 고상식 기자님. 남의 상처 후벼서 월급 받으면 행복해요?
기자1 (어처구니가 없다는 얼굴)

멀리서 보며 자조적으로 웃는 이 기자.

이 기자 (카메라맨에게) 접자.
카메라맨 (보면)
이기자 통장님 말씀 맞잖아. 여기서 더 나올 것도 없어.

이 기자 내려가기 시작하면, 보는 카메라맨에서.

49. 도로, 강현의 차 안, 밤

운전하는 강현.
옆에서 핸드폰으로 기사를 보는 이수.

INSERT. *SBC 인터넷 기사.*

<편집장의 시선>

진명철의 집에서 시신이 발견된 것과 관련, 이수 엄마 선영의 자살을 떠올렸다는 내용. '진명철 후보와 관련된 죽음이 두 건이다'라는 식의 자기 생각을 빙자한 소설류.

이어 그 기사들을 받아 자극적인 제목으로 뽑아내는 여러 기사들.

불륜이었나, 시장의 자격, 혼외 자식을 권력으로 숨겼다. 컷컷.

50. 도로, 명철의 차 안, 밤

기사가 떠 있는 화면.

명철 (통화하는) 무슨 수를 쓰든 기사 막아!!

(끊고, 착삽한 얼굴로 한숨을 쉬다가) … 차 돌려.

도로에서 유턴하는 명철의 차량 컷.

51. 한강, 밤

한강변에 앉은 이수와 강현.

검은 강과 반짝이는 다리를 가만히 보는 두 사람.

강현 (이수 보고) 곧 잠잠해질 거야….

이수 (시니컬) 흥미로운 기사가 계속 나올 텐데?

강현 (보는데)

이수 많이 들었던 얘기라 익숙하다고 생각했는데…

어렸을 때는 소문이 나고 그랬거든. 언젠가부터 아무도 그 얘길 안 해서…잊혀진 줄 알았네. (씁쓸한)

강현 (안타깝게 보는데)

이수 맞는 말이잖아. 나는… 불륜으로 태어난 혼외 자식이지.

강현 … 그렇지. 게다가 재벌 3세. 은근히 갑질도 하고, 대놓고 잘난 척하고.

이수 (무슨 뜻인가 보는데)

강현 세상 관심 없는 척하면서, 무연고자 시신 장례를 치러 주고…
억울하게 죽은 화가 전시회도 열어 주고….

이수 (보고)

강현 (보고) 네가 보기보다 꽤 괜찮은 사람이라는 걸 알려면 시간이 좀 필요하지….

이수 (누그러지는데)

강현 앞으로 피나는 노력을 하면, 좋은 형사가 될 거 같기도 하고?

이수 (표정 풀리며 강현을 보는데)

그때, 이수의 핸드폰에 문자가 온다.
보는 이수. <아버지: 여기로 와라.>
문자 보면서 굳어지는 이수의 얼굴에서.

52. 고급 BAR, 밤

명철과 최 이사가 만나던 곳.
명철이 혼자 술을 따르고 마신다.
잠시 후, 이수가 들어온다. 보는 명철.
마주 앉는 이수.

명철 한잔할래?

명철이 술을 따라 주는데, 명철을 보는 이수.

명철 너한테 술도 가르치고…
갈이 한잔하는 걸 상상했었는데… 이제야 마주 앉았네.

이수 뭐 하자는 거예요? 안 어울리게.

명철 (이수를 보다가) … 미안하다.

이수 (보는데)

명철 이런 일을 겪게 해서….

이수 (비꼬는) 저도 아버지 선거에 폭탄이 돼서 죄송하네요.

명철 … 좋은 아버지가 되고 싶었어. 그래서 널 데려왔다.

이수 (기가 차고) 실격이에요. 난 아버지를 만난 이후로 행복한 적이 없어요.

명철 너한테 얘기하고 싶었다. 지나가는 가벼운 그런 관계는 아니었다고…
선영이가 먼저였어. 대학 때 만났다. 우리는….

이수 그런 얘기를 하기에는 너무 늦은 거 아니에요?!

명철 (이수를 보는데)

이수 술을 가르치고! 마주 앉아서 한잔하고! 그딴 걸 꿈꿨어요?
나한테 다 숨기고 있었으면서?! 다! 너무 늦었다고요!!
(일어나 버리고)

명철 (보는데)

이수 몰랐어요? 시장 출마하면 내가 이렇게 될 거라는 거. 몰랐냐고요!

명철 (할 말이 없는데)

이수 과신한 거예요? 아님 나를 무시한 거예요?

나가 버리는 이수.
남은 명철은 한숨을 쉰다… '맞다… 너무 늦었다….'

53. 고급 BAR 앞, 밤

분노를 참으며 나와 서는 이수.
<아저씨> 전화 온다.

이수 (받고) 네.

최 이사 (호텔 로비 교차) 어디 있어요?

이수 (옅은 한숨을 쉬는데)

최 이사 호텔로 오시죠. 준비해 놨어요.

이수 (가라앉는)

최 이사 (기다리는)

이수 집으로 갈게요. (끊는)

최 이사 (생각에 잠기는)

54. 이수의 집 앞, 밤

걸어 올라가는 이수.
남아 있던 기자들 몇 다시 카메라 켜고 다가오는데.

기자 1 혼외자 건에 대해서 입장을 밝혀 주시죠!

기자 2 지금 심경이 어떠십니까?

기자 3 한마디 부탁드립니다!

이수 (서늘하게 보고) 비키세요.

이수, 그들을 지나쳐 집으로 들어간다.
아무 말도 하지 않고, 굳은 얼굴로.

55. 이수의 집 거실, 밤

다시 시끄러워지는 이수의 집 앞.

이수, 커튼을 치고 소파에 앉는다.

가라앉은 이수의 얼굴에서 암전.

56. 강하경찰서 전경, 오전

각자의 차를 세우고 내리는 강현과 준영.

서로 잠시 보고. 같이 걸어가면서.

준영 진이수 괜찮냐?

강현 괜찮진 않겠지.

건물로 들어가는 두 사람.

57. 강력팀 사무실, 오전

강현과 준영이 들어서는데, 잠시 이수의 빈자리를 보는 강현.

경진이 컴퓨터 앞에서 자고 있다.

준영 (툭 치고)

경진 (일어나고)

준영 밤 샜냐?

경진 (하품) 아… 저 아니면 수사 누가 합니까?

준영 진이수한테 옮았냐, 잘난 척이야.

경진 (일어나 멋지게 폼 잡고) 용의자, 찾았어요.

짐 내려놓던 강현과 준영. 그 말에 경진에게 다가오고.
경진, 씩 웃으며 다시 모니터 앞에 앉고.

INSERT. *모니터 화면.*
#한대훈 블랙박스 - ○○산 표지판 나오기 전에 한대훈의 차를 스쳐 지나가는 차량.
#도로 CCTV - 산에서 내려온 한대훈이 차를 몰고 가면, 잠시 후 다시 스쳐 지나가는 차량. *(같은 번호)*
#명철의 집 주변 CCTV - 한대훈이 담을 넘어가면, 한대훈의 차를 스치는 차량. 한대훈의 차를 살펴보는 듯, 천천히 지나간다.

심각하게 보는 강현과 준영.

강현 얼굴 땄어?
경진 그럼요. (다른 영상 플레이하면)

INSERT. *모니터 화면, 도로 CCTV.*
차에서 내려 주변을 살펴보며 올라가는 남자 둘.
(새벽 1시 05분)

CUT TO
급히 내려와 차를 몰고 한대훈의 차량 뒤를 따라가는 남자 둘.
(새벽 1시 56분)

강현 (화면의 남자 둘을 보고)
경진 차주 확인했어요. (파일 주고) 최현배, 폭행 전과 7범이에요.

강현, 파일 확인하고.
<36세, 험악한 인상, 주소 컷>

준영 (경진의 머리 쓰다듬고) 잘했어.
경진 (웃으며 준영을 보는데)
준영 1년 만에 처음으로 마음에 들었다.
경진 에? (보는데)
강현 가자.

나가는 강현과 준영에서.

58. 도로, 강력팀 차량 안, 오전

달리는 1팀 차량.
운전하는 강현, 옆 자리의 준영.

59. 이수의 집 거실, 오전

어제 옷차림 그대로 소파에 앉아 있는 이수.
일어나 창밖을 보면, 여전히 서성이는 기자들. (이 기자 없다)
테이블 위에 놓인 이수의 핸드폰에서 연신 알람이 울린다.

INSERT. *핸드폰 화면, SNS 댓글들.*
진짜 금수저도 아닌 주제에 온갖 폼은 다 잡고.
불륜녀 혼외 자식이었다니 불쌍한 새끼네.
아씨 그동안 부러워했던 내가 싫어진다. 등등.

핸드폰을 물끄러미 보는 이수.

그때, 문자 온다. <준영 - 용의자 따러 간다. 수사의 치트 키 안 올 거야?>

이어 <집 주소> 오고.

이수, 문자를 잠시 보는데, 그 위로 SNS 댓글. 뜬다.

<불륜녀 아들 주제에 재벌 행세하고 산 새끼, 역겨움>

무심히 보는 이수.

SNS를 탈퇴해 버린다.

CUT TO

옷 갈아입은 이수.

차 키 들고 나간다.

60. 용의자의 집 앞, 낮

차량 안에서 다세대 주택을 보는 강현과 준영.

준영 택배로 갈까?

강현 그럴까?

하면, 준영이 뒷자리로 넘어가서 트렁크의 박스를 열고 택배 기사 조끼를 꺼내 드는데, 누군가 차 문을 두드린다.

보면, 이수다. 피식 웃는 준영.

문 열고 타는 이수.

이수 치트 키 왔다.

강현 (보고 웃고)

이수 나 없으면 수사 누가 해?

준영 아, 하루에 두 번 들을 대사는 아닌데.

이수 누가 또 그래?

준영 우리 팀에 너 같은 애 하나 더 있잖아.

이수 나같이 멋있는 애가 있어? (피식)

하는데, 용의자가 건물 밖으로 나온다.
순간, 긴장하며 보는 세 사람.

이수 저놈이야?

강현 응. 폭행 전과 7범, 최현배.

이수 몸 좀 풀어 볼까, 기분도 더러운데. (나가려고 하는데)

강현 잠깐만.

보면, 차에 타는 최현배.

강현 따라가 보자. 공범까지 한 번에 따자.

출발하는 최현배의 차를 잠시 후 따라가는 강력 1팀 차량.

61. 도로, 낮

달리는 최현배의 차.
한 대 사이를 두고 따라가는 승합차.

62. 교외 창고 도로, 낮

최현배의 차량이 도로를 달려 한쪽으로 꺾어 들어간다.
한참 뒤에서 따라 꺾는 승합차.

멀리, 최현배의 차가 폐창고로 들어가는 걸 확인하는 세 사람.
이내 차 세우고, 내려서 창고로 향한다.

63. 폐창고. 낮

#마당
담을 지나 천천히 들어가는 이수, 강현, 준영.
무너져 가는 창문 사이로 보이는 최현배.
멀리서 검은 후드를 입은 누군가와 이야기를 하고 있다.
엄폐물이 없어서 몰래 다가갈 수 없는 상황.

준영 그냥 들어가자.
강현 (끄덕이고, 총을 꺼낸다)
준영 (총을 꺼내 들면)
이수 나는?
강현 (테이저 건 준다)

서로 눈짓하고 무기 챙기고.
뛰어 들어가는 세 사람.

#창고안

준영 (겨누며) 움직이지 마, 경찰이다!!

최현배, 얼어붙는데, 마주 섰던 검은 후드 남이 반대 방향으로 '팟' 뛴다.
순간, 최현배도 다른 방향으로 튀고!
강현과 준영이 최현배를 쫓고, 이수는 후드 남을 쫓는다.
엄청난 속도로 달리는 후드 남!!

#강현 위치
달리는 최현배의 다리를 노리고 나무판자를 던지는 준영.
최현배 걸려서 넘어지고, 강현이 일어나려는 최현배를 덮친다.

강현 (수갑 채우며) 진이수한테 가!

준영, 뛰어가고.

#창고 밖
후드 남을 쫓는 이수. 멀리 수풀에 숨겨진 차량 보이고.
테이저 건을 꺼냈다가 거리가 안 될 것 같은지 움켜쥐고 더 빨리 뛰는 이수!

#최현배의 차 앞
최현배를 끌고 차량 앞으로 오는 강현.
트렁크 문 아래로 핏자국이 보인다.
강현, 최현배 수갑을 풀어 핸들에 다시 채우고. 트렁크 쪽으로 간다.

#이수 위치
뒤에서 준영이 따라붙었지만,

후드 남이 곧 차에 탈 거 같다.
마지막 스퍼트를 올리는 이수, 후드 남을 뒤에서 덮친다.
돌아서며 주먹을 휘두르는 후드 남.
이수, 그 주먹을 피하고 배에 한 방 제대로 먹이고!!

#최현배의 차 앞
강현, 조심히 트렁크를 여는데…
트렁크 안에 40대 중반의 여자가 기절해 있다.
손발은 묶였고, 입에는 청테이프. 진한 화장에 마담 같은 복장.
놀라 보는 강현.

#이수 위치
이수, 후드 남을 쓰러뜨리고!
팔을 뒤로 꺾어 수갑을 채운다.
준영, 뛰어오고.
이수, 후드 남을 일으켜 후드를 벗기는데… 승주다!!
하얗게 굳은 승주.
경악한 얼굴로 승주를 보는 이수의 얼굴에서.

13화 엔딩.

ep.14

비밀 지켜 줘, 제발

1. 폐창고. 낮

#창고 안

무너져 가는 창문 사이로 보이는 최현배.

멀리서 검은 후드를 입은 누군가와 이야기를 하고 있다.

뛰어 들어가는 이수, 강현, 준영.

준영 (겨누며) 움직이지 마, 경찰이다!!

검은 후드 남이 반대 방향으로 '팟' 뛴다.

순간, 최현배도 다른 방향으로 튀고!

강현과 준영이 최현배를 쫓고,

이수는 후드 남을 쫓는다.

엄청난 속도로 달리는 후드 남!!

#강현 위치

달리는 최현배의 다리를 노리고 나무판자를 던지는 준영.

최현배 걸려서 넘어지고, 강현이 일어나려는 최현배를 덮친다.

강현 (수갑 채우며) 진이수한테 가!

준영, 뛰어가고.

#창고 밖

후드 남을 쫓는 이수. 멀리 수풀에 숨겨진 차량 보이고.

테이저 건을 꺼냈다가 거리가 안 될 것 같은지 움켜쥐고 더 빨리 뛰는 이수!

#최현배의 차 앞

최현배를 끌고 차량 앞으로 오는 강현.

트렁크 문 아래로 핏자국이 보인다.

강현, 최현배 수갑을 풀어 핸들에 다시 채우고. 트렁크 쪽으로 간다.

#이수 위치

뒤에서 준영이 따라붙었지만

후드 남이 곧 차에 탈 거 같다.

마지막 스퍼트를 올리는 이수, 후드 남을 뒤에서 덮친다.

돌아서며 주먹을 휘두르는 후드 남.

이수, 그 주먹을 피하고 배에 한 방 제대로 먹이고!!

#최현배의 차 앞

강현, 조심히 트렁크를 여는데…

트렁크 안에 40대 중반의 여자가 기절해 있다.

손발은 묶였고, 입에는 청테이프. 진한 화장에 마담 같은 복장.

놀라 보는 강현.

#이수 위치

이수, 후드 남을 쓰러뜨리고!

팔을 뒤로 꺾어 수갑을 채운다.

준영, 뛰어 오고.

이수, 후드 남을 일으켜 후드를 벗기는데… 승주다!!

하얗게 굳은 승주.

경악한 얼굴로 승주를 보는 이수의 얼굴!!

이수 형…!!

승주 (굳어 이수를 보는)

2. 폐창고 앞, 낮

#최현배를 승합차에 태우는 준영 컷.

#40대 마담을 구급차에 태우는 구급 요원들. 보는 강현.

시선 돌리면, 멀리 보이는 두 형제.

#말없이 서로를 보는 이수와 승주의 컷.

3. 강하경찰서 전경, 밤

4. 진술 녹화실 2 참관실, 밤

유리창 너머로 앉아 있는 승주를 보는 이수와 강현.

이수 내가 먼저 얘길 좀 해 볼게.

강현 (잠시 생각하다가) 그래.

나가는 이수를 보는 강현.

5. 진술 녹화실 1, 밤

삐딱하게 앉은 최현배. 맞은편에 강현과 준영.

강현 최현배 씨, 한대훈 씨를 죽였습니까?

현배 (뭔가 생각하는 척) 한… 대훈이 누구예요?

강현, 준영 ('이 새끼, 버티기 들어가네.')

강현 CCTV에 다 찍혔어요.

(파일 열고 CCTV 사진들 하나씩 꺼낸다)

○○일, 피해자 한대훈은 새벽 1시 10분에 ○○산에 올라갔고.

(한대훈과 오광식이 산에 오르는 블랙박스 컷)

당신은 새벽 1시 5분에 올라갔죠.

(차를 세우고 올라가는 최현배와 남자 컷)

칼에 찔린 한대훈이 다시 차에 탄 건 1시 55분.

(배를 누르며 운전하는 한대훈 블랙박스 컷)

당신이 급히 차를 타고 떠난 건 1시 56분.

(차를 몰고 떠나는 최현배와 남자 CCTV 컷)

이후로 한대훈의 차를 쫓은 것도 모두 찍혔어요.

(도로 CCTV, 명철 집 근처 CCTV 사진 늘어놓는)

현배 (뚱하게 사진들을 보다가) 그날 산에 간 건 맞아요.

내가 새벽 산행을 좋아하거든. 근데… 이 남자는 모르겠네.

이 남자가… 죽었어요?

강현 (차갑게 보는데)

준영 현장에서 피해자 목을 조른 빨랫줄을 찾았어.
지금 당신 DNA하고 비교 중이야.

현배 하… 참… 수고가 많으시네.

준영 (빠직)

현배 (중요한 얘기할 듯) 근데… 여긴 맛집이 뭐 있나? 배고픈데?

준영 ('이 새끼가!')

현배 이렇게 사람 잡아다 놓고 밥을 안 주면 어디다 신고해야 되나? 인권위원회?

강현 (보다가 기가 차고) 그래, 밥 먹고 얘기하자. 오래 걸릴 거 같은데.

현배 ('씩' 웃고) 난 한식 좋아해.

강현, 준영 (한 대 치고 싶은데 드러내지 않고)

CUT TO
강현과 준영은 없고, 맛있게 밥 먹고 있는 최현배.

INSERT. *참관실*
보고 있는 강현과 준영.

6. 진술 녹화실 2, 밤

승주와 앉아 있는 이수.

이수 어떻게 된 거야?

승주 (보는데)

이수 형이 왜 거기 있었어? 최현배를 왜 만났냐고?

납치된 사람은 누구야?

승주 (무심히) 진짜 경찰 다 됐네….

이수 형!! 그런 말 할 때 아니야. 공범으로 몰릴 수도 있다고!

승주 지금 네가… 나 취조하는 거냐?

이수 (굳고) 한대훈, 누군지 알지?

승주 (안색이 변하는데)

이수 출판 기념회 날 CCTV 확인했어.

승주 (차가워지는) 날 안 믿었구나.

이수 먼저 거짓말한 건 형이야. 왜 그랬어?

서로 냉정한 얼굴로 보는 형제.
그때, 문이 벌컥 열리며 변호사 군단 들어온다.

장 변호사 자리 좀 비켜 주시죠. 진이수 경감님.

이수, 승주를 잠시 보다가 일어선다.
나가는 이수를 보지 않고 굳어 있는 승주.

7. 진술 녹화실 2 참관실, 밤

나이 있는 장 변호사와 이야기하는 승주를 보는 이수.
승주가 뭔가 설명하면 듣고 고개를 끄덕이는 장 변호사…
뒤쪽에서 다른 변호사는 누군가와 통화 중이고….

8. 강력팀 사무실, 밤

사무실에 앉아 이수, 생각에 잠겨 있다.
강현이 들어온다.

이수 얘기 좀 나왔어?

강현 아니. 진승주 부회장은?

이수 변호사들 와 있어.

강현 (이수를 보는데)

이수 (결심하고) 보여 줄 게 있어.

이수, 컴퓨터에 USB 연결하면 옆으로 오는 강현.

INSERT. *모니터 화면.*
출판 기념회 날의 CCTV, 여러 앵글에서.

#홀, 승주와 인사하는 한대훈.

#복도, 한대훈을 발견하고 놀라 따라가는 희자.

#외진 곳, 희자와 한대훈이 뭔가 심각하게 이야기하고, 희자는 사색이 되어 돌아 서려는데, 한대훈이 희자의 팔목을 잡는다. 멀리서 그걸 보는 승주. 뛰어와 한대훈의 팔을 뿌리치고. 한대훈은 화면 밖으로 사라진다.

#다른 앵글에서 한대훈의 멱살을 잡아 벽에 밀어 버리는 승주.

#승주, 희자를 데리고 나가면 옷 털며 모자를 보는 한대훈.

강현 (이수 보며) 이거… 언제 찾았어?

이수 어제.

강현 근데 왜 이제 보여 주는 거야?

이수 (강현을 보다가) 형이 관련이 없기를 바랐으니까…
이젠 아닌 거 같고….

강현 (살짝 굳으며) 내가… 너 믿어도 되는 거야?

이수 (강현 보고)

강현 진이수. 만일 형이 법을 어겼다면 체포할 수 있어?

이수 … 솔직히 말하면 잘 모르겠어….
아직도 형이 아무 잘못이 없기를 바라고 있으니까.

강현 네가 경찰로서 중심을 지키지 못 한다면…
수사에서 제외시킬 수밖에 없어.

이수 그 누구보다 진실을 알고 싶은 건 나야….

강현 (보는데)

이수 우리 집 안에 뭔가 비밀이 있다면, 그걸 밝힐 수 있는 것도 나고.

강현 (이수를 보는데)

형사과장이 들어온다.

형사과장 이 팀장.

강현, 이수 (일어서고)

형사과장 진승주 부회장을 데려왔어?

강현 네. 용의자와 현장에 같이 있었습니다. 용의자 차량에 납치된 여성이 있었습니다.

형사과장, 복잡한 사건이다. 무거운 얼굴로 강현을 보고, 이수를 보는….

9. 진술 녹화실 2와 참관실 교차, 밤

#진술 녹화실 2

승주와 장 변호사 앉아 있고.

맞은편에 강현과 형사과장이 있다.

#참관실

유리벽 너머 승주를 보고 있는 이수.

#진술 녹화실 2

장 변호사 먼저 확실히 할 게 있습니다.

강현, 형사과장 (장 변호사를 보는)

장 변호사 저희는 긴급 체포 사유가 된 혐의 중에서 의뢰인의 위법 사실에 해당되는 행위가 없음을 확인했습니다. 저희 의뢰인은 현장에서 체포된 피의자와 의뢰인 집에서 발생한 사망 사건에 인과 관계가 있다고 판단되어 경찰 조사에 적극 협조하고자 합니다.
따라서, 저희 부회장님이 지금부터 하시는 말씀은 피의자가 아니라 참고인, 증인으로써 진술하시는 것이라는 사실을 명확히 해 주시기 바랍니다.

형사과장 (차분히 보고) 네, 알겠습니다.

장 변호사 (이제 말해도 된다고 승주를 보면)

형사과장 (승주 보고) 한대훈 씨를 언제부터 알았습니까?

승주 (차분하게) 출판 기념회에서 처음 만났어요.

#참관실

이야기하는 승주를 차분히 보는 이수.

10. 승주의 회상, 한수 그룹 이벤트 홀, 며칠 전

승주에게 명함을 주는 젠틀한 한대훈 컷.

승주 E 명함 받고 간단히 인사를 했죠. 그런데….

CUT TO

복도를 걸어가는 승주. 멀리 희자 어깨를 붙잡는 한대훈이 보인다.

급하게 걸어가는 승주. 뿌리치는 희자의 손목을 잡는 한대훈.

대훈 네가 나한테 이러면 안 되잖아~

승주 (한대훈의 손을 쳐내며) 뭐 하는 겁니까?

대훈 (실실 웃으며) 엄마랑 할 얘기가 있어서 그래.

승주 (황당해서 보다가 희자에게) 엄마, 괜찮아요?

희자 (얼어붙어 있고)

대훈 오해라니까 그러네. 우리 잘 아는 사이야~ (하며, 다가오는데)

승주, 한대훈의 멱살을 잡아 벽에 밀어 버린다.

승주 당장 여기서 나가!

희자를 보호하며 가는 승주.

삐딱하게 보는 한대훈.

11. 진술 녹화실 2와 참관실 교차, 밤

#진술 녹화실 2

승주 그 남자가 우리 집에서 죽었다는 건…
진이수 경감이 찾아왔을 때 알았습니다.

#참관실
승주를 보는 이수.

#진술 녹화실 2

형사과장 그래서 어떻게 하셨습니까?
승주 어머니에게 물어봤죠. 한대훈이 누군지….
강현 (긴장해 보는데)
승주 어머니는 협박을 받고 있었다고 했어요.
형사과장 … 뭐 때문에요?
승주 예전에… 외도를 한 적이 있었거든요.
강현 그 상대가 한대훈입니까?
승주 (표정 살짝 굳으며) 아뇨… 한대훈은 대학 다닐 때 알게 된 선밴데…
몇 년 전에 우연히 만났을 뿐이라고 했어요. 몇 번 연락도 하고 그랬는데….

12. 승주의 회상, 명철의 집 거실, 밤

어두운 거실, 테이블엔 와인 병, 와인 잔.
흐트러진 모습의 희자는 와인을 먹던 중.
옆에 앉은 승주, 얘기를 듣고 있고.

희자 그 사람이… 나를 쫓아다녔나 봐… 내가 다른 남자가 생긴 걸 알고 협박을 하기 시작했어…. (와인 마시고)

승주 (무겁게 보고)

희자 달라는 대로 다 줬어. 근데 네 아버지가 선거에 나오니까 또 연락을 한 거야. 난 정말 어떻게 해야 할지 몰라서…. (울컥하는데)

승주 (희자 보는, '이 사태를 어떻게 처리해야 하나.')

그때, 희자의 핸드폰이 울린다. <발신번호 표시제한>
흠칫하며 받는 희자. 보는 승주.
희자, 상대의 말을 듣다가 하얗게 질리고… 전화 끊어지면.

희자 승주야… 승주야… 나 어떡하니. (패닉 오고)

승주 (희자를 잡는데) 왜 그래요?

희자 미연이… 미연이를 납치했대! 아, 아… 어떡해…. (숨 몰아쉬며 쓰러질 듯하고)

승주 (희자를 감싸며) 엄마. 진정해요. 엄마!

하는데, 웅크리며 머리를 감싼 희자 온몸이 긴장으로 굳어 신음하다가 기절해 버리고 만다.
기절한 희자를 안고 내려다보는 승주.
그때, 다시 전화가 울린다. <발신번호 표시제한> 차분해지며 핸드폰을 보는 승주에서.

13. 진술 녹화실 2와 참관실 교차, 밤

#진술 녹화실 2

승주 그래서 제가 직접 나간 겁니다.

강현 위험할 수도 있었는데요?

승주 (진지하게) 가족을 지키기 위해서…
(참관실 쪽 거울 보고) 뭘 못하겠어요?

#참관실

승주를 보는 이수.
마치 거울이 없는 듯 서로를 보는 형제….

#진술 녹화실 2

형사과장 (승주를 보다가) 납치된 여성분과 어머니는 어떤 관계죠?

승주 골프 치다가 알게 됐다고 들었어요. 최근에는 같이 여행도 다니고 친하게 지냈어요.

강현 (보다가) 그럼 한대훈은 어떻게 된 겁니까?

승주 (고개 저으며) 그건 저도 잘 모릅니다.

형사과장 어머니를 만나야겠습니다.

승주 어제 쓰러지셔서 지금 병원에 계세요.

강현 (가만히 보는)

승주 대화를 할 수 있는 상황이 되면 연락드리겠습니다.

강현, 형사과장 (승주를 보는)

승주 (차분히 보는)

장 변호사 여기까지 하시죠. 부회장님은 충분히 협조해 드린 겁니다.

일어서는 승주와 장 변호사.

14. 강하경찰서 복도, 밤

승주, 나오는데, 참관실에서 나온 이수와 마주친다.

서로 보는 형제.

장 변호사 (나서며) 가시죠.

하면, 시선 돌려 장 변호사를 따라가는 승주.

그걸 보는 이수. 이수 옆으로 강현이 다가와 선다.

승주, 뒤로 복도에서 대기하던 변호사들, 걸어간다.

맞은편에서 들어오는 후줄근한 복장의 김 변호사. 넥타이 매며 걸어가면서 승주와 스친다. 서로 눈이 잠시 마주치는 김 변호사와 승주…

나가는 승주를 보는 이수와 강현.

강현 믿을 수 있을까.

이수 내가 알아볼게. (나가고)

김 변호사 (강현에게 다가와 인사하며 명함 내밀고)

김대영 변호삽니다. 최현배 씨 어디 계신가요?

강현 (보는)

15. 진술 녹화실 1 참관실, 밤

유리창으로 보이는 김 변호사와 이야기하는 최현배.

진지하게 이야기를 듣는 최현배를 의심스럽게 보는 강현과 준영.

문이 열리고 경진이 들어온다.

경진 납치 피해자는 오미연, 강남에서 유흥업소 다섯 개를 운영하는 사장이에요.

강현 병원에서 연락 왔어?

경진 네, 깨어났대요.

준영 내가 가 볼게.

강현 응. (준영 나가면, 다시 최현배를 보는)

16. 도로, 승주의 차 안, 밤

승주, 무겁게 가라앉은 얼굴로 앉아 있다.

17. 병원 전경, 밤

18. 병실, 밤

오미연, 침대에 앉아 있는데 준영이 들어온다.

보는 오미연. 멍들고 목에 깁스한. 여전히 진한 화장 번진.

준영 (명함 주고) 강하서에서 나왔습니다.

미연 (준영을 착잡하게 보다가) 담배 있어요?

준영 안 핍니다.

미연 (한숨)

준영 어떻게 된 건지 얘기 좀 해 보시죠.

미연 … 한대훈 그 인간이 언니를 협박했어요.

준영 조희자 씨가 그걸 왜 당신한테 상의했습니까?

미연 언니가 사귄 남자를… 내가 소개해 준 거니까요.

준영 그 남자가 누굽니까?

미연 그건 알 필요 없잖아요. 걔 한국에 있지도 않아요.

준영 (보는데)

미연 그걸 그 인간이 어떻게 알았는지 협박을 해서 몇 번 돈을 줬대요.
근데 이번에는 너무 큰돈을 요구해서. 언니도 어떻게 해야 될지 모르더라고요.

이야기하는 오미연의 얼굴에서.

19. 오미연의 회상 몽타주

#BAR

뭔가 은밀한 느낌의 BAR 룸 안.
술에 취해 고개 숙인 희자 앞의 오미연.

미연 언니, 내가 해결해 줄게.

희자 (보는) 어떻게?

미연 (미소) 언니는 모르는 게 나아….

#주차장

최현배, 차 앞에 서 있고, 다른 남자 (최현배보다 어린 살벌한 인상에 짧은 머리)
자동차 뒷좌석에 문 열고 앉았다.
그 앞에서 담배 들고 서 있는 오미연.

미연 간단히 해. 말귀 알아들을 정도로만.
(담배 던지고, 돈 봉투 내밀면)

현배 (받아서 살짝 열어 보는데)

오미연에게 전화 온다. <한대훈>

미연 (접대용 목소리) 네~ 대표님. 언니한테 얘기 들었어요.
이제 저랑 얘기하시면 돼요. 네… 내일 만날까요? 돈은 준비됐어요.
(한대훈의 말 들으며 최현배 보고 미소)

INSERT. *병실.*

미연 *근데 뭐가 잘못된 건지, 그 남자가 죽은 거예요, 그것도 언니네 마당에서….*

준영 *(잠자코 듣는)*

#최현배의 집

(다음 날 밤이다. 이 기자 보도 나간 후)

최현배와 남자, 고기를 쌓아 놓고 구워 먹고 있다, 테이블 따라 번진 고기 피. 문 벌컥 열며 들어서는 오미연.

미연 어떻게 된 거야? 왜 사람을 죽였어?

현배 (고기 씹으며 보고) 누님, 진정하셔….

미연 무슨 짓을 한 거냐고!!

현배 (슥 일어나고)

남자 (고기 먹다가 테이블 위에 있던 칼을 쓱 잡는다)

미연 (굳어 물러서는데)

현배 누님, 누님 하니까 나를 뭘로 보고…. (피식)

미연 무슨 소리야….

현배 그 새끼 말을 들어보니까, 이거 큰 건이던데?

미연 (얼어붙는데)

현배 한수 그룹 사모님 일인데, 500 먹고 떨어져라, 이러면 내가 섭섭하지.

미연 ('어쩔 생각인가.' 하얗게 질리는데)

현배 나도 한몫 잡아 볼까 하는데. 누님 생각은 어때?

미연 미쳤어? 네가 상대할 사람 아니야!

현배 뭔가 카드가 필요하겠지? 그 새끼는 죽어 버렸으니, 누님이 좀 도와줘야겠네.

미연 ('무슨 소린가.', 경악하는데)

오미연의 얼굴을 '퍽' 치는 최현배.

쓰러지는 오미연. 최현배와 남자 익숙한 듯 오미연을 묶고 청테이프를 바른다.

이어 다시 고기를 먹기 시작하는 최현배와 남자.

그 모습을 보며 겁에 질리는 오미연에서. (어딘가 찢어져 얼굴에 피가 흐르는)

20. 병실, 밤

이야기를 마친 오미연을 가만히 보는 준영.

준영 공범이 누군지 아세요?

미연 (끄덕이고) 현배 동생이에요. 최현태.

21. 병원 복도, 밤

나가면서 통화하는 준영.

준영 최현태. 최현배 동생이야.

22. 강력팀 사무실, 밤

통화 마치고 경진을 보는 강현.

강현 최현태. 위치 따.

23. BAR, 밤

최 이사와 마주 앉은 이수.

이수 아저씨… 형 어머니한테 남자가 있었어요?

최 이사 (예상 밖의 질문이고) 네?

이수 그걸로 협박을 당하고 있었대요.

최 이사 (말하기 거북하지만) 몇 년 전에 그런 일이 있었죠.

이수 아버지도 알고 계세요?

최 이사 (끄덕이고) … 네.

이수 (한숨을 쉬며 생각에 잠기는데)

최 이사 죽은 사람은 누구였어요?

이수 한대훈이에요. 그 남자가 협박을 했어요.

최 이사 (한대훈 이름을 듣고 살짝 경직되는데)

이수 아는 사람이에요?

최 이사 (표정 관리하고) 아뇨, 모르는 사람이에요.

이수, 뭔가 숨긴다는 듯 최 이사를 보는데.

24. 희자의 병실, 밤

어두운 병실 안에 희자가 잠들어 있다.

(VIP실, 환자복이 아닌 실내복을 입은 희자)

조용히 그 앞으로 다가가는 그림자…

보면, 굳은 얼굴의 승주다.
희자 옆 테이블에는 수면제 병.
수면제를 보다가 희자를 보는 승주.
마치 무슨 짓을 저지를 것 같은 승주의 얼굴…
하지만 이내 희자의 흐트러진 이불을 제대로 덮어 주는 승주.
돌아서는 승주의 뒷모습에서.

25. 강하경찰서 전경, 낮

26. 변호사 접견실, 낮

김 변호사, 최현배와 이야기한다. (동생 출국 사실)
듣고, 피식 웃는 최현배.

27. 강력팀 사무실, 낮

경진이 출입국 기록 가져와서 보여 준다. (자세한 내용 안 보임)
한숨을 쉬는 강현과 준영.
이어 이수가 들어오고.

이수 왜 그래? (하면)
강현 (출입국 기록 보여 주고)
이수 (실망하며 강현을 보는데)

뒤에서 노크 소리 들린다.
보면, 서 있는 김 변호사.

김 변호사 최현배 씨가 자백하겠답니다.

보는 이수와 강현에서.

28. 진술 녹화실, 낮

이수와 강현, 맞은편에 김 변호사와 최현배.

이수, 강현 (차분히 보는)

현배 미연 누님이… 걸리적거리는 놈이 하나 있다고 해서 만났어.

이수, 강현 (보는데)

현배 사방 천지가 CCTV라 새벽에. 산에서.

29. 최현배의 회상, OO산, 밤

산 중턱, 운동 기구가 있는 곳.

최현배, 기구에 누워 있고, 최현태는 철봉에 매달려 논다.

누군가 다가오는 소리가 들리고… 서류 가방 들고 한대훈이 나타난다.

보고, 철봉에서 '툭', 내려오는 최현태.

현배 (일어나 씩 웃고) 한대훈 씨?

대훈 (살짝 긴장하며 보고)

현배 부탁받고 나왔어요.

대훈 (긴장하지 않은 척) 돈은 어딨어?

현배 (미소로 보고 한대훈 뒤를 보며) 거기.

한대훈이 돌아서는데, 뒤에서 빨랫줄로 목을 조르는 최현태.
한대훈이 줄을 풀려고 몸부림치는데, 최현태, 더 세게 조른다.

현배 (숨 막히는 한대훈을 보며) 반성할 시간이야…
당신이 뭘 잘못했는지 잘 생각해 봐….

한대훈이 숨이 넘어가려고 하면, 눈짓하는 최현배.
줄을 풀어 주는 최현태.
바닥에 엎드려 거친 숨을 몰아쉬는 한대훈.

현배 (대훈 머리 쓰다듬으며) 까불지 말고… 조용히 살자. 알아들었어?
대훈 (숨을 몰아쉬며 목을 만지다가) 얼마 받았어?
현배 어?
대훈 이거 얼마 받고 하는 짓이냐고?
현배 (피식) 뭐, 영수증 끊어 드려?

최현태가 '퍽' 한대훈의 배를 발로 차고,
한대훈은 옆으로 쓰러진다.
최현배가 보는데.

대훈 1억 줄게.
현배 뭔 개소리를 하고 있어.
대훈 (보며) 동업하자고.
현배 (표정 달라지는데)
대훈 (일어서며) 내가 한수 그룹 사모님 약점을 잡고 있거든.

INSERT. 진술 녹화실.

현배	*얘기를 들어보니까, 이게 1, 2억짜리가 아니야.* *팔자 제대로 고칠 기회더라고.*
강현	*(보는)*
현배	*그걸 그 새끼랑 나눌 이유도 없고. 증거가 있었으니까.*
이수	*증거가 뭔데?*
현배	*(뻔뻔한) 뭐긴 뭐야. 불륜 사진이지.*

○○산, 서류 가방에서 봉투를 꺼내 보여 주는 한대훈.
최현배가 펼쳐 보는데, 사진이 아니고, 문서다.

최현배, 자세히 보더니….

현배	(웃는다) 엄청난 걸 갖고 있네….
대훈	('그렇지?', 보는데)
현배	이게 있으면… 넌 필요 없지.
대훈	(굳어 보는데)

바로 달려들어 한대훈의 배를 찌르는 최현배.
놀라 굳었던 한대훈이 최현배를 밀치고 뛰어 내려간다.
한대훈을 쫓아 내려가는 최현배, 최현태.
하지만 맞은편에서 산림 관리인 둘이 올라오는 게 보이자 다른 쪽으로 걸어가고. 멀리서 차로 뛰어가는 한대훈이 보이고.
형제는 자신들의 차가 있는 방향으로 뛴다.

30. 진술 녹화실, 낮

모든 진술을 끝낸 현배. 이수와 강현을 보고.

이수 한대훈 씨는 왜 진명철 회장의 집으로 갔어?

현배 (뚱하니 보다가) 글쎄… 자기 죽이려고 했다고 열 받아서 갔나?

이수 (생각하는데)

강현 공범, 누구야?

현배 … (잠시 보다가) 내 동생. 찾을 거 없어. 벌써 이 나라 떴으니까.

강현 (출입국 기록 보여 주고) 알아. 어젯밤에 필리핀에 갔더라고.

현배 (씩)

강현 그거 때문에 버틴 거야?

현배 어쨌든 칼로 찌른 건 나니까, 여기서 시마이.

강현 (보다가) 칼, 어딨어?

현배 (손 내밀고) 종이.

이수, 강현 (뭔 소리야?)

현배 그려 준다고. 종이. 펜.

최현배, 종이에 지도를 그린다.

현배 여기가 우리 집이고, 이 앞으로 나가면 편의점이 있어….

31. 최현배의 집 근처 골목, 오후

준영과 경진, 최현배네 집 근처 편의점 골목을 돌아서…

하수구 안을 들여다본다. 검은 봉지가 있다.

하수구를 여는 준영과 경진.

경진이 비닐을 열면, 안에 칼이 있다.
군은 얼굴로 보는 준영.

32. 강하경찰서 형사과장실, 밤

형사과장 앞에 강현 서 있고, 형사과장은 보고서를 읽어 보고 있다.

형사과장 (파일 돌려주며) 이렇게 정리하고 검찰에 송치해.

강현 (파일 받고 형사과장 보는)

형사과장 왜?

강현 한대훈을 찌른 건 최현배가 맞지만, 진짜로 사주한 게 누군지 아직 못 밝혔습니다.

형사과장 (강현을 보는)

강현 처음부터 진승주 부회장의 어머니가 죽이라고 시켰을 수도 있다는 겁니다.

형사과장 증거 있어?

강현 아뇨.

형사과장 입증할 방법 있어?

강현 … 아뇨.

33. 맥줏집, 밤

회식하는 1팀.
이수, 강현, 준영 모두 약간 굳은 얼굴인데,
경진만 분위기 파악 못 하고 소맥 말아 돌리고.

경진 자자, 오늘도 수고하셨습니다. 1팀 파이팅!!

다 같이 건배를 하는 1팀.

경진 이모, 맥주 두 병이요!

하는데, 조용히 술을 마시는 이수, 강현, 준영.

경진 (눈치 보다가) 아니, 왜들… 기운이 없어요.
범인도 잡고! 사건도 종결인데! 건배!!

별 반응이 없자 혼자 먹는 경진.

CUT TO
조용히 술을 마시는데, 살짝 취한 경진.

경진 (이수 보고) 아… 진짜 다행이에요.
이수 응?
경진 혹시라도… 만에 하나라도… 형님 식구들이랑 관련 있을까 봐.
얼마나 쫄았다고요.
이수 (굳고)
강현, 준영 (이수를 잠시 보는데)
경진 그럼 내가 형님을 어떻게 보나, 수사를 어떻게 하나 그랬는데…
(활짝) 아니었다! (마시다가 문자 오는 핸드폰 보고 벌떡) 어!
우리 여친님이 요 앞에 오셔서. 저는 이만 가 보겠습니다.
(일어서서 가방 챙기고 장난스럽게) 충성!!

가는 경진을 잠시 보는 일행.

이내 침묵이 흐르고.

이수 (일어선다) 나도 먼저 일어날게.

강현 (보고) 응.

나가는 이수를 보는 강현에서.

34. 거리, 밤

한적한 거리를 걷는 이수.

생각에 잠긴 얼굴. 이 사건은 밝혀지지 않은 진실이 너무 많다.

'형의 진술을, 최현배의 진술을 믿어도 될까. 어쩌면 이 모든 사건의 뒤에는…'

35. 도로, 밤

인도 옆에 비상등을 켜고 정차 중인 승주의 차량. (운전석)

깊게 가라앉은 얼굴의 승주.

INSERT. *승주의 회상.*

#14부, 명철의 집 거실

<발신번호 표시제한> 희자의 핸드폰을 받는 승주.

승주 *내가 나가지… 아들이다.*

#13부, 폐창고

최현배와 마주 선 승주.

최현배, 동생과 통화한다.

현배 *(승주 보면서) 돈 들어왔냐? … (미소) 알았어.*

승주 *여자 풀어 주고, 당장 출국해.*

다시 내 앞에 나타나면… 죽는다.

현배 *(비웃고) 재벌 도련님이… 사람을 죽인다?*

승주 *(싸늘한) 내가 뭘 할 수 있는지 너는 몰라.*

현배 *(씁) 알아들었어. 그럼 이건….*

최현배, 서류 종이 한 장을 꺼내 불태운다.

불타며 사라지는 종이를 보는 승주. (글씨는 정확히 안 보임) 불 꺼진다….

현배 *(씩) 좋은 거래였습니다.*

하는데, 뛰어 들어오는 이수, 강현, 준영.

준영 *(겨누며) 움직이지 마, 경찰이다!!*

사색이 되어 뛰는 승주에서.

현재, 차 안의 승주. 깊은 한숨을 내쉰다.

사건은 막았지만 더 큰 고민이 있다….

36. 한수 그룹 앞, 밤

건물 사유지 바로 앞에서 피켓을 들고 서 있는 사람들.

"불륜남 진명철은 사퇴하라!!" 꽹과리를 치며 시끄럽다.
명철의 차가 진입하고, 그들을 보는 명철.
"진명철이다!!" 우르르 달려드는 사람들. 순간, 날아든 계란이 명철의 유리창을 친다. 그대로 스쳐 지나는 명철의 차. 굳은 명철의 얼굴.

37. 한수 그룹 회장실, 밤

생각에 잠겨 있는 명철.
책상 위에는 여러 신문. 여전히 <진명철 불륜 스캔들>이 1면 기사다.
이수 모, 선영은 세기의 불륜녀가 되었고, 사진까지 떴다.

노크 소리가 들리고, 비서가 들어온다.

명철 (보면)
비서 수사는 마무리됐습니다.
명철 (끄덕이면)

파일 놓고 인사하고 나가는 비서.
명철, 파일을 집어 든다. 펼친다.

INSERT. *파일.*
사건에 대한 대략적인 보고.
사모님이 모종의 이유로 협박을 받은 것은 사실이나
살인에 직접 가담한 것은 아닌 것으로 정리되었다.

명철이 한 장을 넘기면, 피해자의 인적 사항이 붙어 있다.

<한대훈>이라는 이름에 꽂히는 명철의 시선.
굳은 명철의 얼굴에서.

38. 희자의 병실, 밤

불안한 얼굴로 생각에 잠겨 있는 희자.

INSERT. *희자의 회상.*

#출판 기념회장.

대훈 *승주도 이제… 내가 누군지 알아야지….*

하얗게 질린 얼굴로 한대훈을 보는 희자.

#BAR
오미연에게 이야기하는 희자.

희자 *(굳은) 확실히 처리해 줄 사람이 필요해.*

현재, 손톱을 물어뜯는 희자에서….

39. 맥줏집, 밤

강현과 준영, 조용히 술을 마시고 있다.

준영 이대로 끝낼 거야?

강현 (보면)

준영 더 파 볼 거야?

강현 (술 마시고) 진술 확실하잖아.

준영 최현배, 오미연 입 맞춘 거야.

강현 (끄덕이고) 그 뒤에 누군가가 있을 거고.

준영 (보는데)

강현 조희자… 진승주… 근데 우린 손에 쥔 게 없어.
오미연도 입을 열지 않을 거고…
심증만으로는 아무것도 할 수 없어….

40. 강현의 집 전경, 밤

41. 강현의 집 거실, 밤

책상에서 돋보기 쓰고 책을 읽고 있는 형준.
강현이 기운 없이 들어오는 걸 본다.

형준 (책과 돋보기 내려놓고) 한잔할래?

형준을 보는 강현.

CUT TO
테이블 위에 반찬 몇 가지. 소주병, 잔.
형준이 소주를 따라 주면, 홀짝이는 강현.

형준 답답하지?

강현 (보고)

형준 깔끔하게 끝나지 않는 사건도 있는 거야.

강현 아빠도 그런 사건이 있었어?

형준 그럼… 30년인데…. 잊을 수 없는 사건들이 있지.
범인을 못 잡으면, 피해자 얼굴도 안 잊혀.

강현 … 그럼 어떡해?

형준 기다려야지. 형사가 잊지 않으면 그 사건은 종결이 아니야.

강현 (보는데)

형준 아빠는 4년 만에 범인 잡은 적도 있어.

강현 (답답한 듯 한숨을 쉬는데)

형준 필리핀에 협조 요청해 놨어. 폭력 전과가 있는 놈이니까 결국 사고 칠 거고.
잡힐 거야. 그때까지 기다려.

강현 (천천히 끄덕이는)

42. 희자의 병실, 새벽

창밖으로 날이 밝아 오고…
승주, 잠든 희자를 내려다보고 있다. (테이블에 수면제 통)
희자, 눈을 뜨고 승주를 본다.

희자 아들… (일어나며) 물 좀 줄래?

승주, 물을 따라서 주면.
마시고 승주 눈치를 보는 희자.

희자 (겁난다) 왜 그래? 잘 안 됐어?

승주 아뇨… 정리됐어요.

희자 (안도하고) 다 끝난 거지? 그렇지?

승주 (가만히 희자 보다가) 엄마, 한대훈 그 사람… 저 누군지 알아요.

희자 ?

승주 어렸을 때… 엄마가 술에 취할 때마다 말했던 그 사람이죠?

희자 (하얗게 굳는) !!!

43. 강력팀 사무실, 새벽

화이트보드에 붙은 사건 관련 사진들.
테이블에는 증거들.
밤새 다시 사건을 들여다본 이수, 한숨을 쉬며 고개 숙이는데
KCSI 대원이 노크한다.
이수가 보면, 상자를 내미는 대원.

대원 피해자 차량에서 나온 증거들이에요.

이수 네. (받고)

대원 가면, 상자를 열어 보는 이수.
차 안에 있을 법한 물건들과 함께, 사진 봉투가 나온다.
이수, 봉투를 집어 든다. 남자아이를 찍은 사진들이다.
의아한 얼굴로 한대훈의 파일을 보는 이수, 아들은 없다.
다시 사진을 보는 이수, 한 장씩 넘기는데…
모두 숨어서 찍은 것 같은 느낌의 파파라치 샷.
사진 속의 아이가 점점 자란다. 뭔가 불길한 느낌의 이수 얼굴…
그리고 중학교 교복을 입은 아이가 학교에서 나오는 사진에서 멈추는 이수.

충격을 받은 이수! 이건… 형이다.

INSERT. *이수의 회상.*

#3부, 명철의 집.

식탁에 앉은 어린 이수를 보는 중학생 승주. (교복)

#3부, 노을 번지는 마당.

우울하게 앉은 어린 이수.

그 옆으로 통통 굴러오는 야구공.

돌아보면, 중학생 승주. 글러브 툭 던지더니, 손을 내민다.

그 손을 잡고 일어서는 이수에서.

현재, 충격을 받은 이수. 사진을 뒤집어 보는데…

<많이 컸네. 내 아들. 나를 좀 닮았나?>

이수의 손에서 후드득 떨어지는 사진들에서.

44. 희자의 병실, 새벽

INSERT. *13부, 폐창고.*

서류에 불을 붙이는 최현배.

보는 승주.

타들어 가는 서류 확대. DNA 검사 결과지다.

한대훈, 진승주 혈연관계가 확인되었다는 내용.

이내 불타 사라지는 종이.

경악해 승주를 보고 있는 희자.

승주 (차가운) 엄마가 죽이라고 시킨 거죠?

희자 (냉정해진다) 처음부터… 우리 집안 돈을 노리고 나한테 접근한 사람이야.
너를 가지고 계속 협박했고…
(하소연하듯) 나도 더 이상은 견딜 수가 없었어….

승주 (차갑게 보는데)

희자 (일어서서 승주를 잡는다)
널 위해서였어. 네가 다칠까 봐. 나한텐 너밖에 없잖아….

승주 아무리 그래도… 내 친아버지잖아요.

희자 (발악) 네 아빠는 진명철이야!!

승주 (희자를 보는데)

희자 (얼굴 매만지며) 승주야… 우리 아들….
이제 다 끝난 거야. 잊어버려.

승주 (혐오하듯 본다) 끝난 거 같아요? 이게… 시작이에요.

희자 (승주를 보는데)

승주 (일그러지는) 엄마랑 나는 지옥문을 열었다고요….

45. 강력팀 사무실, 오전

괴로운 이수… 생각에 잠겨 있다.
이내, 바닥에 떨어진 사진들을 집어넣고… 나간다.

46. 한수 그룹 회장실, 오전

명철과 마주 앉아 있는 최 이사.

명철 죽은 사람이 누군지… 알고 계셨습니까…?

최 이사 네. 들었습니다.

명철 이수도… 한대훈이 누군지… 알고 있어요?

최 이사 아뇨, 수사는 종결될 거 같습니다.

명철 나는… 진실을 알아야겠어요.

최 이사 (무겁게 보는데)

명철 살인 사건입니다. 만일 누구라도 관련이 되어 있다면… 책임을 져야죠.

최 이사 (보는데)

명철 조용히 좀 알아봐 주세요.

명철을 보는 최 이사에서.

47. 도로, 이수의 차 안, 낮

군은 얼굴로 달리는 이수.

48. 희자의 병실 앞, 낮

비서 둘이 서 있고, 이수 걸어온다.

비서 (앞으로 나서며) 아무도 들이지 말라고 하셨습니다.

이수 (싸늘) 비켜.

비서, 망설이다 비키면,

벌컥, 열고 들어가는 이수.

49. 희자의 병실, 낮

불안하고 초조한 얼굴로 머리 감싸고 소파에 앉아 있던 희자가 돌아본다.
이수를 보고 살짝 긴장하는 얼굴. 하지만 아닌 척하는 희자.

희자 뭐야?

이수 (차분히 보며 들어서는데)

희자 머리 아프니까 나가. 너 보니까 토할 거 같아.

이수 (맞은편에 앉고) 조희자 씨.

희자 ('뭐 하는 거야?', 보는)

이수 한대훈 씨를 죽이라고 사주했습니까?

희자 (긴장하다가 버럭) 뭐 하는 짓이야? 나 지금 환자야!

이수 (차분히) 대답하세요.

희자 미쳤어? 내가 그 사람을 왜 죽여?

이수 승주 형의 생물학적 아버지니까.

희자 (하얗게 질려 굳는다)

이수 대답하실 필요 없습니다. 표정 보니까 알겠네요.
수사 다시 시작할 겁니다. 당신을 잡기 위해서.
(일어서는데)

희자 (급히 이수를 잡는다) 아니야… 진짜 아니야….

이수 (차갑게 보고)

희자 내가 시킨 거 아니야. 그냥 미연이한테 힘들다고만 했어.

이수 (손 뿌리치며) 세 사람이 입을 맞춘 건 알고 있어요.
우리가 진실을 밝혀 드릴게요.

희자 너도 우리 집안사람이야! 이걸 밝히면 우리 집안은 끝이야!!

이수 (비웃고) 내가 그 집안사람이었어요? 나, 형사예요.

희자 그럼 승주는?

이수 (나가려다 멈칫하는데)

희자 (매달리며) 승주는 어떡하니? 사실이 밝혀지면 승주는 어떡해… 정말 내가 시킨 거 아니야… 미연이가 괜히 일을 저지른 거야….

이수 (갈등하며 보는데)

희자 (눈물까지 고이고) 나는 미워도 승주는 아니잖아… 승주가 얼마나 널 아끼는 지 알잖아… 승주를 위해서… 비밀 지켜 줘. 제발… (바닥에 주저앉으며 이수의 바지를 잡고) 내가… 이렇게 빌게….

멈춰 서 있던 이수가 희자의 손을 쳐내고 걸어 나간다.
이수의 등을 보는 희자.
이수가 문 닫고 나가면, 미칠 것 같은 희자.
신음하다가 비명을 지르며 쓰러진다.
급히 문 열리며 들어오는 비서들.

50. 도로, 이수의 차 안, 낮

깊은 생각에 잠긴 이수.

INSERT. *이수의 회상.*
#13부, 이수의 집 앞.
몰려든 기자들과 스포트라이트. 당황한 이수의 얼굴.

#13부, 강현의 차 안.
불륜 기사를 보며 얼굴 굳은 이수.

#13부, 이수의 집 거실.

SNS의 댓글을 보는 이수.

#14부, 진술 녹화실 2.

(전과는 다르게 거울을 통해서가 아니라 바로 이수에게 말하는 느낌)

승주 *가족을 지키기 위해서… 뭘 못하겠어요?*

현재, 차 안. 고민하는 이수….

51. 명철의 집 앞, 오후

차를 세우고 내려 대문으로 가는 이수.
문 열리고 안으로 들어간다….

52. 명철의 집 마당, 오후

이수, 집 안으로 들어오다가 마당에 앉은 승주를 발견한다.
고개 숙이고 셔츠만 입고 멍한 승주…
그런 승주를 보는 이수…
집 안으로 들어가고….

CUT TO
한숨을 쉬는 승주의 발치에 야구공이 굴러온다.
고개 들어 공을 보는 승주. 돌아보면 이수가 서 있다.

승주 (이수를 보며 표정 풀어지는) 뭐야….

이수 (미소) 그냥… 옛날 생각나서….

승주 (숙여 공을 집어 든다) 오랜만이네….

이수, 미소로 승주를 보고….

CUT TO

노을 지는 마당.

셔츠 차림에 팔 걷고 글러브 끼고 공을 주고받는 형제.

던지고 받고, 던지고 받는다…

서로 말은 하지 않아도 마음이 통한다.

의지할 수 있는 사람이라는 걸 안다.

53. 강력팀 사무실, 밤

이수, 책상에 앉아 굳은 얼굴로 종이를 내려다본다.

종이 옆에 놓인 야구공. 잠시 보다가…

글을 쓰기 시작하는 이수. 보면, 사직서다.

CUT TO

사직서를 접어 봉투에 넣는 이수.

그때, 강현이 들어오다가 이수를 본다.

천천히 이수 앞으로 가서 서는 강현.

이수 (강현을 보고)

강현 진이수. 내가 너… 믿는 거 알지?

이수 (무겁게) 알지.

강현 날 구해 줘서도 아니고, 수사에 도움이 되어서도 아니야.

이수 (보는데)

강현 네가 옳은 일을 하는 사람이라서야.

이수 (마음이 무겁고)

강현 혹시 이 사건에 대해서… 아는 게 있으면 말해 줘.

이수 (깊이 생각하다가… 결심하고) 할 말 있어.

강현 (보는데)

이수 (책상에서 봉투 집어 내밀며) 이거야.

강현이 보면, <사직서>다.

강현 !! ('네 선택이 이거야?', 이수를 보는데)

이수 이제 그만 하려고. 재미도 없고.

강현 여기가 네 자리라며? 잘하고 싶다고 했잖아!

이수 (씁쓸하고) 네가 잘못 봤어. 나, 좋은 형사 될 사람 아니야

강현 ('가족의 비밀을 안고 가겠다는 뜻이구나.', 냉정해지고)
이제 경찰이 아니라… 재벌 3세로 돌아가겠다는 거야?

이수 (강현을 잠시 보고) … 그동안 고마웠다.

이내, 이수 야구공 집어 들고 돌아서서 걸어가고.
강현, 실망한 얼굴로 이수를 본다….

INSERT.

#복도, 걸어가는 이수, 점차 얼굴이 어두워진다.
#강하경찰서 앞, 굳은 얼굴로 고개를 숙이고 걸어 나가는 이수.

54. 한수 그룹 회장실, 밤

무겁게 가라앉은 명철.

맞은편의 최 이사도 무거운 얼굴이다.

최 이사 확인했습니다. 부회장님 계좌에서 해외 계좌로 큰돈이 빠져나갔더군요.

명철 (굳은 얼굴) …

최 이사 친아버지입니다.

부회장님이… 직접 사주했을 거라고 생각하시는 건 아니죠?

명철 (무겁게 생각하고) 누가 사주했든 승주는 사실을 알고도 덮은 겁니다.

최 이사 어떻게 하실 겁니까?

명철 책임지게 해야죠.

최 이사 (보는데)

명철 그런 사람이 한수 그룹의 회장이 되게 할 수는 없어요.

결심을 굳힌 명철을 보는 최 이사에서.

CUT TO

혼자 책상 앞에 앉은 명철, 고심한다…

이내 비서에게 전화한다.

명철 (굳은) 기자 회견 준비해.

55. 기자 회견장, 밤

기자들, 카메라 장비 세우고, 라이트 켜고 준비하고…

한편에 이 기자도 준비하고 있다.

명철이 들어온다. 뒤로 비서진.
단상에 서는 명철. 기자들을 잠시 보다가….

명철 그간 국민 여러분께 심려를 끼쳐 드려 죄송합니다.
저는 서울 시장 선거 후보에서 사퇴하겠습니다.

기자들 질문이 쏟아진다.

이 기자 갑작스런 시장 후보 사퇴가 자택에서 발견된 시신과 관련 있습니까?
명철 (굳은 얼굴로 답하지 않는다)
기자1 외도로 인한 혼외자 건은 인정하십니까?
기자2 불륜 사실을 유권자들한테 감출 수 있을 거라고 생각했습니까?
명철 (일그러지는데)
기자3 불륜 상대인 김모 씨는 왜 자살을 한 겁니까?
명철 (날카로워지고)
기자1 김모 씨의 죽음에 관련이 있습니까?
명철 그만하시죠!!
(조용해진 기자들을 보며 삼키고)
모두 어리석은… 제 잘못입니다.
고인의 명예를 더 이상 더럽히지 말아 주십시오….

기자들을 향해 고개를 숙이는 명철… 그 위로 터지는 플래시들.

56. 이수의 집 2층 거실, 밤

위스키를 마시고 있는 이수.

손에 든 야구공을 툭 툭 벽에 던지며 경찰 생활을 회상한다.
벽에 야구공이 튀길 때마다 하나씩 떠오르는 기억들.

INSERT. 몽타주.

#1부
경찰서 입구, 빙글 웃는 이수와 이 악문 강현의 악수.

#2부
강력팀 사무실, 명패 불을 탁 켜는 이수 컷.
책상에 발 박고 째리는 강현.

#2부
프라이빗 클럽 앞, 서로 등 대고 덩치들과 대치하는 이수와 강현.

#3부
미술관 전시회장.

이수 *이 안에 범인이 있습니다. 이건 밀실 살인이에요!!*

#6부
클럽에서 멋지게 차려입고 이야기를 나누던 순간의 이수와 강현.

#6부
강현의 집, 영범의 손에 수갑을 채우는 이수.

#7부

조성구의 집, 도형과 싸우고 완강기로 떨어지는 이수.

#3부

강력팀 사무실.

준영 *(삐딱하게 보며) 멋대로 수사하고 다니지 마세요.*

#11부

강력팀 사무실.

준영 *말씀하십시오. 저희 팀입니다.*

#6부

삼겹살집, 즐겁게 회식을 하는 강력 1팀의 모습

#12부

기자 회견장, 이수와 로우 파이브 하는 강현.

#8부

강하경찰서 옥상.

이수 *어딜 가도 내 자린 없었거든… 어디에도 어울리지 않는 그런 기분이었는데… 이제 정말 잘 하고 싶어….*

이수 인생에서 가장 행복하고 의미 있던 순간들.
하지만 이제 모두 끝났다. 세게 공을 던지는 이수.

빗맞은 공이 계단 벽에 부딪히며 계단 아래로 떨어진다.
그대로 앉아 위스키를 마저 마시는 이수에서.

57. 이수와 강현의 벤치, 밤

이수의 사직서 봉투를 들고 앉아 있는 강현.
부는 바람.
이렇게 이수와는 끝인 건가… 한숨을 쉬는데….

58. 이수의 집 2층 거실, 밤

이수, 술 떨어졌고 일어나 계단으로 가는데…
중간 참에 떨어진 야구공… 집어 드는 이수의 눈에, 계단 한 곳이 열려 있는 게 보인다. (발 딛는 아랫부분)
'이게 뭐지….' 다가가 헐거운 나무판을 여는 이수.
그곳에 7살 아이가 가장 아낄 법한 물건들이 몇 개 들어 있고.
하나씩 꺼내는 이수.

그 위로 들리는 신녀의 목소리. (10부)

신녀 E 네 머릿속의 질문들. 그 답은 언젠가 알게 될 거야.
네가 숨겨 놓은 사탕부터 찾아야지.

그런데 가장 안쪽에 약병이 하나 들어 있다.
살짝 긴장하며 약병을 꺼내는 이수.
약병에는 <김선영. 1998년 10월 15일> ○○병원 30정이라고 적혀 있다.

약병은 뜯지도 않은 새것이다.
'이게 뭐지…?' 약병을 보며 기억을 더듬는 이수에서.

59. 이수의 회상, 1998년 이수의 집.

#부엌

밤, 식탁에서 그림을 그리는 어린 이수.
머리 한 번 쓰다듬고 지나가서 부엌 높은 선반에서 약병을 꺼내 한 알을 먹는 선영. 보는 이수.
약을 먹고 약병을 다시 높은 곳에 올려놓는 선영.

어린 이수 엄마, 그거 뭐야?

선영 응? 엄마 약이야.

어린 이수 (불안하고) 엄마 어디 아퍼?

선영 그런 건 아닌데… 잠이 안 오는 사람들이 먹는 거야….

어린 이수 (약병을 보면)

선영 (선반 닫으며) 너는 절대로 손대면 안 돼.

어린 이수 왜?

선영 너무 많이 먹으면 죽을 수도 있거든. 손대지 마.

어린 이수, 끄덕이면 지나가는 선영.
이수는 선반에 눈이 꽂혀 있다.

#방 안

선영 사망일, 저녁.
이수 TV 보고 있는데, 선영이 장바구니 들고 거실로 들어온다.

선영 우리 이수, 배고프지? 엄마가 칼국수 만들어 줄게.

선영이 핸드백 내려놓고 장바구니 들고 부엌으로 가는데.
열린 핸드백에 약병이 보인다. 약병을 보는 이수.

#거실
선영이 요리를 하고 있는데 몰래 뒤를 지나가는 이수.
약병을 들고 계단으로 가서… 계단 아래를 '툭' 친다.
열리는 계단 아래 비밀 공간. 거기에 약을 넣는 이수.

#방 안
이수, 빈 통을 껴안고 뭔가 적고 있고. 옆에는 껍질 까진 사탕들 놓여 있고.

#부엌
식탁에 앉아 뭔가 뿌듯한 얼굴로 칼국수를 먹는 이수.
선영은 그런 이수가 마냥 귀엽고,
그러다 생각난 듯 안방으로 들어갔던 선영이 놀라 다시 나온다.

선영 이수야. 엄마 약병 네가 가져갔어?
어린 이수 (살짝 긴장해 보고)
선영 (엄하게) 엄마가 만지지 말라고 했지?
어린 이수 (겁나고)
선영 어디 있어?
어린 이수 (무서워도 용기 낸다) 버렸어.
선영 뭐라고?
어린 이수 버렸다고! 그거 먹으면 죽을 수도 있다면서!! 왜 그런 걸 먹어?!

선영 (황당해서 보고)

어린 이수 오늘부터 이거 먹어. (주머니에서 뭔가 꺼내는데)

보면, 빈 유리병에 담긴 사탕들. 겉에는 <담당 의사 진이수. 환자 김선영.
하루에 하나씩 드세요. 많이 먹으면 충치 생겨요.>
주변에 뜬금없는 스티커들 혹은 그림들.
선영, 사탕 병을 보다가 피식 웃어 버린다.
'우리 아들. 엄마 죽을까 봐 걱정했구나….'

어린 이수 (긴장해 보는데)

선영 아주 훌륭한 의사 선생님이 처방하신 약이네? (미소)

어린 이수 (보는데)

선영 오늘부터는 이 약 먹어야겠다. 맛있어 보이는데?

어린 이수 (그제야 안심하고 웃고)

서로 보고 웃는 모자.
그때, 초인종이 울린다. 한 번, 또 한 번. 급한 느낌의 소리에서.

60. 이수의 집 2층 계단, 밤

충격을 받은 이수.
그 위로 들리는 강현의 목소리. (9부)

강현 E 수면제 과다 복용이었어… 우울증이 있으셨대….

INSERT. *선영의 유골함.*

기일 <1998년 10월 15일>

엄마에게는 자살할 수면제가 없었다.
약병을 꼭 쥔 이수의 손에서.

61. 도로 - 오솔길, 밤

도로, 택시에서 내리는 이수.
이내 택시 떠나고, 오솔길로 접어드는 이수.
걷다 보면 한 곳에 명철의 차가 서 있고. 별장이 보인다.
(오솔길을 조금 걸어야 집으로 갈 수 있다)
어둠 속, 달빛 받은 나무들 사이로 걸어가는 이수. 굳은 얼굴.

62. 명철의 별장 거실, 밤

타고 있는 벽난로. 테이블에는 위스키 병.
안락의자에 앉아 타는 장작을 보며 술을 마시는 명철.
(주변에 아무도 없다)
벽난로 앞에 앉은 명철. 가라앉은 얼굴…
뒤로 이수가 다가오고….
인기척에 돌아본 명철이 이수를 본다.

명철 (부드럽게) 이수구나… (후보 사퇴를 알고 온 거라고 생각한다)
한잔…할래? (새 잔을 꺼내 따르는데)

이수 (목까지 질문이 찼다. 머리가 복잡하다)

명철 (이수의 심상치 않은 얼굴을 보는)

이수　　내 기억을 지운 이유가 뭐예요?

명철　　(난데없는 질문에 의아한)

이수　　내 기억을 지운 이유가 뭐냐고요….

명철　　(마음 복잡한데 무슨 소린가 싶고)

전에 얘기한 대로야. 네가 충격을 받아서…

이수　　내가 기억하면 안 될 게 있었어요?

명철　　(보는데)

이수　　엄마한테 수면제가 없었어요.

명철　　(의아하고)

이수　　엄마는 수면제 과다 복용으로 죽었는데, 약이 없었다고요.

명철　　그게 무슨 소리야?

이수　　내가 숨겼거든요.

명철　　?!

이수　　엄마… 자살한 거 아니죠?

(일그러지며) 당신이… 무슨 짓을 한 거예요?

일그러진 얼굴의 이수와 충격을 받은 명철!

63. 오솔길, 밤

달도 없는 어둠 속을 걸어가는 이수….

64. 명철의 별장 거실, 밤

불이 꺼져가는 장작….

테이블에 전보다 많이 빈 위스키 병.

안락의자에 잠이 든 것처럼 기대있는 명철… 하지만 한쪽 손이 의자 밖으로 힘없이 떨어져 있다… 그 모습에서 카메라 멀어지며 암전.

14화 엔딩.

ep.15

난 진범을 잡아야 돼

1. 이수의 회상, 1998년 이수의 집.

#부엌

높은 선반에서 약을 꺼내 먹는 선영을 보는 어린 이수.

#안방

바닥에 놓인 선영의 핸드백에서 보이는 새 약병.

#계단

비밀 공간에 약병을 숨기는 어린 이수.

#안방

빈 통에 사탕을 넣는 이수. 그리고 통에 뭔가 적는.

#부엌

<담당 의사 진이수. 환자 김선영.
하루에 하나씩 드세요. 많이 먹으면 충치 생겨요.>

선영, 사탕 병을 보다가 피식 웃어 버린다.

2. 명철의 별장 거실, 밤

벽난로 앞의 명철과 이수.

이수 내 기억을 지운 이유가 뭐예요?

명철 (보는데)

이수 내가 기억하면 안 될 게 있었어요?

명철 (보는데)

이수 엄마한테 수면제가 없었어요.

명철 (의아하고)

이수 엄마는 수면제 과다 복용으로 죽었는데, 약이 없었다고요.

명철 그게 무슨 소리야?

이수 내가 숨겼거든요.

명철 ?!

이수 (힘들게) 당신이… 엄마한테 무슨 짓을 한 거예요?

명철 (새로운 사실에 혼란스럽다)

이수 회장 자리 때문에 버린 여자가 몰래 아들을 키우고 있으니까… 용납할 수 없었어요?

명철 말도 안 되는 소리 하지 마!!

이수 (보는데)

명철 난 이혼할 생각이었어! 다시 시작할 생각이었다고!! 여기서 너랑 셋이 살려고 했어.

이수 (기가 막히고) 한수 그룹 회장님이 이런 데서… 미혼모랑 산다고요?

명철 그래. 다 버리려고 했어! 진짜 중요한 게 뭔지 알았으니까.

이수 (진절머리 난다) 제발, 한 번만!! 한 번만이라도… 진실을 말해 줘요!
거짓말은 그만하고… 제발요….

명철 (굳는다) 너한테 할 얘긴 다 했다.
믿든 안 믿든 그건 네 선택이지.

이수 … (분노도 가라앉는다. 끝이다) 당신은 정말… 최악이야.

돌아서서 가 버리는 이수.
멀어지는 이수를 보는 명철.
한숨 쉬고… 천천히 앉아 고개를 숙인다.

3. 명철의 별장 거실, 아침

벽난로, 불이 꺼진 장작…
안락의자에 잠이 든 것처럼 기대 있는 명철…
한쪽 손이 의자 밖으로 힘없이 떨어져 있는.
누군가 들어오는 소리 들리고.

운전기사 E 회장님. 접니다.

운전기사가 들어온다. 앉아 있는 명철 앞으로 가는데, 이상한 느낌에.

운전기사 회장님…? (살짝 어깨를 흔드는) 회장님?

푹 수그러지는 명철의 얼굴.
놀라 급히 핸드폰을 꺼내는 운전기사.

CUT TO

경찰들 와서 현장을 살피고 있다. (서울청 사람들, 엘리트 복장)

조용하고 조심스러운 움직임.

주변에서 KCSI팀들이 곳곳의 사진을 찍는다.

윤 박사, 목례하고 들어와 명철의 시신을 살핀다.

얼굴과 손, 주변을 살피는 윤 박사.

술병, 술잔, 명철의 얼굴… 타살의 의혹은 없는 현장의 느낌.

4. 강력팀 사무실, 새벽

이수, 책상에 앉아 엄마의 사건을 검색한다. (7부에서 강현이 봤던 사건 파일)

간략한 사건 개요와 사진들이 있다.

스크롤하다 사진이 나오기 시작하면, 숨을 멈추고 아래를 보는 이수.

각오하고… 시선 들고… 사진을 보는 이수.

INSERT. *선영의 시신 사진.*

예상보다 충격이 크다.

잠시 멈추었다가 심호흡하고… 개요를 읽는 이수.

우울증… 수면제 과다 복용… 익사… 자살로 추정…

그리고 어린 이수를 안고 있는 젊은 형준… <담당 형사 이형준>

생각에 잠기는 이수에서….

5. 명철의 집 일각, 아침

의자에 앉은 승주. 무겁게 가라앉은 굳은 얼굴.

이내, 마치 뭔가 각오한 듯한 얼굴로 일어서는 승주.
밖으로 나가는 승주의 등.

6. 명철의 집 앞, 아침

집에서 나와 주차된 차로 다가가는 승주.
차 앞에 서 있던 운전기사, 인사하고, 문 열어 주고.
차에 타는 승주. 차량 출발하고.

7. 명철의 집 앞 골목, 아침

승주, 고민에 빠진 얼굴로 앉아 있는데.
그때, 이어폰으로 "네" 하며 통화하던 운전기사가 차를 세운다.
고개 들어 운전기사를 보는 승주.

운전기사 (굳어 돌아보고) 회장님께서….
승주 (보는데)
운전기사 돌아가셨답니다.

충격을 받은 얼굴의 승주.

8. 강력팀 사무실, 아침

이수, 생각에 잠겨 앉아 있는데, 강현이 들어오다 이수를 본다.

강현 진이수?

이수 (일어서고) 이 팀장… 나 좀 도와줘.

강현 (의아해 보는데)

이수 예전에… 나 어릴 때 물건들을 숨겼던 비밀 공간을 찾았어….

강현 (무슨 얘긴가 듣는)

이수 거기에 엄마 약이 다 있었어. 조제일이 엄마 기일이야.

강현 (이해가 안 되고) 그게 무슨 소리야…?

이수 엄마가 자살한 게 아니란 소리야.
엄마한테는 수면제가 없었어. 내가 약병을 숨겼거든.

강현 (혼란스러운데)

이수 그날 저녁에 누군가 찾아왔었는데… 그게 누군지 기억이 안 나….

강현 (놀라 보고 있는데)

이수 파일을 찾아봤더니 자세한 내용이 없어. 네가 좀 확인해 줘.
담당 형사가 서장님이야….

강현 (긴장해 이수를 보는데)

뒤로 형사들(서울경찰청, 양복에 엘리트 느낌, 40대) 둘, 들어온다.
보는 이수와 강현.

형사1 진이수 경감님?

이수, 강현 (보는데)

형사1 (신분증 보여 주고) 서울경찰청에서 나왔습니다.
잠깐 얘기 좀 하시죠.

이수 (뭔가 보는데)

강현 무슨 일 때문에 그러시죠?

하는데, 주변으로 형사들 출근하기 시작하고.

준영과 경진도 들어온다.

형사1 조용한 곳으로 가시죠.

형사들과 이수, 강현이 나가면 보는 준영과 경진.
밖에서 소란스러워지고 창밖을 보는 경진.
보면, 기자들이 우르르 몰려와서 촬영 준비를 하고 있다.

9. 강하경찰서 회의실, 오전

긴장해 형사들을 보는 이수와 강현.

형사1 진명철 회장이 시신으로 발견됐습니다.
이수 !! (충격에 멍하고)
강현 (놀라 이수를 보는데)
이수 아… 아버지가 왜요?
형사1 현재로서는… 스스로 목숨을 끊은 걸로 보입니다.
이수 !!! (깊은 한숨을 쉬며 얼굴을 가리는데)
말도 안 돼요. 아니에요!
형사1 술병에서 수면제가 검출됐습니다.
(이수를 보다가) 사망 시각은 새벽 2시경입니다.
어제 같이 있었죠?
강현 (형사 1을 보고)
이수 (멍한데)
형사1 11시 반에 택시를 타고 왔다가 12시경에 별장에서 나온 걸 확인했습니다.
… 무슨 얘길 했습니까?

이수 (정신이 없어서 형사 말도 잘 안 들린다)

형사1 자살의 정황이 있었습니까?

충격에 정신이 아득해지는 이수에서….

10. 강하경찰서 복도, 오전

정신없는 이수를 데리고 나온 강현.

서울경찰청 형사들, 인사하고 가고, 준영과 경진이 다가온다. (이미 사실을 들은)

준영 기자들 몰려와 있어. 일단 나가자.

이수를 데리고 가는 강력팀에서.

11. 강하경찰서 밖, 오전

한쪽에서 형사들을 둘러싸고 질문을 하는 기자들 보이고.

(그 가운데 이 기자도 있다)

다른 쪽으로 이수 데리고 나가는데,

"진이수다!" 하더니 우르르 몰려오는 기자들.

기자1 아버지가 돌아가신 사실 알고 있습니까?

기자2 마지막으로 만났다고 하는데, 무슨 대화를 나눴습니까?

준영, 경진 비키세요, 물러서세요! (하며, 밀려고 하는데)

기자3 부모님이 모두 자살한 건데, 심정이 어떠십니까?

그 질문에 모두 조용해진다.

이수도 충격에 얼어붙고, 강력팀들 혐오하듯 기자 3을 본다.

그때, 최 이사의 차가 도착하고. 이수를 태우는 강력 1팀.

차 출발하면, 이게 무슨 일인가 싶은 강력 1팀. 한숨 쉬고.

그 모습을 끝까지 찍는 카메라맨 옆의 기자 3.

그 옆으로 다가오는 이 기자. 기자 3을 쳐다보면.

기자 3 왜요?

이 기자 그게 할 말이냐?

기자 3 핵심을 찌른 질문이었는데?

이 기자 (보다가) 너 같은 새끼가 기자라는 게 쪽팔린다.

이 기자 가면, '착한 척이야.' 보는 기자 3에서.

12. 도로, 최 이사의 차 안, 오전

운전하며 이수를 보는 최 이사.

여전히 충격에 빠진 하얀 이수의 얼굴….

13. 영안실, 오전

텅 빈 영안실, 넓은 공간에 승주뿐이다.

시신 앞에 선 승주. 명철의 시신은 얼굴 부분만 시트가 걷어져 있다.

가만히 명철의 얼굴을 보던 승주. 조용히 눈물을 흘린다.

눈을 감고 고개를 숙인 승주의 얼굴에서 뚝뚝 흘러내리는 눈물….

14. 영안실 앞, 오전

한쪽에 형사들. 비서들, 변호사들 몇.

울었던 흔적 없이 나오는 승주. 하지만 눈은 빨갛다.

형사1 서울경찰청 수사팀에서 나왔습니다. (명함 주고)

승주 (황망한 얼굴로 받고)

형사1 고인을 언제 마지막으로 보셨습니까?

승주 (기억을 떠올리고) 기자 회견 마치고… 별장으로 가실 때가 마지막이었습니다. 혼자 있고 싶다고 하셔서… 따라가지 않았습니다….

후회하듯 먼 곳을 보는 승주…

그런 승주를 보는 형사.

15. 명철의 집 거실, 오전

거실에 TV 틀어져 있다. 뉴스 화면.

잠옷 차림의 희자, 충격을 받아 비서를 보고 있다.

희자 그게 무슨 소리야?

비서 (긴장해 고개를 숙이는데)

희자 (비서 잡고 흔들며) 무슨 소리냐고!! 미쳤어?

하는데, 속보 나온다.

앵커 진명철 회장이 ○○에 위치한 별장에서 사망한 상태로 발견됐습니다….

충격을 받은 희자, 소리를 지르며 오열하고, 비서들이 무너지는 희자를 부축한다.

16. 뉴스 기사들

명철의 죽음 속보.

이어 속속 이어지는 기사들.

선거 사퇴 이후 압박감과 스트레스로 자살….

17. 장례식장 전경, 밤

어마어마한 규모. 화환이 늘어선.

속속 들어서는 고급 차량들. 차 문을 열어 주는 직원들.

고위직 경제인, 정치인 따라 내리는 비서진들.

18. 장례식장 가족 준비실, 밤

초췌한 얼굴로 상복을 입은 이수.

INSERT. *명철의 별장*

이수 *(힘들게) 당신이… 엄마한테 무슨 짓을 한 거예요?*

명철의 혼란스러운 얼굴.

CUT TO

이수 *… (분노도 가라앉는다. 끝이다) 당신은 정말… 최악이야.*

명철의 마지막 얼굴. 안타까운, 슬픈 듯한 표정.

이수, 일그러진다. '아버지가 나 때문에 죽은 건가… 그렇다면 엄마의 죽음에 관련이 있었던 건가….' 고통스럽게 얼굴을 가리는 이수…
몰아치는 감정에 괴롭다. 아무것도 알아낸 게 없이 끝났다.

그때, 문이 열리고 승주가 들여다본다.
고개를 들어 보는 이수.
승주 역시 핏기 없이 굳은 얼굴이다.

승주 준비됐으면 나와라….

19. 장례식장 특실, 밤

조용히 움직이는 비서진들 사이로 나오는 형제.
향을 피우는 최 이사.
아버지의 영정 사진을 가만히 보는 이수.
승주는 비서에게 뭔가 듣는데, (희자의 도착)
뒤로 검은 옷을 입은 희자, 휙 지나간다.
이수, 돌아서는데 따귀를 날리는 희자.

희자 너 때문이야!! 이 쓰레기 같은 새끼!!
뭐라고 했어? 그 사람한테 뭐라고 한 거야!!

이수를 마구잡이로 때리는 희자.
이수, 그 큰 덩치로 그저 맞고 있다.
사람들 놀라 보고.
최 이사가 달려와 희자를 잡는데, 최 이사를 밀치며 이수를 때리는 희자.

희자 너 때문에!! 네 엄마 때문에!! 날 왜 이렇게 미치게 만들어!!
네가 결국!! 내 남편을 죽였어!!! (발악하고)

울부짖는데, 주변 사람들 모두 얼어붙고, 말릴 생각도 못 하는데,
승주가 희자의 두 팔을 꽉 잡는다.
정신없던 희자가 승주를 보고.

희자 승주야… 내 아들. 저 새끼 쫓아내.
승주 엄마….
희자 제발… 제발 내 눈앞에서 쟤 좀 치워 줘.
저게 네 아빠를 죽였다고!!
승주 (살벌하게 노려본다) 엄마! 그만 하세요.
희자 (살기에 멈추고)
승주 가세요. 여긴 제가 알아서 할게요.
희자 승주야…?
승주 (비서진에게) 모시고 가.

비서진이 희자를 부축하면, 승주만 보는 희자.

희자 승주야… 아들… ('나한테 왜?')

하지만 이미 차갑게 등을 돌린 승주.
그 모습을 보며 비서들에게 이끌려 나가는 희자.
비서 하나가 얼음 수건을 가져다주면 받는 승주.

승주 어머니 병원으로 모셔. 못 나오게 해.
비서 (놀라 보는데)

돌아서서 이수에게 가는 승주.

승주 (수건으로 이수 맞은 곳에 대주고)
미안하다… 엄마가 지금 신경이 날카로워서 그래….
이수 (멍하니 고개 숙인)
승주 고개 들어.
이수 (승주를 보면)
승주 너 아버지 아들이야.

이수, 승주를 보는데, 멀리서 그런 승주를 보는 최 이사.

CUT TO
정재계 인사들 찾아오고,
조문하고, 형제와 맞절하는 모습들.
승주와 악수를 나누고 이야기하는 거물들.
모두 격식을 차린, 하지만 마음은 없는 형식적인 인사들이다.

CUT TO
한 차례 사람들이 몰려왔다 가고, 지쳐 앉아 있는 형제.

강력 1팀이 찾아온다.
절하고, 서로 인사하는데,
안쓰럽게 이수를 보는 강현과 준영.
경진은 와락 이수를 안는다.

경진 형님… 어떡해요… (지가 더 운다) 이게 무슨 일이에요….

경진이 때문에 눈물 나는 이수… 강현과 눈이 마주치고.
강현과 준영도 두 사람을 에워싸고 이수를 다독이고…
그 모습을 잠시 보는 승주… 자리를 뜬다.

20. 장례식장 접객실, 새벽

커다란 접객실이 텅 비었다.
테이블에 앉아 있는 이수와 승주.
테이블 위에는 손을 대지 않은 음식들.
말이 없는 이수를 보다가 맥주를 따는 승주.
자신의 잔에 따르고, 이수 앞에도 잔을 놓고 따라 준다.

이수 (잔을 보고 승주를 보면)
승주 잠이 안 올 거 같다…. (쭉 마시고)
이수 (승주를 보다가) 형은… 믿어져?
승주 (이수를 보고)
이수 난… 이해가 안 돼….
승주 한수 그룹의 회장이라는 자리가 얼마나 무거운 지 넌 몰라….
이수 (보는데)

승주 나도 정확히는 모르지… 그래도 조금은 상상이 돼.
선거까지 치르면서 부담감이 크셨을 거야….

이수 난 아버지가 강한 분이라고 생각했어.

승주 (씁쓸하고) 강하기만 한 사람은… 없어…
(문득 생각난 듯) 근데, 너는 거기 왜 갔었어?

이수 … (시선 피하고) 할 얘기가 좀 있었어….

승주 무슨 얘기?

이수 (말 못 하겠다) 나중에 얘기해 줄게….

승주 (가만히 보고 다시 한 잔 마시는데)

비서, 다가와서 조용히 말한다.

비서 댁으로 모시겠습니다.

승주 (끄덕이다가 이수에게) 같이 집으로 가자.

이수 (보면)

승주 너 전에 지내던 방 그대로 있어. 같이 가…
오늘은 혼자 있기 싫다.

이수, 승주를 보다가 끄덕인다.
승주 일어서면, 따르는 비서.
이수도 따라가면 다가오는 최 이사.

이수 (최 이사 보고) 형이랑 본가로 갈게요….

최 이사 (끄덕이는)

멀어지는 형제를 잠시 보는 최 이사에서.

21. 강현의 집 전경, 밤

22. 강현의 집 거실, 밤

창밖을 보고 있는 강현. 불 꺼진 이수의 집.

방에서 나오는 미숙.

미숙 이수 안 왔어?

강현 응.

미숙 장례식장 가고 싶었는데… 갈 자리가 아닌 거 같더라.

강현 내가 갔다 왔어.

미숙 괜찮아?

강현 힘들겠지….

미숙 언제 밥이라도 한 끼 먹이고 싶다.

강현 이제 그럴 기회는 없을지도 몰라….

미숙, 강현을 보고, 강현은 멀리 이수의 집을 보는.

23. 명철의 집, 밤

#이수의 방

침대에 앉아 있는 이수. 잠이 안 온다.

#승주의 방

승주, 고민이 많은 얼굴로 잠 못 이루고 있다.

#명철의 서재

이수, 불을 켜고 아버지의 서재로 들어간다.
어린 시절 이후 처음 들어온다. 아버지의 흔적이 가득한 공간.

천천히 들어와 아버지의 책상을 보는 이수.
책상 위에는 낡은 나침반이 있다. 보는 이수.

INSERT. *과거, 서재.*
어린 이수에게 작은 상자를 내미는 명철.
풀어 보면, 나침반이다. *(3부에서 희자가 깬 나침반)*
이수의 머리를 쓰다듬는 명철의 미소에서.

책상으로 다가가는 이수.
그런데 덜 닫힌 서랍이 눈에 띈다.
서랍을 닫으려고 하는데, 잘 안 닫히고…
서랍 열고 걸려 있던 물건을 내려놓는데, 서랍 안쪽에 작은 상자를 발견한다.
낡은 상자. 열어 보면… 보석 상자와 봉투가 나오고…
상자 안에는 꽃모양 소박한 반지.
봉투 안에는 이수의 침대 곁에 있던 엄마의 사진…
사진을 뒤집어 보면, 명철이 쓴 글이 있다.
<우리가 함께 있던 시간. 그 햇살, 그 공기까지 잊히지 않는다.
잠시만 곁에 있어도 너는 내게 평온을 주었지.
늦었지만 나에게 다시 기회를 줘.
이 사진처럼 미소 지으며 같이 늙어 가자.
이수에게도 좋은 아빠가 되고 싶어.>

'헉', 눈물 터지며 깨닫는 이수.

'아버지의 말은 모두 진심이었구나….'

INSERT. *몽타주.*

#9부

한수 그룹 대 회의실.

명철 *함부로 떠들지 마!!… 내가 사랑했던 여자다.*

#13부

고급 BAR.

명철 *… 좋은 아버지가 되고 싶었어. 그래서 널 데려왔다.*

#15부

명철의 별장.

명철 *(굳는다) 너한테 할 얘긴 다 했다.*
믿든 안 믿든 그건 네 선택이지.

그리고 마지막으로 이수를 보던 슬픈 명철의 얼굴.
괴로운 듯 얼굴을 가리고 우는 이수의 모습에서.

24. 선산, 낮

한수 그룹 친인척 모두 모인 가운데, 명철의 시신이 땅에 묻힌다.
땅 밑으로 내려가는 관을 가만히 보는 이수.

임직원들과 변호사들 앞다투어 승주를 붙잡고 이야기를 나눈다.
그룹의 뒤처리와 유언장 때문에 은밀히 승주를 잡는 사람들.
바쁜 승주를 보다가 길을 내려가는 이수.

25. 강력팀 사무실, 낮

책상에 걸터앉거나 서서 모니터를 보고 있는 강력 1팀.

INSERT. *모니터, 뉴스.*
명철의 시신이 묻히는 광경. 모인 인사들이 나오는 화면.
화면에 잡히는 이수.

초췌한 얼굴의 이수를 보는 강현.

경진 진짜 이해 불가다. 난 회장님 재산의 천분의 일, 만분의 일만 있어도 행복할 거 같은데… .

강현 (경진 보고)

준영 돈만 있으면 행복하냐?

경진 뿐이에요? 재벌이고 대기업 회장인데 시장 선거가 뭐 별 거라고… 회장님 자리로 돌아가면 그만이잖아요.

준영 뭐, 다른 이유가 있었나 보지… .

강현 (뭔가 떠오르고) 진명철 회장… 수면제 과다 복용이었다고 했지?

준영 응. 윤 박사님이 현장에 갔었대.

강현 (생각한다)

INSERT. *강력팀 사무실.*

이수 *엄마가 자살한 게 아니란 소리야.*
엄마한테는 수면제가 없었어. 내가 약병을 숨겼거든.

준영 (의아해 보고) 왜?

강현 (일어서며) 나 좀 나갔다 올게.

나가는 강현을 의아하게 보는 준영과 경진.

26. 국립과학수사연구원 전경, 오후

27. 국과수 부검실, 오후

윤 박사와 마주 선 강현.

윤 박사 수면제?

강현 네, 남은 약이나 통이 있었어요?

윤 박사 (현장 사진들 부검대 위에 놓으며 다시 기억해 본다)
없었던 거 같은데… (사진 다시 보고) 응. 없었어.

강현 이상하지 않아요?

윤 박사 흠… 이상하긴 하네. 보통은 시신 주변에 남은 약이 있는데… .

강현 죽을 작정을 하고 별장에 갔다고 해도… .

윤 박사 약을 어디서 가져왔을까? 평소에 약을 복용했었나?

생각에 잠기는 강현에서.

28. 명철의 집 거실, 오후

거실에 모여 앉은 이수, 승주, 조금 떨어진 자리에 최 이사.
맞은편에 장 변호사와 변호사 둘.

장 변호사 지금부터 진명철 회장님의 대리인으로서 유언장을 공개하겠습니다.

파일을 여는 장 변호사.
그걸 보는 승주와 최 이사, 이수.
장 변호사 설명하는데, 이수 멍하니 딴 데 보고 있다. 관심 없다….

장 변호사 회장님께서 남기신 한수 그룹과 계열사들의 주식형 자산 약 11조 원, 평진동에 있는 150여 평의 자택 등 부동산형 자산 약 1조 원, 주식 배당금 등 현금성 자산이 약 5조 원, 회장님이 평생을 모으신 미술품들까지 하면 20조에 이를 것으로 예상됩니다. 이 중 주식에 대한 부분은….

일어서는 이수.

이수 전 먼저 일어날게요. (승주 보고) 형이 알아서 해.

이수, 일어나 나가면, 보는 승주와 최 이사.

29. 납골당 전경, 해 질 녘

30. 납골당, 밤

이수, 말없이 안치단의 선영의 사진을 보고 있다.

이수 엄마··· 무슨 일이 있었던 거야···
진실을 알고 싶은데··· 어떻게 해야 할지 모르겠어···.

한숨을 쉬며 눈을 감는 이수에서.

31. 명철의 집 마당, 밤

집에서 나오는 장 변호사와 최 이사. 나란히 걸어가는데···.

장변호사 회장님 돌아가시던 날에 전화가 왔었습니다.
최이사 (보는)
장변호사 유언장을 다시 쓰겠다고 하셨어요.
최이사 !
장변호사 심경에 변화가 있었던 거 같은데··· 이제 알 수가 없게 됐네요···.

장 변호사 멀어지면 가만히 생각에 잠기는 최 이사에서.

32. 이수의 집 거실, 밤

이수, 머리가 복잡한 얼굴로 앉아 있다가
술병이 세워진 벽장으로 간다.
술병을 꺼내려다가 멈칫하는 이수.
(술병은 명철이 별장에서 먹던 것과 같은 것이다)

INSERT. *14부 명철의 별장.*

명철 (부드럽게) *이수구나…* (후보 사퇴를 알고 온 거라고 생각한다)

한잔…할래? (새 잔을 꺼내 따르는데)

이상하다는 생각을 하는 이수.

33. 강하경찰서 증거 보관실, 밤

(오래된 사건 파일들을 보관한 곳)

먼지가 쌓인 박스들에서.

1998년 박스를 열고… <○○동 자살 사건> 찾는 강현.

파일을 열어 보는.

현장 사진들 보는데, 어디에도 약병은 보이지 않는다.

34. 서장실, 밤

형준 앞에 서 있는 강현.

형준 (사건 파일을 보며) 진이수 어머니 사건?

강현 네. 현장에서 남은 수면제 발견됐어요?

형준 (현장 사진을 보며 곰곰이 생각하는) 아니. 없었어….

강현 (형준을 보는데)

형준 그건 갑자기 왜?

강현 좀 이상해서요.

형준 뭐가 이상해? 평소에 우울증에 수면제 복용 중이었고…

외부 침입 흔적 없었어.

강현 수면제를 먹었다고 해도 남은 약이나 빈 통이라도 있어야 되잖아요.

형준 …

강현 진이수는 약이 없었다고 했어요.

형준 25년 전 일이야. 기억이 확실한 거야?

강현 진명철 회장 현장에도 남은 약이 없어요.

형준 …!

강현 누군가 술에 약을 탔을 수도 있다는 거예요.

형준 !

강현, 무거운 얼굴로 형준을 보는데 핸드폰이 진동한다.
보면, 문자. <진이수: 잠깐 볼 수 있어?>

35. 이수와 강현의 벤치, 밤

벤치에 앉아서 강현을 기다리는 이수. 며칠 새 초췌해진 얼굴.
생각에 잠겨 이마를 짚는데, 걸어오며 그런 이수를 보는 강현.
강현이 다가오는 소리에 고개를 드는 이수.

이수 왔어?

강현 응. 오래 기다렸어?

이수 아니. 앉아.

강현 (초췌한 이수 얼굴 보다가) 춥다. 뭐 좀 먹으러 가자.

이수 응?

강현 가자고. 배고파.

36. 식당, 밤

테이블에 앉은 이수와 강현.
이모님이 따뜻한 한식 반찬들 차리는데.
이수는 딴생각에 잠겼고, 강현은 그런 이수를 보고 있다.
이모님, 가면.

이수 (강현 보고) 할 얘기가 있어서 보자고 했어.
강현 일단 먹자.
이수 (강현 보면)
강현 먹자고. 다 먹으면 들어줄게.

입맛 없는 듯 수저를 드는 이수.
보다가 일부러 더 맛있게 먹는 강현.

강현 이거 맛있다, 먹어 봐. (마치 미숙 같은)

강현의 마음을 알고 먹는 이수.

CUT TO
다 먹은 두 사람.

강현 이제 얼굴이 좀 낫네… 할 얘기가 뭐야?
이수 … 아버지 술병에서 수면제가 나왔다고 했지?
강현 응.
이수 아버지는 나한테 술을 따라 줬어. 한잔하자면서.
강현 ? … !
이수 수면제가 든 술을 아들한테 줄 리가 없잖아.

강현 … 네가 간 후에 수면제를 먹었을 수도 있어.

이수 나도 그렇게 생각했어. 그날 엄마 얘길 했거든….
자살이 아닌 거 같다고…
아버지가 무슨 짓을 한 거냐고….

강현 (얼마나 힘들었을지 이수를 보는)

이수 아버지가 무슨 짓을 했구나. 그래서 자살했구나… 했는데,
아니야….

강현 (보는)

이수 아버진 이혼할 생각이었어… 엄마하고 다시 시작하려고…

강현 … 아버지 사건은 우리도 보고 있어….

이수 ?

강현 좀 걸리는 게 있어서… 어머니 사건 파일도 오늘 확인했어.

이수 (보면)

강현 현장에 남은 수면제는 없었어.

이수 …

강현 그날 누가 찾아왔었는지 기억났어?

이수 … 아니….

강현 두 사건 모두 다시 살펴보자. 별장은 우리가 볼게.
넌 정확하게 기억을 떠올려 봐.

이수 (보는데)

강현 확실한 물증은 아무것도 없어. 네가 기억을 되찾아야 돼….

강현을 보는 이수에서.

37. 한수 그룹 전경, 오전

38. 한수 그룹 회의실, 오전

고위직 임원진 회의. 최 이사도 상석에 앉아 있다.

임원1 지금 한수 그룹은 가장 큰 위기에 직면해 있습니다.

임원2 자택에서 시신이 나오더니, 회장님까지… 그렇게 되시고….

최 이사 (보는)

임원3 주가가 크게 흔들리고 있습니다. 이대로 가다간 그룹 이미지에 돌이킬 수 없는 타격을 입을 겁니다.

임원2 최대한 빨리 부회장님을 회장으로 추대해야죠.

임원3 그래요, 다른 방법은 없습니다.

임원1 (둘러보다가 최 이사를 본다)

이사님 의견은 어떠십니까?

선대 회장님을 모셨고, 부회장님도 꽤 가까이서 지켜보셨죠?

최 이사 (보는데)

임원1 진승주 부회장을 회장 자리에 앉혀도 되겠습니까?

최 이사 (깊은 생각에 잠긴)

INSERT. *최 이사의 회상.*

#14부

회장실.

최 이사 *어떻게 하실 겁니까?*

명철 *책임지게 해야죠.*

최 이사 *(보는데)*

명철 *그런 사람이 한수 그룹의 회장이 되게 할 수는 없어요.*

#15부

명철의 집 마당.

장변호사 *유언장을 다시 쓰겠다고 하셨어요.*

군은 얼굴로 대답을 않는 최 이사.

의심은 가지만 함부로 말할 수 없고 설마 하는 마음도 있다.

그때, 강현에게서 전화가 온다.

보고, 나가는 최 이사에서.

39. 한수 그룹 복도, 밤

(강하경찰서 사무실의 강현 교차)

최이사 네.

강현 최 이사님, 이강현입니다.

최이사 네.

강현 혹시 진명철 회장님이 평소에 수면제를 복용하셨나요?

최이사 아뇨. 회장님은 수면에 문제가 없었습니다.

강현 …

최이사 왜 그러시죠?

강현 수면제를 어디서 구했는지 그걸 모르겠어서요….

최이사 사모님이 오랫동안 수면제를 드신 걸로 알고 있습니다.

강현 아… 그래요….

최이사 자살이 아니라고 생각하는 겁니까?

강현 … 가능성이 있습니다.

최 이사 (굳은 얼굴에서)

40. 농로 - 명철의 별장, 낮

#농로

논 혹은 밭 사이로 난 좁은 도로.

길 가운데 서 있는 준영과 경진.

경진 이쪽은 CCTV가 하나도 없네요.

준영 응. (가로등 보며) 가로등 사이도 너무 멀어. 밤엔 어두울 거야.

#산

농로를 걸어 산으로 접어드는 준영과 경진.

CUT TO

산을 오르면, 멀리 별장이 보인다.

준영 별장 안에도 CCTV 없다고 했지?

경진 네. 외부 CCTV도 고장 난 상태라고 들었어요.

이 별장은 오랫동안 비워 놨었대요.

준영 그 사실을 아는 사람은 아무도 모르게 별장에 들어갈 수가 있겠네….

별장을 내려다보는 준영과 경진에서.

41. 도로, 이수의 차 안, 낮

달리는 차 안, 무거운 이수의 얼굴.

42. 서울 구치소 전경, 낮

43. 변호사 접견실, 낮

소파에 앉아 생각에 잠긴 이수.

교도관이 서 박사를 들이고 나간다.

서로 보는 서 박사와 이수.

이수 부탁이 있어요. 엄마가 돌아가셨던 날의 기억을 되살려야 돼요.

서 박사 (기가 막히고) 내가 네 부탁을 왜 들어주니?

이수 (이렇게 나올 줄 알았다. 차갑게)

당신이 목숨처럼 아끼는 동영상이 경찰 증거 보관실에 있고

내가 실수로 그걸 유출할 수도 있으니까?

서 박사 (말문 막혀 보는)

CUT TO

소파에 누운 이수. 그 옆에서 최면을 거는 서 박사.

눈을 감은 이수의 얼굴로 다가가는 카메라….

INSERT. *이수의 기억. 이수의 집 거실.*

선영 *아주 훌륭한 의사 선생님이 처방하신 약이네?* (미소)

서로 보고 웃는 선영과 어린 이수.

그때, 초인종이 울린다. 마치 누군가 소리를 지르는 것처럼 급하게.

누운 채로 인상을 쓰는 이수.

INSERT. *이수의 집 거실.*

선영이 현관문으로 나가고, 어린 이수는 거실에서 돌아보는데…

어린 이수의 시선에 현관문으로 선영이 누군가에게 밀리는 게 보이고,

(소리는 들리지 않는다)

점차 일그러지는 어린 이수의 얼굴….

CUT TO

놀라 눈을 뜨는 이수에서….

44. 강력팀 사무실, 낮

화이트보드 앞에 선 강현.

화이트보드에는 선영의 발견 당시 사진, 명철의 발견 당시 사진, 명철의 술병.

별장 사진 등등이 붙어 있다. 이 두 사건은 비슷하다.

준영과 경진이 들어오고, 강현이 돌아본다.

준영 몰래 접근할 방법은 있어.

강현 만일 누군가가 진이수가 별장을 떠난 후에

(택시를 타고 가는 이수)

들어와서 술병에 몰래 약을 탔다면….

(누군가의 손, 술병에 약을 넣는)

준영 별장 내부의 상황을 알고 있고, 진명철이 경계하지 않을 사람이라는 거지.

강현, 준영 (생각하는데)

경진 (화이트보드를 보다가 선영의 사진 보고)
이 사람은 누구예요?

강현 (착잡하고) 진이수 엄마.

준영, 경진 (놀라고)!!

강현 25년 전에 수면제 과다 복용으로 사망했어.

준영, 경진 (보는)

강현 그때도 현장에 남은 수면제는 없었고.

준영, 경진 !!

경진 둘 다… 살인일 수 있다는 거예요?

강현 … (끄덕이고)

준영 그렇다면….

경진 (생각하고) 누가 제일 큰 이득을 얻는지 그걸 생각해야 되는 거 아니에요?

강현 그래. 동기를 이득으로 본다면…
25년 전에 진명철 회장은 이혼을 준비하고 있었어.
김선영의 죽음으로 가장 큰 이득을 보는 건 조희자야.
(희자의 사진을 붙인다. 화려하게 차려입은 출판 기념회장의 사진)

준영 진명철의 죽음으로 가장 큰 이득을 보는 건…
(승주의 사진을 붙인다. 신문에 차기 회장으로 소개된 느낌의 사진)
차기 회장 자리에 오를 진승주….

경진 (갑자기 소름 돋고) 그럼! 형님의 새엄마와 형이?!

강현 (차분하게) 아직은 가능성이 있다, 뿐이야. 성급하게 생각하지 마.

준영 가능성이 충분하지. 동기도 있고, 방법도 있어….

일동, 침묵 속에 희자와 승주의 사진을 보는데…
이수가 들어온다… 긴장해 보는 강현, 준영, 경진.

굳은 얼굴로… 화이트보드로 걸어오는 이수.
보는 세 사람….

이수 기억났어. 엄마가 죽은 날 찾아왔던 건….

INSERT. *이수의 기억. (43씬에서 이어지는 장면)*
현관문으로 보이는 당황한 얼굴의 선영.
그리고 누군가 밀쳐 선영이 엉덩방아를 찧고 위를 올려다보는데
드디어 나타나는 희자! 희자는 핸드백으로 선영의 머리를 내려치며 발악을 하고 있다. 소리를 지르다가 갑자기 집 안을 보는 희자.
어린 이수를 발견하고 무섭게 일그러지는 희자의 얼굴!

이수 (굳은 얼굴로 희자의 사진을 떼어 낸다) 조희자야.

놀라 이수를 보는 강현, 준영, 경진.
굳은 이수의 얼굴에서.

45. BAR, 밤

최 이사, 양주 한 잔 놓고, 마시지도 않고 고민 중이다.
만일 승주가 명철의 죽음과 관련이 있다면 어떻게 해야 하는가…그때, 이수가 최 이사에게 다가온다.
최 이사, 보고 살짝 긴장하는데….

CUT TO
마주 앉은 이수와 최 이사.

이수 그날, 형 어머니가 찾아왔었어요.

최이사 (놀라는데)

이수 엄마를 폭행했어요….

최이사 (한숨 쉬는) … 당시에 회장님은 이혼을 준비 중이었어요.
그 사실을 사모님이 알게 됐죠… 거기까지 찾아갔을 줄은 몰랐네요.

이수 … 저, 한대훈이 누군지 알아요….

최이사 !

이수 승주 형의 친부죠. 아버지는 그때 알게 되신 거예요?
… 그것 때문에 이혼하려고 하신 거예요?

최이사 아뇨… 회장님은 결혼 전부터 알고 계셨어요.

이수 ?!

최이사 이 결혼은 비즈니스다. 생각하셨죠. 당신이 애정은 줄 수 없으니 차라리 다른 남자가 있는 여자가 나을 수도 있다고 하셨어요. 그렇게 결혼 준비를 하다가 … 임신을 했다는 걸 알게 됐죠.

이수 그때라도 그만둘 수 있잖아요. 기업을 물려받을지도 모를 사람인데….

최이사 (고개 젓는다) 회장님은 계열사 대표 중에 가장 뛰어난 사람이 차기 회장이 되어야 한다고 생각하셨어요. 자식에게 물려줄 생각은 없었어요.
부회장님이 그 자리에 오른 건 본인의 능력입니다.

이수 그럼 왜 갑자기 이혼을…?

최이사 … 진짜 아들이 있다는 걸 알게 됐으니까요….

이수 (옅은 한숨… '나… 때문이었나….')

생각에 잠긴 이수. 이유야 어떻든 결론은 하나다….

이수 (단단해진 얼굴로) 한대훈을 죽이라고 사주한 건 형 어머니에요.

최이사 (굳어 보는데)

이수 우리 엄마도… 죽였을 가능성이 있어요.

최 이사 !

이수 그날 행적을 확인해야겠어요.

최 이사 제가 알아볼게요.

46. 강하경찰서 전경, 아침

47. 강력팀 사무실, 아침

화이트보드 앞의 강현, 준영, 경진.

강현 가능성은 두 가지야.
25년 전, 조희자가 김선영을 죽였고, 나중에 그 사실을 알게 된 진승주가 진실을 덮었다.

준영 한대훈 사건처럼?

강현 응, 그리고 진승주는 진명철을 어머니의 방식대로 죽였다.

준영 아니면, 조희자가 김선영과 진명철을 모두 죽였다.

강현 (끄덕이고) 첫 번째 살인이 완전 범죄가 됐으니까 같은 수법을 쓴 거지.

경진 근데, 이해가 안 돼요. 김선영은 알겠는데, 진명철 회장은 왜요?
가만히 있으면 차기 회장 되는 거 아니에요?

준영 그럴 수 없는 이유가 있었겠지.

강현 일단 우리는 진명철에 집중하자. 25년 전 사건은 진이수가 맡을 거야.
알리바이 확인하고, 집 주변 CCTV 따자.

준영과 경진이 끄덕이면.

48. 명철의 집 주변, 낮

도우미, 명철의 집으로 걸어가는데, 준영이 문 앞에 서 있다.

도우미, 무슨 일인가 보면.

준영 (신분증 보여 주고) 경찰입니다. 잠깐 얘기 좀 할 수 있을까요?

도우미 (경계하며) 무슨 일인데요?

준영 진명철 회장 댁에서 일하시죠?

도우미 네….

준영 회장님 돌아가시던 날에 근무하셨나요?

도우미 네, 그런데요?

준영 그날 밤에 댁에 누가 있었습니까?

도우미 사모님하고 부회장님이요.

준영 새벽에 나간 사람은 없었나요?

도우미 글쎄요… 저는 11시에 퇴근이라 모르겠는데요.
11시 이후에는 다 나가야 돼요. 사모님이 잘 때 외부인 있는 거 싫어하세요.

준영 (보는)

49. 희자의 병실, 낮

테이블에 식사 마련되어 있고, 희자, 한숨 쉬고.

희자 다 치워. 입맛 없어.

비서가 치우는데, 전화 온다. <아줌마 1>

희자 (귀찮은 얼굴로 받고) 뭐야?

도우미 저… 경찰이 찾아왔어요.

희자 왜?

도우미 회장님 돌아가시던 날 나간 사람 있었냐고 물어보던데요?

순간, 뭔가 떠오른 듯 불안해지는 희자의 얼굴에서.

50. 강력팀 사무실, 낮

CCTV를 확인하고 있는 경진.

INSERT. *모니터 화면.*
명철 사망 당일 새벽 1시, 명철의 집에서 차량이 나온다.
차량 번호는 식별이 되지만, 마스크를 쓰고 모자를 쓴 운전자의 모습이 확실치 않다. 다른 위치의 CCTV, 또 다른 위치를 띄워 보지만 운전자는 확인이 안 된다.

자세히 보다가 눈 비비는 경진.
뒤에서 다가가는 강현. 경진의 어깨에 손을 올리면.

경진 새벽 1시에 나간 차량이 있어요. 번호도 보이는데, 운전자 식별이 안 돼요.

강현 그날 집에 조희자, 진승주 둘 다 있었지?

경진 네.

모니터 속의 운전자를 가만히 보는 강현,
최 이사에게 전화한다.

강현 부탁드릴 게 있습니다.

51. 한수 그룹 주차장, 낮

최 이사, 자신의 차 안에 앉아 있다.

승주의 차량과 변호사들 차가 연이어 들어온다.

운전석에 앉아 보는 최 이사.

비서가 먼저 내려 문을 열어 주면 승주가 내리고.

뒤이어 변호사들 내려 따르는.

이미 회장님이 된 듯한 승주와 무리의 움직임. 건물 안으로 들어가고…

승주의 차량을 보는 최 이사.

기어를 바꾸더니 그대로 달려가 승주의 차량을 박는다.

헤드라이트가 깨지는 승주의 차.

그대로 앉아 있는 최 이사.

놀란 주차 요원이 뛰어오고, 승주의 차 보고 사색이 된다.

차에서 내리는 최 이사. 주차 요원, 당황해 보는데….

주차 요원 최 이사님…!

최 이사 (사람 좋게 웃으며) 내가 잠깐 딴 생각을 하다가….

주차 요원 (황망히 보다가 무전을 치려고 하는데)

최 이사 연락하지 말아요.

주차 요원 ('무슨 소리야?')

최 이사 내가 처리할게요.

주차 요원 ('그러면 안 될 거 같은데?')

최 이사 부회장님께 내가 직접 얘기할게요.

52. 한수 그룹 부회장실, 낮

승주, 서류 보고 있는데, 비서가 약간 당황한 얼굴로 전화 받고.

승주 (무심히) 무슨 일이야?

비서 주차장에서 접촉 사고가 있었답니다.

승주 (보는데)

비서 사고를 낸 게 최 이사님이라는데요…?

승주, 표정 변한다.

53. 고급 정비소, 낮

승주의 차를 살펴보는 정비사들.

조금 떨어져서 보는 최 이사.

정비사들이 부품을 가지러 들어가면,

최 이사, 자연스럽게 운전석 문을 열고 들어가 앉는다.

굳은 얼굴로 블랙박스를 켜는 최 이사.

그런데, 메모리카드가 없다는 메시지가 뜬다.

최 이사, 불길한 예감에 흙빛이 되는 얼굴.

'설마… 진짜 승주가?'

54. 도로, 최 이사의 차 안, 밤

최 이사, 강현과 통화한다. (사무실의 강현 교차)

최 이사 메모리카드가… 없더군요.

강현 !

최 이사 진승주 부회장이 범인이라고 생각합니까?

강현 용의자인 건 확실합니다.

최 이사 … 다른 증거가 있나요?

강현 아뇨, 물증은 없습니다.

고민에 빠지는 최 이사 얼굴에서.

55. 한수 그룹 부회장실, 밤

굳은 얼굴로 창밖을 보는 승주.

핸드폰이 울린다. 이수다. 받는 승주.

승주 응.

이수E 형, 할 말 있어. 잠깐 보자.

승주 그래… 나도 할 얘기 있어.

끊는 승주에서.

56. 도로, 이수의 차, 밤

굳은 얼굴로 달리는 이수에서.

57. BAR, 밤

생각에 잠겨 글라스를 흔드는 승주…

이수가 다가오고, 승주는 여유로운 미소.

승주 한잔할래?

이수 (약간 차가운) 아니, 난 됐어.

승주 (이수의 태도, 의아하고)

이수 (옆에 앉고)

CUT TO

여유롭게 위스키를 마시며 이야기하는 승주.

승주 곧 회장으로 취임하게 될 거 같아….

이수 (무심히 보고)

승주 이제 정리하고 내 옆으로 와. 혼자서는 힘들어.
하나뿐인 동생이 도와줘야지.

이수 (차분) 나는 할 일이 있어.

승주 네 멋대로 사는 거 그만해. 이제 너랑 나 둘 뿐이야….

이수 엄마 돌아가신 거… 자살이 아니었어.

승주 ?!

이수 엄마가 살해당했을 지도 모른다고.

승주 (경직되고) … 무슨 소리야?

이수 형… 나는 그게 누구든 진범을 잡을 거야.

승주 (굳어 보는데)

이수 기억이 났어. 그날, 형 어머니가 왔었어.

승주 !

이수 우리 엄마를 폭행했어…
그래서 형한테 말하는 거야.

앞으로 무슨 일이 벌어지든 그건 나로서는 할 수밖에 없는 일이라는 걸.

굳은 얼굴로 서로를 보는 이수와 승주….

58. 종합 병원, 밤

로비를 걸어, 엘리베이터를 타고 오르는 승주. (혼자다)
굳은 얼굴.

59. 희자의 병실, 밤

테이블 소파에 앉은 초조하고 불안한 얼굴의 희자,
옆에는 와인 잔. 살짝 취한 상태.
병실 안에는 비서 둘.
문이 열리고 승주가 들어온다.
희자, 승주를 보며 긴장하고.

승주 (비서들에게) 자리 좀 비켜 줘요.

비서들 나가는 사이, 희자 앞으로 와서 앉는 승주.
희자, 불안한 얼굴로 승주를 보는데….

승주 엄마… 이수 엄마 죽은 날, 찾아갔었어요?
희자 (긴장하며) 너… 아버지 만나러 갔었니?
승주 (보는데)
희자 그날 새벽에 너 나가는 거 봤어.

승주 !

희자 잠이 안 와서… 수면제를 찾으러 내려갔었어.

INSERT. *명철의 집 거실.*

희자, 부엌 쪽으로 나온다.

창밖으로 누군가 스치는 느낌에 돌아보면, 굳은 얼굴로 걸어가는 승주가 보인다. 밖으로 나가는 승주. 무슨 일인가 보다가…

찬장에서 수면제 통을 드는 희자. 뭔가 이상하다.

병이 가볍다… 흔들어 보는 희자에서.

희자 (무섭고 고통스럽다) 네가… 네가 그런 거야? 아니지?

승주 (희자를 보는)

희자 아니라고 해… 제발…. (눈물 고이는데)

승주 … 엄마는 끝까지 나를 힘들게 하네요….

희자 !

승주 엄마가 원했던 거잖아요… 무슨 수를 쓰든 한수 그룹을 가져야 한다고… 그렇게 가르쳤잖아요….

희자, 경악하는데….

승주 엄마 아들로 사는 건 고통이었어요….

60. 승주의 회상

#명철의 집 현관

명철의 출근길, 떨어져 서서 부모를 보고 있는 어린 승주. (10세 이하)

싸늘하게 희자를 보다 돌아서는 명철.

희자 (명철을 잡고) 내 얘기를 들어보라니까요, 김 비서 걔가 나한테….

명철 (정떨어진 얼굴로) 내가 당신한테 원하는 건 하나야!

희자 (보는데)

명철 한수 그룹 회장 부인다운 태도! 그것도 못 하면서 왜 나하고 결혼을 했지?

희자, 굳어서 보는데, 명철이 문을 '쾅-' 닫고 나간다.
히스테리를 부릴 듯한 희자를 보며 겁에 질린 어린 승주.

#명철의 집 거실

테이블에 술병들.
소파에 눕듯이 앉은 희자, 만취 상태.
불안하게 보는 어린 승주.

희자 (불안하게 술 마시면서) 사람이 어떻게 저렇게 냉정해….
한 번도… 단 한 번도 날 이해를 안 해 줘….

희자, 술을 마시려다가 승주를 발견하고, 잔을 옆자리에 놓는다.
소파에 쓰러지는 와인 잔. 와인이 줄줄 흘러내리고….

희자 아들, 우리 아들… 이리 와. (손을 뻗으면)

어린 승주 (불안한 얼굴로 다가가 옆에 앉고)

희자 (안고 쓰다듬으며) 걱정하지 마. 너는 저 인간하고 하나도 안 닮았어.
넌 따뜻하고 착하지… 우리 아들. 엄마한테는 너밖에 없어.

굳은 자세로 안겨 있는 어린 승주.

승주는 똑똑 떨어지며 바닥의 카펫을 적시는 와인만 보고 있다.

#명철의 집 거실

행사가 있는 듯 화려하게 차려입고 소파에 앉아 있는 희자.

역시 멋지게 꾸민 어린 이수를 도우미가 데려오자,

싸늘한 얼굴로 다가서는 희자.

바짝 얼어 긴장하는 어린 이수.

희자 (이수 옷 훑으며) 멋있게 차려입었네….

어린 이수 (긴장해 보는데)

희자 이렇게 입으니까 재벌가 도련님 같다…

근데 단추가 좀 튀네…. (하더니, 단추를 잡아 뜯어 버린다)

어린 이수 (겁나고)

현관으로 들어와 그 모습을 보게 되는 중학생 승주. (교복)

희자 버러지 같은 게… 네가 뭐라도 된 거 같니? 아니야.

어린 이수 (울먹) 죄송합니다….

희자 옷이 망가져서 얘는 못 가겠다. (도우미 보면)

눈치채고, 급히 어린 이수 데리고 가는 도우미.

그 모습을 보는 승주. 승주를 발견한 희자가 반색하며 승주에게 간다.

희자 우리 아들, 왔어?

#명철의 집 일각

양복을 멋지게 차려입은 승주의 넥타이를 매주는 희자.

희자 우리 아들 멋있네.
오늘 오는 손님들 앞으로 너에게 힘이 될 사람들이야….

승주 (희자를 보다 고개 숙이는데)

희자 고개 들어. 넌 한수 그룹의 주인이 될 사람이야.

희자를 보는 승주에서….

61. 희자의 병실, 밤

경악해 보고 있는 희자와 고개를 숙이고 먼 생각에 빠져 있는 승주.

승주 원망한 적도 많았어요. 다른 부모였다면 어땠을까 생각도 했죠…
평범한 부모 밑에서 소박하게 살았다면 어땠을까…
(자조적인 웃음) 근데 나는 그게 뭔질 몰라요. 평범하고 소박한 거.
그런 게 행복이라고 하는데, 난 모르니까.
불확실한 가능성에 인생을 걸 순 없잖아요.

희자 (보는데)

승주 내가 아는 건 두 가지뿐이에요.
엄마를 지켜야 한다… 한수 그룹의 주인이 되어야 한다….

희자 (하얗게 굳어 보는데)

승주 그래서 그렇게 한 거예요. 엄마가 원하는 대로.
엄마한테는 나밖에 없고, 나도 엄마밖에 없으니까….

희자 …

승주 이제 다 됐어요. 난 한수 그룹의 회장이 될 거예요.

(일어서서 희자에게 다가온다)

희자 (내 아들이지만 소름이 끼치고)

승주 (희자의 옷매무새를 고쳐 주며 얼굴 가까이 보고)

그러니까 엄마는… 아무것도 모르는 거예요…

전처럼 술이나 마시면서 그냥 살아요….

가만히 희자를 보는 승주.

얼어붙은 희자.

승주는 돌아서서 나간다.

희자, 자신이 무슨 짓을 한 건가… 머리를 감싸 쥐며 일그러진다.

62. 병원 복도, 밤

어두운 복도를 걸어가는 승주.

굳은 얼굴로 점점 더 어두운 곳으로 걸어 들어간다….

63. 명철의 죽음 몽타주, 밤

#별장 뒷산

칠흑 같은 어둠 속을 걷는 승주. (평소와는 조금 다른 복장. 어두운 색)

멀리 명철의 별장이 보인다.

무거운 얼굴로 명철의 별장으로 가는 승주에서.

#별장 거실

승주가 들어서는데, 차갑게 보는 명철.

이내, 시선 돌리고 술을 마시고.
승주, 다가선다.

승주 아버지….

명철 여긴 뭐 하러 왔어? 어떻게 할 건지 결정했어?

승주 (무릎 꿇는다) 아버지… 제가 잘못했어요.

명철 (차갑게 보고) 그런 말로 넘어갈 수 있는 일 아니야.

승주 그럼 제가 어떻게 해요? 엄마도 그러려고 한 건 아니었어요.

명철 더 말할 것도 없어. 내 결정은 끝났다.
내일 가서 둘 다 자수해.

승주 아버지!

명철, 일어서더니 승주를 보지도 않고, 벽난로로 다가간다.

승주 저희를 이렇게… 버리실 거예요?

명철 (등지고 서서 불을 바라보며)
너희 둘을 우리 집안에 들인 게… 내 인생 최대 실수야.

굳은 얼굴로 명철의 등을 보는 승주.
돌아보지 않는 명철.
일어서는 승주… 원망스럽게 명철을 보다가… 주머니에서 수면제를 꺼내 술병에 넣는다. 술병에서 녹아내리는 십여 개의 알약들.
돌아서는 승주…
명철, 벽난로에 장작을 더 넣고… 잠시 보다가 돌아서면, 승주가 가고 없다.
깊은 한숨을 쉬며 안락의자에 앉는 명철.
잔에 가득 술을 따르고 마신다….

#별장 뒤편

어둠 속에서 고개를 숙이고 선 승주에서… 불이 '탁' 켜지면.

64. 한수 그룹 회장실, 새벽

승주, 고개를 들면, 회장실 안이다.

승주의 시선에 보이는 명철의 책상, 명패가 바뀌었다.

<회장 진승주>로

그 자리와 명패를 가만히 바라보는 승주에서.

65. 한수 그룹 전경, 오전

줄지어 들어오는 고급 차량들.

66. 한수 그룹 이벤트 홀, 오전

회장 취임식이 준비된 자리. 이사진들과 고위직 임원들이 곳곳에 서 있다.

이수와 최 이사도 무거운 얼굴로 서 있는데,

승주가 걸어 들어온다.

박수를 치는 사람들.

이수, 다가오는 승주를 보는데…

승주, 이수 앞에 선다.

복잡한 심경으로 서로 보는 형제… 그리고 그런 둘을 멀리서 보는 최 이사.

서로 보는 형제에서.

15화 엔딩.

ep.16

내 엄마가 어떻게 죽었는지

1. 사건 몽타주

#강력팀 사무실

강현에게 이야기하는 이수.

이수 엄마가 자살한 게 아니란 소리야.
엄마한테는 수면제가 없었어. 내가 약병을 숨겼거든.

#명철의 별장

안락의자에 잠자듯 죽어 있는 명철.

#서장실

강현 진명철 회장 현장에도 남은 약이 없어요.

형준 …!

강현 누군가 술에 약을 탔을 수도 있다는 거예요.

#강력팀 사무실

경진 둘 다… 살인일 수 있다는 거예요?

화이트보드에 붙은 조희자와 진승주 사진 컷.

#별장 근처

농로에서 산에서 명철의 별장을 보는 준영과 경진.

#정비소

블랙박스를 확인하고 놀라는 최 이사.

#강력팀 사무실

이수 그날 저녁에 누군가 찾아왔었는데… 그게 누군지 기억이 안 나….

#이수의 기억

어린 이수를 보며 일그러지는 희자의 무서운 얼굴!

#강력팀 사무실

희자의 사진을 떼어 내는 이수.

이수 조희자야.

#명철의 별장

등 돌리고 선 명철을 보다가 술병에 수면제를 넣는 승주….

#별장 뒤편

어둠 속에 서 있는 승주에서… 암전.

2. 강력팀 사무실, 밤

화이트보드에 선영과 명철의 현장 사진들.
조희자와 진승주의 사진.
명철 집 앞 CCTV 사진들. (승주, 얼굴 식별 불가)

준영 (한숨) 단서가 없다. 심증뿐이야….
경진 잡을 방법이 없는 거예요?

강현과 준영, 가라앉은 얼굴로 말이 없는데.

이수 E 그게 무슨 소리야?

돌아보면 들어오고 있는 이수.

이수 잡을 방법이 없다는 게 뭐야?
강현 새벽 1시에 집을 빠져나간 차량이 있는데,
(CCTV 컷) 운전자 식별이 안 돼.
이수 (굳어 보는)
강현 별장 근처에는 도로 CCTV가 없고…
블랙박스에 메모리카드도 없었어.
이수 그래서 범인이 누군데?
강현, 준영, 경진 …

이수 의심 가는 사람은 있을 거 아니야! 증거 없어도!

강현 (이수 보며 말 못 하는데)

준영 우리 생각엔… 진승주 같다.

이수 (황당하고) 뭐라고?!

준영 차기 회장 자리가 동기가 되고.

이수 (끊고) 그게 조희자가 원하는 거야!

그날 조희자도 집에 있었잖아. 차를 몰고 간 게 그 여자일 수 있지.

수면제도 있고!

준영, 경진 (전에 없이 흥분하는 이수를 본다)

강현 (이수 앞에 다가서며 차분히) 조희자는 면허가 있지만 운전을 한 적은 거의 없대.

이수 (기가 차고) 니들은 형이 어떤 사람인지 모르잖아. 형은. 내 옆에 있어 준 유일한 사람이야.

강현, 준영, 경진 (보는데)

이수 범인은 조희자야… 그래야 돼.

아버지 사건에 증거가 없으면, 엄마 사건으로 입증할 거야.

강현 … 그 사건은 이미 공소시효가 지났어. 기소 못 해.

이수 ! (그 생각은 못 했다) 어쨌든 내가 밝혀낼 거야.

가는 이수를 보는 강현에서.

3. 강현의 집 전경, 밤

작은 불빛이 흘러나오는 강현의 집.

4. 강현의 집 거실, 밤

소파에 무거운 얼굴로 앉은 형준.

앞에는 선영의 사건 파일.

(현장 사진들에 개수대의 그릇들, 집 안 사진들 있다)

깊은 한숨을 쉬는데, 미숙이 방에서 나온다.

미숙 거기서 뭐 해?

형준 어, 잠이 안 와서….

미숙 (잠시 보다가 옆에 와서 앉고 형준 얼굴을 본다)
… 무슨 고민이 생겼을까?

형준 내가 실수를 했었나… 무서워.

미숙 (보다가 미소) 그 얘기 오랜만에 듣네.

형준 ?

미숙 당신 처음 강력팀 갔을 때 매일 그랬잖아. 무섭다고. 혹시 놓친 게 없나 걱정돼서 잠도 못 자고… 쪽잠 자면서 잠꼬대하고 그랬어.

형준 내가 그랬나….

미숙 그렇게 성실하게 30년을 일했어. 내가 알지.

형준 이번엔 정말 뭔가 놓친 거 같아.

미숙 (보고) 그럼 바로잡으면 되지. 당신은 방법 찾을 거야.
그리고… 당신 옆에는… 실력 있는 형사 딸도 있잖아.

끄덕이는 형준.

CUT TO

미숙은 들어갔고, 형준이 파일을 보며 생각에 잠겨 있다.

보다가, 뭔가 떠오르는 형준의 얼굴.

INSERT. 파일.

별첨, 지문: 변사자 김선영, 미확인 지문 2점 (어린아이 것으로 추정) - 지문은 없고 문구만.

5. 강하경찰서 전경, 오전

차를 몰고 와서 내리는 형준.

6. 형사과장실, 오전

형사과장, 서류 읽고 있는데, 형준이 문을 연다.

형사과장 서장님.

형준 어, 바빠?

형사과장 아뇨, 괜찮습니다.

형준 나 좀 도와줄래?

형준 앞서고 따라가는 형사과장에서.

7. 창고, 오전

실내가 아니라 밖에서 여는 식의 거대한 창고.
형준이 문을 열면, 보는 형사과장.
내부에 수백 개의 오래된 상자들, 두서없이 쌓여 있고, 바닥 쪽에는 썩어 가는 박스도 있다.

형사과장 이게 다… 뭐예요?

형준 경찰 시스템 전산화할 때 남겨 둔 자료들이야.

형사과장 여기서 뭘 찾으시는 건데요?

형준 … 내가 놓친 범인.

형준을 보는 형사과장에서.

CUT TO

형준과 형사과장, 팔 걷어붙이고 박스들을 열어서 일일이 확인하고 있다.
수십 개의 박스 열려 있고, 조금은 지친 형준이 보면,
형사과장이 무거운 박스 들어서 내리고 있다.

형준 힘드냐?

형사과장 좋은데요. 옛날에 삽질하던 생각도 나고.

형준 (피식) 옛날에 삽질 많이 했지….

형사과장 요즘 애들은 CCTV, 블랙박스 쫙 깔려서 수사가 얼마나 어려웠는지 몰라요.

형준 꼰대 같다.

형사과장 저는 그냥 꼰대로 살 겁니다.

형준, 피식 웃고 다시 박스를 뒤지는데
형사과장, 박스에서 뚱뚱한 봉투를 찾아낸다. <강하1동 자살 사건>

형사과장 (확인하며) 여깄네요.

형사과장이 봉투를 내밀면 열어 보는 형준.
DNA(면봉)가 담긴 종이 상자들, 그리고 지문이 담긴 봉투.

자료에는 <미확인 지문: 주스 잔에서 지문 1점, 스위치에서 1점> 이런 식으로 적혀 있다.

그걸 내려다보는 형준.

형사과장 지문이 필요하셨던 거예요?

형준 응, 주민등록도 안 된 아이들 거라 확인을 안 했어….

형사과장 이제 나오겠네요.

형준 (무겁게 끄덕이고) 성분 검사도 하라고 해.

형사과장 (받아 들고) 빨리 처리해서 보고 올리라고 할게요.

형준 … 이 팀장한테 보내.

형사과장 (보면)

형준 이제 강현이 사건이야.

8. 종합 병원 전경, 낮

9. 희자의 병실 앞, 낮

초췌한 얼굴로 멍하니 허공을 보는 희자.

그런 희자를 작은 창을 통해 보고 선 이수. (혹은 넓은 병실 한편에 떨어져서)

이수 옆에는 담당의가 서 있다.

담당의 전혀 말을 못 하고, 외부 자극에 반응이 없어요.

이수 (가만히 보면서) 쇼하는 거 아니에요?

담당의 그런 건 아닙니다. 식사도 안 하고 있어요.

현실을 인식하는 기능을 다 차단한 것 같아요.

꿈속에 있는 사람처럼.

멍한 희자를 보는 이수.

이수 갑자기 왜 저러는 건데요?

담당의 며칠 전에 아드님이 다녀가셨는데, 그날 이후로 상태가 나빠졌어요.

가만히 희자를 보는 이수에서.

10. 작은 술집 앞, 낮

작고 허름한 술집, 출입구 옆에 벤치가 있다.
가게 앞에 차를 세우는 이수.

최 이사 E 당시에 사모님을 모셨던 운전기사를 찾았습니다.

차에서 내려 가게를 보는데,
50대 중반의 사장인 듯한 남자가 나와서 이수를 본다.

운전기사 아직 오픈 안 했는데…?

이수 혹시… 김대현 씨 되세요?

운전기사 ('무슨 일이지?') 맞아요.

CUT TO

가게 앞 벤치에 앉은 이수와 운전기사.

운전기사 25년 전, 10월 15일….

이수 너무 오래전이죠?

운전기사 아뇨, 똑똑히 기억해요. 내가 해고당한 날이거든요.

이수 (보는)

운전기사 (생각하며) 그날 사모님이 화가 많이 나 있었어요.

INSERT. *운전기사의 회상.*

#명철의 집 앞

운전기사 뒷자리 문 열고 기다린다.

분노에 찬 얼굴로 핸드백 집어던지며 차에 타는 희자.

눈치 보며 문 닫아 주는 운전기사.

#차 안

운전기사, 운전석에 앉고, 희자가 주소를 갈겨쓴 메모를 준다.

여기가 어딘가 보는 운전기사.

희자 *(날 선) 출발 안 해?!*

운전기사 *(메모지 급히 돌려주고) 네.*

출발하는 차.

#이수의 집 앞

성큼성큼 걸어가 대문의 초인종을 계속 누르는 희자.

뒤에서 대기하고 있는 운전기사.

현재, 술집 앞.

운전기사 강하동 어떤 집에 들어가셨다가 금방 다시 나오셨죠.

이수 금방요?

운전기사 네. 그리고 댁으로 돌아가셔서….

INSERT. *운전기사 회상.*

#명철의 집 앞

밤, 대기하고 있는 운전기사.

운전기사 E *다시 안 나오셨어요.*

이수 안 나왔다고요?

운전기사 엄청 취해가지고… 다 집어던지고 했다고 하더라고요….

이수 … 강하동 갔을 때가 몇 시쯤이었는지 기억나세요?

운전기사 해질 때였으니까… 6~7시쯤이었을 거예요.

이수 (생각하는)

INSERT. *모니터 화면, 선영 사건 파일.*

선영 사망 시각: 10시에서 11시 사이

무거워지는 이수의 얼굴. 사망 시각이 맞지 않는다.

운전기사 밤에 나온 건… 아들이었어요.

이수 !

운전기사 혹시 찾을까 싶어서 계속 대기하고 있는데…
아들이 나오더라고요.

INSERT. *운전기사 회상.*

#명철의 집 앞

굳은 얼굴로 집에서 나오는 중학생 승주.

의아해 보는 운전기사에서.

이수 어딜 갔었는데요?

운전기사 그건 모르겠는데, 그날 나갔다가 교통사고를 당했어요.

이수 사고요?

운전기사 (끄덕이고) 내가 그거 때문에 해고당한 거예요.

이수 (보는데)

운전기사 어디든 데려다준다고 했는데, 괜찮다길래 그냥 보냈다가…
(한숨) 다 아랫사람 잘못이지 뭐….

생각에 잠긴 이수에서.

11. 강력팀 사무실, 밤

고요하게 가라앉은 강현. 화이트보드 앞에 서 있다.
명철의 살인을 입증할 다른 방법은 없을까…
한숨을 쉬는데… 형준이 뒤에서 그 모습을 본다.

형준 이 팀장.

강현 (돌아본다. 한숨 나온다)

형준 뭐가 잘 안 풀려?

강현 (끄덕이고) 증거가 없어요….

형준 (물끄러미 화이트보드를 보다가) 이수 어머니 사건, 지문을 찾았어.

강현 (보는)

형준 그때 확인하지 않은 지문들이 있었어… 과수대에 보내 놨으니까 결과 나오면 너한테 가져올 거야. 거기서부터 다시 시작해 봐.

형준을 보는 강현에서.

12. 도로, 밤

갓길에 세운 이수의 차, 깜빡이는 비상등.
이수, 무겁게 가라앉아 있다.
한참을 고민하다가 최 이사에게 전화하는 이수.

최 이사 E 네.
이수 아저씨… 엄마 돌아가신 날… 형이 사고를 당했어요?
최 이사 E 네… 그랬었죠.
이수 어떻게 된 건데요?
최 이사 E 자세히는 몰라요. ○○병원에 입원했다고만 들었어요.

전화 끊고, 한숨을 쉬는 이수.
생각에 잠긴다.

13. 이수의 집 전경, 아침

14. 이수의 집 침실, 아침

이수, 고민이 많은 얼굴로 침대에 걸터앉아 있다.
한숨을 쉬는데, 오는 문자

<진승주 회장 취임식 일정>
오늘이다. 문자를 가만히 보는 이수.

15. 이수의 집 앞, 오전

강현, 집에서 나오는데, 이수가 대문 앞에 앉아 있다.
강현이 보면, 고개 들어 강현을 보는 이수.
일어나 강현에게 온다.

이수 어제… 당시에 일했던 운전기사님을 만났어.
강현 (보는데)
이수 조희자… 알리바이가 있어.
강현 …
이수 근데, 그날 밤에… 형이 나갔다가 교통사고를 당했대.
강현 !
이수 병원에 알아봤는데 정확한 경위를 몰라.
어디서 어떻게 사고를 당한 건지 알아봐 줘.
강현 (차분히 끄덕이고) 알았어. 내가 확인해 볼게.

이수, 끄덕이고 돌아선다.
잠시 보다가 차를 몰고 나가는 강현에서.

16. 소방서 전경, 낮

17. 소방서 사무실, 낮

강현, 소방관 앞에 서 있고.

소방관 98년이요?

강현 네, 98년 10월 15일이요.

119 구급대가 신고를 받고 환자를 이송한 기록이 있을 거예요.

소방관 아… 잠깐만 기다려 주실래요?

강현 네.

강현, 사무실 벤치에 앉고 소방관은 상급자와 상의한다.

그 모습을 보는 강현에서.

18. 이수의 집 일각, 낮

굳은 얼굴로 옷을 갈아입는 이수.

결전을 준비하듯 양복을 입는다. (취임식 참석용)

19. 소방서 사무실, 낮

생각에 잠겨 있는 강현.

소방관 형사님, 여기 나왔습니다.

강현, 다가가 종이를 받고 놀란다.

깊은 한숨을 쉬는 강현에서.

20. 이수의 집 거실, 낮

이수, 옷을 입고 소파에 앉아 있다. 긴장된 얼굴.
강현에게서 전화 온다. 받는 이수.

강현 E 확인했어. 사고 장소는 강하1동 34번지야.

이수 …

강현 E 지금은 새정로.

이수 !!

INSERT. *이수 집 골목의 주소 현판 <강하1동 새정로>*

무겁게 한숨을 내쉬는 이수.
이내, 굳은 얼굴로 일어나 나간다.

21. 한수 그룹 전경, 낮

줄지어 들어오는 고급 차량들.

22. 한수 그룹 이벤트 홀, 낮

사람들이 옹기종기 모여 서 있고,
승주는 멋지게 차려입고 연단에 서 있다.

승주 지금 한수 그룹은 위기에 빠져 있습니다.
시대의 변화를 따라가는 것이 아니라, 흐름을 선도하는 기업으로 탈바꿈해야 합니다… 아버지의 갑작스런 죽음으로 황망한 마음일 줄 압니다.

하는데, 들어오는 이수와 최 이사.
그런 이수를 보는 승주. 마치 둘만 있는 것처럼 서로를 보는.

승주 하지만 우리는 과거를 잊고 앞으로 나아가야 합니다.
아버지의 뜻대로 더 강한 한수를 만들겠습니다.

박수 치는 사람들.
승주가 내려오며 고위직 임원들과 악수를 한다… 약간 굳은 얼굴.
한쪽에 서서 승주를 보는 이수.
서서히 사람들을 지나 이수에게로 다가오는 승주.
굳어 보는 이수. 조금 떨어져 선 최 이사.

승주 (이수 보며) 왜 이렇게 늦게 왔어?
이수 (보다가) … 물어볼 게 있어.
승주 (의아해 보고)
이수 형… 25년 전, 그날… 우리 엄마 만났어?
승주 (갑자기 무슨 소린가, 굳고) 갑자기 무슨 소리야?
이수 엄마 돌아가신 날, 집에 왔었냐고.
승주 (굳어 보고)
최 이사 (승주를 보는데)
이수 (차갑게) 대답해.
승주 (한숨) 아니, 그런 일 없어. 거기가 어딘 줄 알고 가.
이수 (싸늘하게 굳는다)
승주 (한숨) 이수야… 다 지난 일이잖아.
앞으로 우린 할 일이 많아. 우리 둘이 한수 그룹을 이끌어야 된다고.
이수 난 그딴 거 관심 없어. 엄마가 왜 죽어야 했는지, 책임져야 할 사람이 누군지 그것만 알고 싶어.

승주 … 너는… 책임질 사람이 나라고 생각하는 거야?

굳은 얼굴로 서로를 보는 형제.
승주를 보는 최 이사에서.

23. 한수 그룹 회장실, 저녁

커다란 회장실, 물끄러미 회장 자리를 바라보는 승주.
한쪽에 명철의 사진이 있다.
자리에 앉지 못하고 명철의 사진을 보는데…

각기 보고 자료 들고 임원들이 들어온다.
승주에게 인사하고 회의 테이블에 앉는 사람들.
승주도 회장 자리를 등지고 회의 테이블에 앉고.

CUT TO

임원 1 영일전자 인수 건을 다음 주 내로 마무리 지을 계획입니다.
승주 그 건은 저도 잘 알고 있습니다. 그렇게 진행하세요.
임원 2 한수 화학 공장 부지는 이번 주 안에 결정을 해야 합니다.
승주 제가 확인하겠습니다.

하는데, 똑똑 노크 소리 나더니 최 이사가 들어온다.
뒤로 따라 들어와 서는 비서.
일동, 최 이사를 보고. 최 이사는 승주만 본다.

승주 최 이사님?

최이사 할 얘기가 있습니다. (임원진들 보며) 자리 좀 비켜 주시죠.

승주 (차가워지는) 저희 지금 회의 중입니다.

최이사 (승주 보다가 임원진 보고) 다들 나가지.

눈치 보던 임원진들 심상치 않은 분위기에 나가고…
승주는 그게 기분이 나쁘고.

최이사 회장님… 네가 죽인 거냐?

승주 (짜증 나서 보고)

최이사 비겁하게 수면제를 먹이고, 블랙박스를 지운 거야?

승주 (노려보는데)

최이사 이수 엄마… 선영이도 그렇게 죽였어? 저 자리 때문에?

승주 (보는데)

최이사 진승주. 넌 저 자리에 앉을 자격 없어. 내가 끌어내릴 거다.

승주 (차분해진다. 일어서며) 안타깝네요….

최이사 (보는데)

승주 한수 제약에 있을 때만 해도… 현명한 분이셨는데…
총기를 많이 잃으셨네.

최이사 (보는데)

승주 이제, 한수 그룹에서 나가 주시죠. 해고입니다.

최이사 (차갑게 보며) 언제까지 숨길 수 있다고 생각해?
이수를… 막을 수 있어?

차갑게 서로를 보는 두 사람에서.

24. 희자의 병실, 저녁

희자, 소파에 앉아 있고, 도우미 아주머니가 옆에서 사과를 깎고 있다.
멍한 얼굴로 허공을 보는 희자를 보며 안타까워하는 도우미. (나이 있는)

도우미 사모님이 빨리 기운을 차리셔야죠.
오늘 아드님이 회장님 되셨는데, 엄마가 없어서 얼마나 허전하겠어요.

희자 (그 말에 도우미를 본다)

도우미 어머, 정신이 드세요? 그래요. 아드님이요… 오늘 취임식 하셨어요.

희자 승주…?

도우미 네, 진승주. 사모님 아들.

희자, 도우미를 멍하니 보는데.

도우미 선생님 불러올게요.

하고는, 사과 깎던 칼을 놓고 나간다.
그때, 희자의 머리를 때리는 기억들.

INSERT. *희자의 기억들.*

승주 *엄마가 원했던 거잖아요… 무슨 수를 쓰든 한수 그룹을 가져야 한다고… 그렇게 가르쳤잖아요….*

희자 *우리 아들. 엄마한테는 너밖에 없어.*

승주 *엄마 아들로 사는 건 고통이었어요….*

희자 *고개 들어. 넌 한수 그룹의 주인이 될 사람이야.*

경악하는 희자, 기억이 밀려온다. 그 시선 끝에 과일칼이 보인다.

25. 한수 그룹 회장실, 밤

승주, 회장 자리에 앉는다. 생각에 잠기는데…
전화 오고 받는 승주.

비서E 회장님, 사모님께서…!

놀라 굳는 승주.

26. 정신병동 복도, 밤

황망한 얼굴로 뛰어가는 승주.

27. 정신병동 1인실, 밤

승주가 급히 들어가면,
좁은 1인실, 희자, 환자복, 초췌한 얼굴.
손목에 붕대를 감고 팔다리가 묶여 있다.
진정제를 맞아 잠든 희자의 모습을 내려다보는 승주.
붕대 감은 희자의 손목을 잡는다…
그대로 고개를 숙이는 승주… 깊은 한숨에서….

28. 강력팀 사무실, 밤

이수, 기운 없이 들어온다. 사무실이 텅 비었다.

강현의 자리로 가는 이수.

어디 갔나, 둘러보다가 책상 위의 파일을 본다.

<1998년 강하동 사건 지문 조회>

'이게 뭐지?' 들어서 보는 이수.

INSERT. *파일.*

두 건의 미확인 지문 확인 내용.

진이수… 그리고 진승주.

주스 잔에서 진승주 지문 확인. 지문에서 수면제 성분 검출.

충격을 받는 이수. 범인은 형이다!

이수, 굳은 얼굴로 서류를 내려놓는다.

잠시 강현의 책상 아래 서랍장을 보는 이수… 뭔가 생각하는데.

CUT TO

들어오던 경진이 이수를 보고.

경진 형님?

하는데, 무섭게 사무실을 나가는 이수의 얼굴에서.

29. 이수의 집, 밤

굳은 얼굴로 집 안으로 들어가는 이수.

현관을 지나 복도를 걸어서… 화장실 앞까지 가는 이수와 회상이 교차된다.

#9부

대회의실 앞, 명철에게 화내고 나가는 이수를 보는 승주.

#10부

호텔 펜트하우스, 도시락을 놓고 마주 앉은 형제.

이수 알고 싶어. 왜 그런 선택을 했는지….

승주 (안타깝고) 그런 생각 하지 마. 네가 다쳐….

CUT TO

승주 내가 네 편인 거 알지?

현재, 굳은 얼굴의 이수.

#13부

한수 그룹 부회장실.

승주 이수야… 내가 단 한 번이라도 너한테 거짓말한 적 있어?

#16부

한수 그룹 이벤트 홀

승주 (한숨) 이수야… 다 지난 일이잖아.

물끄러미 화장실을 보는 이수….

#5부

이수의 집, 처음 와서 화장실을 보던 승주의 굳은 얼굴.

#10부

호텔 펜트하우스.

승주 (안쓰럽게 보고) 얘기 들었어… 그땐 나도 어렸을 때라… 그런 일이 있었는지 몰랐다.

이수, 차갑게 굳는데….

전화가 온다. 최 이사다. 이수, 받으면.

최 이사 E 조희자 씨가… 자살 시도를 했습니다.

이수 (차가워지며) 조희자는 알리바이가 있어요.

그런데도 자살 시도를 했다는 건… 범인이 아들이라는 뜻이죠.

최 이사 E … 어떻게 하실 겁니까…?

굳은 얼굴로 생각에 잠기는 이수에서.

30. 도로, 승주의 차 안, 밤

승주, 굳은 얼굴로 운전하는데. (혼자다)

이수에게서 전화 온다. 연결하면.

이수 E 형. 얘기 좀 하자.

승주 (지친다) … 회사로 와.

이수 E (단호하게) 아니, 형이 내 집으로 와. (끊고)

승주 (생각하다 결심하고 차 돌린다)

31. 이수의 집 앞, 밤

승주, 차를 주차하고 내린다.
이수의 집을 본다. 대문이 열려 있다.
걸어 들어가는 승주.

32. 강력팀 사무실, 밤

준영과 경진이 회의 테이블에 있고.
자리로 오던 강현이 파일 발견한다.
파일이 열려 있다. 내용 확인하고, 혹시 싶어 경진을 보는 강현.

강현 이거 누가 봤어?

경진 아까 이수 형님이….

준영 이게 뭔데? (서류를 들어 보는데)

강현, 불길한 예감이 드는데…
책상 위에 놓인 서랍 열쇠 뭉치. 맨 아래 서랍이 살짝 열려 있다.
서랍을 열어보는 강현. 총기 보관함이 열려 있고, 총이 없다!
(강현이 열쇠를 어디에 두는지 아는 이수가 총을 가져간 것)

강현 !!! (급히 이수에게 전화한다)

준영, 경진 (서랍 안을 보고 사태 직감)

받지 않는 전화… 긴장한 강현의 얼굴.

강현 진이수 어디 있는지 빨리 찾아!!

33. 이수의 집, 밤

#현관

열린 현관문, 들어가는 승주의 굳은 얼굴.

#부엌

거실로 들어서면 부엌 테이블에 이수가 앉아 있다.
이수를 보고 다가가는 승주.

이수 (차갑게 굳은) 앉아.

이수의 뒤로 이동하는 카메라가 승주를 비춘다.
동시에 이수의 뒤춤에 있는 총이 보인다.

승주 (가만히 이수를 보다가 앉으면)

이수 마셔.

보면, 테이블에 오렌지 주스 두 잔이 놓여 있다.
순간, 표정이 변하는 승주.

INSERT. *25년 전의 테이블. 같은 컵 주스 두 잔. 컷.*

승주, 다시 이수를 보는데.

이수	왜, 못 마시겠어?
승주	(싸늘) 뭐 하는 거야?
이수	엄마가 죽은 현장에서 형 지문이 나왔어.
승주	!
이수	이 주스 잔에 묻어 있었어. 당시엔 자살로 판단했고, 등록되지 않은 지문이라 확인할 수 없었던 거야.
승주	(보는데)
이수	형이… 우리 엄마 죽였어?
승주	(한숨 쉬고) 너 언제까지 이럴 거야? … 관두자.

승주, 일어서는데 총을 겨누는 이수!
자신에게 총을 겨눈 이수에 열 받는 승주.

이수	우리 엄마… 죽였냐고!!
승주	(버럭) 내가 여기서 너네 엄마를 만났으면 뭐! 주스를 마셨으면 그게 뭐라는 거야!
이수	형 지문에서 수면제가 나왔어.
승주	!!!
이수	(일그러지는) 대답해! 죽였어?!!

이수를 보는 승주, 굳은 얼굴에서.

34. 승주의 회상, 명철의 집 거실, 밤

어두운 실내. 테이블에 와인 병, 잔.

주변에는 희자가 집어던진 물건들로 엉망이다.

술에 취한 희자, (선영 사망 당일, 같은 옷)

옆의 중학생 승주. 불안한 얼굴.

희자 (가만히 승주를 보다가) 아들… 우리 같이 죽을까?

승주 …?!

희자 (수면제 병을 열어 쏟아 붓는다)

승주 (놀라 보는데)

희자 이거 먹으면 그냥 자는 것처럼… 고통 없이 죽을 수 있어.

희자, 술병에 약을 한 알, 두 알 넣는다….

승주 (겁에 질린 승주) … 엄마….

희자 … 무섭니? 이 집에서 쫓겨나면 더 끔찍할 거야….

승주 …?

희자 (승주 보다가) 아버지가 우릴 쫓아내려고 해. 진짜 아들이 나타났거든.

승주 (굳어 보는) !

희자, 다시 알약을 술병에 넣는데….

승주 (희자 손잡고) 엄마!! 그만 해요!

승주, 급히 테이블의 수면제들을 주머니에 넣는다.

희자　　죽어야 돼. 난 그냥은 못 나가….

승주　　아버지가 그럴 리 없어요.

희자　　넌, 아버지를 믿니…? 아버지는 냉정한 사람이야….

기운 없이 소파에 기대는 희자.
승주. 한숨을 쉬다가 약을 모두 주머니에 넣는다.
이 사태를 어떻게 해야 하나 고개를 숙이는 승주…
돌아보면 희자는 잠이 들었다.
보다가 일어나서 명철의 서재로 향하는 승주.

35. 승주의 회상, 명철의 집 서재, 밤

승주, 들어와서 책상을 뒤진다.
서랍을 열어 보던 승주가 멈칫한다.
서랍 안에 서류가 있고, 열어 보면, 이혼 서류다.
그제야 충격을 받는 승주. '이혼을 준비하는 게 사실이구나.'

36. 승주의 회상, 명철의 집 거실, 밤

잠든 희자 옆에 아무렇게나 내팽개쳐진 가방.
가방을 뒤지는 승주. 가방 안에서 휘갈겨 쓴 주소가 나온다. (이수의 집 주소)
그걸 들고 희자를 잠시 보다가 나가는 승주에서.

37. 승주의 회상, 명철의 집 앞, 밤

승주가 급히 나오는데, 희자의 차 옆에 있던 운전기사가 승주를 본다.

멈칫하는 승주.

운전기사 어디 가시게요?

승주 (얼버무리고) 잠깐 나갔다 오려고요.

운전기사 모셔다 드릴게요.

승주 아니 괜찮아요. 이 근처예요.

운전기사 타세요. 비 올 거 같은데….

승주 필요 없다고요!

밸고 가는 승주를 약간 불안하게 보는 운전기사에서.

38. 25년 전, 이수의 집, 밤

#이수의 방

창밖으로 비가 내리고 있다.

잠든 이수를 쓰다듬는 선영. 고민이 깊다.

그때, 울리는 초인종 소리. 나가는 선영.

#거실

인터폰을 보는 선영.

INSERT. *인터폰.*

비에 젖은 승주가 서 있다.

선영 누구세요?

승주 (고개 숙이고) 문 좀 열어 주세요….

선영 (보는데)

승주 저, 진명철 회장님 아들이에요….

한숨을 쉬는 선영.

승주를 보다가… 버튼을 누른다. 문 열리는 소리.

#현관

선영이 문을 열면, 승주가 서 있다.

선영, 가만히 보다가….

선영 많이 젖었네….

승주 (섰는데)

선영 (수건을 가져다주며) 들어와.

승주 (수건 받아 들고 선영을 본다)

#거실

머리를 닦고 앉은 승주. 무슨 말을 꺼내야 할지 모르겠고.

(테이블에는 선영의 핸드폰)

선영 뭐, 마실 거라도 줄까….

선영은 오렌지 주스 병을 가져와 따른다. 승주와 선영, 두 잔.

승주 (주스 잔을 받고 만지작거리고)

선영 (가만히 본다. 주스 한 모금 마시고)

승주 (주스 잔 내려놓고 어렵게) 아빠가 이혼을 하려고 해요….

선영 (보고)

승주 (불안한 얼굴) 저희 아빠랑 결혼하실 건가요?

선영 (고개 숙이고 생각하는)

승주 그럼… 엄마는 죽을 거예요….

선영 (승주 보다가) … 아니, 그런 일은 없을 거야.

승주 !

선영 나는 그럴 생각 없어. 그러니까 너무 걱정하지 마.

승주 (참았던 숨을 뱉는데)

선영 (가만 보다가) … 밥은 먹었니?

승주 (대답 안 하면)

선영 국수 끓여 줄까?

승주 (선영을 보는데)

선영 잠깐 기다려.

선영은 부엌으로 가고. 승주는 한숨을 내쉬는데
핸드폰이 진동한다. <명철 씨>
굳어 보는 승주. 전화를 받지 않자 문자가 온다.
<서류 준비 끝났어. 이제 너만 결정하면 돼.>
문자를 보며 일그러지는 승주.
'저 여자는 나한테 거짓말을 하고 있다.'
승주, 주머니에서 수면제를 꺼내 선영의 잔에 넣는다.
녹아내리는 수면제들. 굳은 얼굴로 보는 승주.

CUT TO
선영이 국수를 가져다준다.

선영 먹어.

승주, 보다가 억지로 먹는다.
그 모습을 보면서 주스를 마시는 선영.
선영을 보는 긴장된 얼굴의 승주….

CUT TO
선영의 빈 잔. 보는 승주.

선영 다 먹었니? 치우고 데려다줄게. 기다려.

선영이 국수 그릇과 주스 컵을 챙겨 부엌으로 가고.
초조한 얼굴로 앉은 승주.
그때, '쿵-' 선영이 쓰러지는 소리가 난다.
불안한 얼굴로 고개를 드는 승주. 가기가 겁이 난다.
그때, 다시 명철에게서 문자가 온다.
<지금 갈게. 한 시간 정도 걸릴 거야.>
결심하고 일어서는 승주. 싸늘히 굳은 얼굴.

CUT TO
쓰러진 선영을 끌고 가는 승주.

CUT TO
물이 쏟아지는 수도꼭지. 차오른 물.
그 안에 잠긴 선영.

39. 승주의 회상, 이수의 집 앞 골목, 밤

승주, 집에서 뛰어나와 골목에서 국수를 모두 토한다.
일그러진 얼굴로 비에 젖어 우는 승주.
뒤에서 차 헤드라이트가 비추면, 도망치듯 달리는 승주.
골목을 꺾어 달려가는 승주.
앞에서 달려오던 차가 승주를 친다.
바닥에 떨어지는 승주.
운전자 놀라서 나오고, 비는 쏟아지는데, 승주는 먼 곳을 보고 있다.
이수의 집을… '사람을 죽였다….'

40. 이수의 집, 밤

#부엌
일그러진 얼굴로 승주를 보는 이수.
서늘하게 노려보는 승주….

승주 죽였으면 어쩔 건데? 쏠 거야?
이수 (부들부들 떠는데)
승주 쏴. 답은 이미 알고 있잖아.
이수 우리 엄마는 아무 잘못도 없었어….
승주 (냉정하게 보는) 그래… 그때 널 죽일 걸 그랬지.

이수, 놀라는데, 그대로 달려들어 이수를 쓰러뜨리는 승주!
총이 거실 바닥으로 날아가고!
부엌 가구에 '우당탕' 부딪히는 이수. 왼팔을 세게 부딪힌다.
가구들 쓰러지고. 이수, 부러진 왼팔 잡는데…

이수를 붙잡아 주먹을 연거푸 날리는 승주.

승주 (때리며) 너만 없었으면!! 아무 일도 없었어!!
가만히 있으라고 했잖아!!

입가가 찢어진 이수, 승주를 보는데.
승주, 거친 숨을 내쉬며 이수를 본다.

승주 넌, 네 자리를 지키기 위해서 뭘 했어?
아무것도 안 했지. 아무리 철이 없고 사고를 쳐도 넌 아버지 아들이잖아.
난 무슨 짓이든 했어!! 네 엄마를 죽이고! 아버지도 죽였어!
그래야만 했으니까!!

이수 개소리 하지 마!!

소리 지르며 승주를 쓰러뜨리는 이수. 승주를 때리며 소리친다.

이수 입 닥치라고!!

얻어맞던 승주가 이수를 발로 차면 뒤로 밀리는 이수.
일어난 승주가 주먹을 뻗으면, 이수 피하며 승주를 발로 차 버린다.
형제, 거칠게 싸우며 거실로 간다.

#거실

싸우는 형제.
둘 다 가구에 부딪히고, 얼굴이 찢어지고 피투성이다.
하지만 싸움 실력은 이수가 한 수 위다.

어느새 얻어맞고 있는 승주. 얼굴이 피투성이고 이미 주먹을 들 힘도 없어 보인다.

바닥에 쓰러진 승주의 멱살을 잡는 이수, 때리려다 말고.

이수 … (고통 속에 보다가) 나한테 왜 잘해 줬어? … 미안했어?

승주 (피식 웃으며 위악을 떤다) … 불쌍해서.

그 말에 차갑게 식는 이수의 얼굴.

이내 멱살을 놓고 일어선다. 하찮다는 얼굴로 승주를 본다.

이수 나는 형이 가진 모든 것을 빼앗을 거야.

재산도 지위도 명예도… 아무 것도 없는 사람으로 만들어 줄게.

그게 형한테 어울리니까.

승주 시선 돌리는데, 소파 밑에 떨어진 권총이 보인다.

그때, 멀리서 다가오는 사이렌 소리 들리고, 이수가 잠시 돌아본 사이.

승주 E 네가… 그럴 힘이 있어?

이수, 돌아보면 어느새 총을 겨누고 선 승주.

피투성이 얼굴에 차가운 표정.

승주 네 어머니 사건은 공소시효가 지났고, 아버지는 증거가 없잖아.

여기서 널 죽이고 정당방위로 덮을 수도 있어.

이수 (승주를 노려보며 다가간다… 총구 앞으로)

아버지가… 형이 친자식이 아니라는 걸 알까 봐 무서웠지?

승주 (굳어 보는데)

이수 평생을 아버지 눈에 들려고 노력하고…
비밀을 숨기면서 살인까지 저질렀지…
(총구 바로 앞까지 간다) 비겁하고 잔인하게….

승주 (손을 떨면서도 쏘지 못한다)

이수 아버지는 처음부터 다 알고 있었어. 형이 친자식이 아닌 거.

승주 !!!

이수 다 알고 결혼한 거야… 그래도 형을 받아들이고 믿었어.
형은 그런 사람을 죽인 거야….

하얗게 굳는 승주의 얼굴. 정신이 아득해진다.

이수 형이 저지른 끔찍한 선택들은 다! 무의미한 거였다고.

총을 든 승주의 손이 툭 떨어진다.
죄책감과 후회를 덮으며 살아온 지옥 같은 인생이 모두 헛것이었나…
비난하듯 냉정하게 승주를 보는 이수의 시선에,
일그러지며 총구를 들어 자신의 머리에 겨누는 승주!
이수, 승주를 무표정하게 보고, 승주는 방아쇠를 당겨 버린다.
하지만, '철컥' 빈 소리가 나는 총.
승주 놀라 이수를 보는데, 총을 빼앗아 던져 버리는 이수.

이수 빈총이야.

승주 (허탈한 얼굴로 이수를 보는데)

이수 죽지 마. 평생 후회하면서… 살아.

힘이 빠진 승주가 무너지듯 주저앉는다.
차갑게 내려다보는 이수….

41. 이수의 집 앞, 밤

사이렌 울리는 승합차 멈추고, 강현과 준영, 경진이 급히 내린다.

42. 이수의 집 거실, 밤

사색이 되어 뛰어 들어오는 강현.

강현 진이수!!

보는데, 넋 나간 승주가 고개를 숙이고 있고
그 앞에 이수가 무표정한 얼굴로 서 있다.
이수의 어깨에 손을 올리는 강현.
이수, 돌아보면, 강현이 끄덕이며 수갑을 준다.
이수, 승주를 일으켜 수갑을 채운다.
뒤이어 들어온 준영과 경진이 이수를 보고, 총기 챙기고
승주를 데리고 나간다.
이수, 기운 없이 털썩 소파에 기댄다.
이수를 보다 가만히 감싸주는 강현에서… 암전.

43. 강하경찰서 로비, 오전

기자들 몰려서서 마이크를 내밀고 있고 정복을 입은 강현이 그 앞에 서 있다.

기자들 뒤로 멀리 서 있는 이수. 왼팔에 깁스를 하고 있다.

강현 진승주 씨가 사건 일체를 자백했습니다.
이로써 25년 전 사망한 김선영 씨는 살해된 사실이 입증되었습니다.

이 기자 공소시효가 지난 사건이라 기소가 불가능한 거 아닙니까?

강현 그 점은 경찰로서 안타까운 마음입니다. 하지만 (이수를 보며) 유가족에게는 진실이 밝혀지는 것이 더 중요할 거라고 생각합니다….

이수, 돌아선다. 복도로 걸어간다. 보는 강현.

기자 1 그럼 진승주 씨는 어떻게 되는 겁니까?

기자 2 진명철 회장 살인 사건 수사는요?

강현 그건 저희 담당이 아닙니다. 서울청에서 수사를 계속할 것입니다….

44. 강하경찰서 복도, 오전

이수, 굳은 얼굴로 걸어가는데, 맞은편에서 형준이 걸어온다.
보고 인사하는 이수.
형준이 다가오더니 무겁게 고개를 숙인다.

형준 미안하다… 범인을 너무 늦게 찾아서….

이수 아니에요. 그때… 저를 따뜻하게 보호해 주신 거 기억해요.

형준 (안쓰럽게 보는데)

이수 증거 찾아 주신 것도 감사합니다.

고개 숙이는 이수에서.

45. 뉴스 기사

진승주 회장이 모든 범행 일체를 자백했다.
회장 자리에 앉기 위해 평생 키워 준 아버지를 죽인 비정한 자식.
진명철 회장의 내연녀도 진승주가 죽인 것으로 밝혀져… 등등.

#강력팀 사무실

그 뉴스를 보는 강력 1팀.

#텅 빈 회의실

뉴스를 보며 굳은 최 이사.

#강현의 집 거실

뉴스를 보는 미숙. 안타까워하는 미숙의 얼굴.

46. 법정, 낮

피고인 좌석에 선 핏기 없는 승주.
멀리 판사가 판결을 시작하는데.

판사 E 피고는 친자식이 아니라는 사실을 알고도 평생을 키워 준 아버지를 본인의 욕심 때문에 죽였다.

승주는 이수를 돌아본다.
이수가 가까운 자리에 앉아 있다.
하지만 이수는 승주를 보지 않는다.

판사 E 또한 공소시효가 지났다고는 하나 이복동생의 엄마까지도 살해한 사실이 드러났다.

승주 (고개 돌려 판사를 향하는)

판사 이에 무기징역에 처한다.

승주, 다시 이수를 돌아보는데, 이수는 나가고 없다.
가라앉는 승주의 얼굴…
그때, 방청석이 웅성거리고 다른 방향을 보는 승주…
휠체어에 탄 희자가 복도로 들어온다.
승주를 보며 눈물을 흘리는 희자.
그 모습을 보다가 일그러지며 시선 피하는 승주….

47. 선산 전경, 낮

48. 명철의 산소 앞, 낮

명철의 무덤 앞에 선 이수.
잔을 하나 꺼내고, 위스키를 따른다.
자신의 잔도 채운다. 가만히 앉아 같이 술을 마시는 이수.

이수 이제야… 마주 앉았네요…
같이 술 한잔하는 거 아무것도 아닌데…
시간이 많을 줄 알았어요….

비석을 바라보는 이수. 바람이 불고…
빈 잔을 내려다본다.

이수 아버지 마음은 제가 전할게요….

49. 납골당, 낮

선영의 안치단을 보고 있는 이수.
직원이 안치단을 열어 주고 인사하고 가면,
이수가 유골함 옆에 명철이 갖고 있던 편지와 목걸이를 놓는다.
슬픈 얼굴로 보는 이수.

이수 (목걸이를 보면서) 엄마… 아버지가 전하지 못했던 선물이야…
(씁쓸히 미소) 다 알고 있었지? 이제 거기서 같이 있을지도 모르겠네…
보고 싶다… 엄마랑 같이 살던 날들이… 꿈같아….

유골함을 보는 이수에서.

50. 강현의 집 앞, 오전 – 낮

출근하던 강현이 잠깐 이수의 집을 본다.
이내 출발하는 강현의 차.

CUT TO
이수의 차, 집 앞에 서고 이수 내린다.
잠시 후, 가방을 챙겨 나온 이수가 차에 타려는데,
강현의 집에서 나오는 미숙.
이수, 미숙을 보고 인사하는데….

미숙 (미소) 왔네….

이수 잠깐 뭐 좀 가지러 왔어요.

미숙 … 밥 먹었어?

이수 … 아뇨.

51. 강현의 집 부엌, 낮

이수, 식탁에 앉아 있고 테이블에는 반찬 몇 가지.
미숙이 이수 앞에 면기를 내려놓으면 국수다.
가만히 국수를 보는 이수.

INSERT. *14부, 이수의 집.*

선영 *우리 이수, 배고프지? 엄마가 국수 만들어 줄게.*

어린 이수 앞에 놓여 있던 국수에서.
미숙이 만들어 준 국수로…
이수, 눈물이 핑 돈다.

미숙 (이수를 보다가) 고생 많았어. 힘들었지?

이수 (끄덕이며 눈물 닦는다) 힘들었어요….

이수, 참으며 우는데,
미숙이 와서 등을 쓸어 준다.

미숙 이제 좋은 날 올 거야… 잘 버텼어….

흐느끼는 이수에서… 암전.

52. 시간의 흐름 몽타주

#한수 그룹

회장실, 명패 없이 빈자리.

#강하서앞

비서가 모는 차를 타고 가다가 강하경찰서를 잠시 보는 이수.

이내 고개 돌리는.

#강하경찰서

사무실, KCSI 대원에게 자료를 받고 돌아서다가 문득 이수의 빈 책상을 보는 강현.

#한수 그룹

회의실, 임원진과 회의하는 이수와 최 이사.

#강하경찰서

사무실, 범인을 순경에게 인계하고 문득 이수의 책상을 보는 준영.

#한수 그룹

회장실, 테이블에 앉아 서류들을 검토하다가 빈 회장 자리를 보는 이수.

#강하경찰서

밤, 빈 사무실에서 무심히 이수의 명패를 켰다 껐다 하는 경진.

53. 강하역 근처 닭갈비 집 앞, 밤

식당 앞 메뉴판 보며 서 있는 윤 박사. 메뉴는 모두 2인분이다.
옆에 와서 같이 보는 준영.

윤 박사 (준영 보고) 어?

준영 메뉴가 또…. 다 2인분이네요.

윤 박사 (미소) 그러니까요. 혼자 사는 사람은 먹을 게 없어요.

준영 같이 먹을까요?

윤 박사 좋아요.

54. 닭갈비 집, 밤

윤 박사, 맛있게 먹는데, 준영은 잘 안 먹는다.

윤 박사 왜 안 먹어요? 맛있는데?

준영 (멋쩍게) 사실… 저, 저녁 먹었어요.

윤 박사 근데 왜?

준영 그냥… 같이 있어 드리고 싶어서요.

윤 박사 (미소로 보는데)

준영, 머쓱해서 시선 돌리는데,
벽걸이 TV에서 뉴스 나온다. (묵음)

INSERT. *뉴스 화면.*
<사상 최연소 회장의 탄생?>
한수 그룹 전경을 배경으로 이수의 사진.

윤 박사도 같이 TV 보다가.

윤 박사 취임식이 내일이죠…?

준영 (끄덕이면)

윤 박사 이제 자기 자리로 돌아갔네요.

준영 여기 오래 있을 사람은 아니었죠….

윤 박사 이 팀장이 서운하겠어요. 둘이 잘 맞았는데….

55. 한수 그룹 회장실, 밤

이수, 쌓인 자료들 사이에서 도시락을 먹고 있다.
이내, 식욕이 없는지 젓가락을 내려놓는 이수. 창밖을 보고….

56. 강현의 방, 밤

밤, 고양이 동영상 틀어져 있고, 강현은 얼음 소주 한 잔 달그락거리며 딴생각에 빠져 있다. 문득 일어나 창밖을 보는 강현.
이수의 집에는 불이 꺼져 있다. 핸드폰을 열고 이수를 찾는 강현… 전화를 할까 하다가 하지 않는다.

57. 한수 그룹 전경, 오전

줄지어 들어오는 차량들.

58. 한수 그룹 회장실, 오전

서서 거울을 보는 이수. 멋지게 차려입은.

59. 한수 그룹 이벤트 홀, 오전

이벤트 홀로 걸어 들어가는 이수.

만면에 미소. 박수 치는 사람들….

60. 강력팀 사무실, 오전

들어오던 강현, 이수의 책상을 본다. 손으로 가만히 쓸어 보는 강현.

강현의 시점에서 이수의 모습들이 스친다.

#1부

강하경찰서 앞, 인형탈 벗는 강현을 보고 씩 웃는 이수.

#3부

선착장 주차장, 강현의 시점.

루미놀 들고 신나게 걸어가는 이수의 뒷모습.

#3부

겁에 질려 헬기 조종하는 이수를 보는 강현.

씩 웃는 이수 컷.

#3부

염습실 앞, 정이나의 시신을 가만히 바라보는 이수와 강현.

#4부

달리는 이수 차 안의 이수와 강현.

#6부

클럽에서 멋지게 차려입은 이수.

#7부

짠 갈비탕 먹고 놀란 이수의 모습.

그 모습 보고 웃던 강현.

#8부

진술 녹화실, 왕종태를 데려와 화난 서장에게.

이수 제가 모셔왔습니다.

#8부

강하경찰서 옥상. 이수, 화분에 USB를 던지고, 라이터 기름을 붓고 불을 붙인다.

이수 내가 잃어버린 걸로 할게.

#9부

골드 픽처스, 대표 자리에 앉아 씩 웃는 이수.

이수 (미소) CEO, 진이수.

#10부

부동산 사장 보고 웃는 이수.

이수 그럼 얘기가 빠르겠네요.

#10부

우상태 집 앞, 집 안을 보고 나와서.

이수 집이 음침해요.

#11부

나한원 사택, 이수를 업어치기 하는 강현.

강현 (놀라서, 소리 죽여) 진이수? 네가 왜 여깄어?

이수 ('아…' 허리 잡고) 너는 왜 여깄어?

#12부

나한원 사택, 덩치들을 보며 서로 등을 맞댄 이수와 강현.

#12부

수조 바닥, 물이 고인 바닥에서 심폐소생술을 하고 있는 이수.

이수 강현아… 제발… 일어나…! 이강현!!

#12부

기자 회견장, 이수와 로우 파이브 하는 강현.

강현, 생각에 잠겨 있는데 경진이 들어온다.
강현을 보는 경진.

강현 (시선 들고) 이 책상… 이제 치워야겠다.

강현이 자신의 자리로 향하면, 씁쓸하게 이수의 책상을 보는 경진.
준영이 들어서면서 경진을 본다. 툭 치고.

경진 팀장님이 책상 치우라는데요.

준영 (잠시 강현 보고) 그래, 치워야지.

준영이 자리로 가면, 아쉬운 듯 이수의 자리를 보는 경진.

CUT TO
조용히 일하는 1팀 분위기. 창밖을 보는 강현. 눈이 내린다.
가만히 보다가 서랍을 열어 결재 파일을 꺼내는 강현.
열어 보면, 이수의 사직서가 들어 있다.
파일 들고 일어나는 강현. 사무실을 지나 문으로 가는데…
거짓말처럼 머리에 눈을 털면서 이수가 들어온다.
놀라 보는 강현.

강현 진이수?

이수 (미소) 밖에 눈 온다.

강현 (보는데)

경진 형님!! (달려오고)

준영 (자리에서 빙글 웃으며 이수 보는네)

강현 어떻게 된 거야?

이수 출근한 겁니다, 팀장님. (명패 '탁' 불 켜고)

강현 회사는?

이수 아버지 뜻에 따라서 딱 맞는 분한테 맡겼지. (빙글)

INSERT. 한수 그룹 이벤트 홀
연단에 선 이수. 이수의 말을 기다리는 사람들.

이수 *우선, 저를 회장으로 추대해 주신 여러분들께 감사드립니다. (사람들 보고)*
아버지는 정말 능력이 있는 사람이 한수 그룹을 이끌기를 바라셨습니다.
근데, 여러분도 아시다시피, 저는 능력이 조금 모자라요. (빙글) (어리둥절한 사람들)
그래서 여러분이 믿고 따를 수 있는 훌륭한 분을 모셨습니다.

이수가 소개하듯 팔을 펼치면 나타나는 최 이사.
미소 지으며 이수에게 다가오는 최 이사.
당황했던 사람들이, 올바른 선택이라는 듯이 박수를 치기 시작한다.
웃으며 최 이사를 보는 이수에서.

경진 (이수 붙잡고 신나서) 잘하셨어요!!

하는데, 여전히 의아한 얼굴로 이수를 보고 있는 강현.

이수 (살짝 긴장) 혹시, 사직서 올린 거 아니지?

강현 (흥, 놀린다) 어, 지금 가는 중이었어.

강현, 지나쳐 가려고 하면.

이수 (붙잡고) 안 돼.

경진 (같이 잡고) 안 돼요!!

강현 이거 내가 너무 오래 들고 있었어, 보고해야지.

이수 아, 이 팀장~!

강현 장기 무단결근이야.

이수 시말서 쓸게!

준영 (보고 웃고) 한두 장 갖고는 안 될 거 같은데… 한 20장 써야겠다.

이수 아, 쓸게, 쓴다고!

울리는 전화. 급히 달려가 전화를 받는 이수.

이수 (전화 받는다) 네, 강력 1팀입니다… 네.

웃으며 보는 강현과 경진. 준영.

이수 (끊고 돌아보며) 사건 들어왔어.

서로 보는 강력 1팀.
소지품 챙겨서 함께 나가는 강력 1팀의 모습들.

61. 강하경찰서 입구, 오전

로비에서 웃으며 나가는 강력 1팀의 모습에서.

16화 엔딩.

Flex X Cope

Opera,

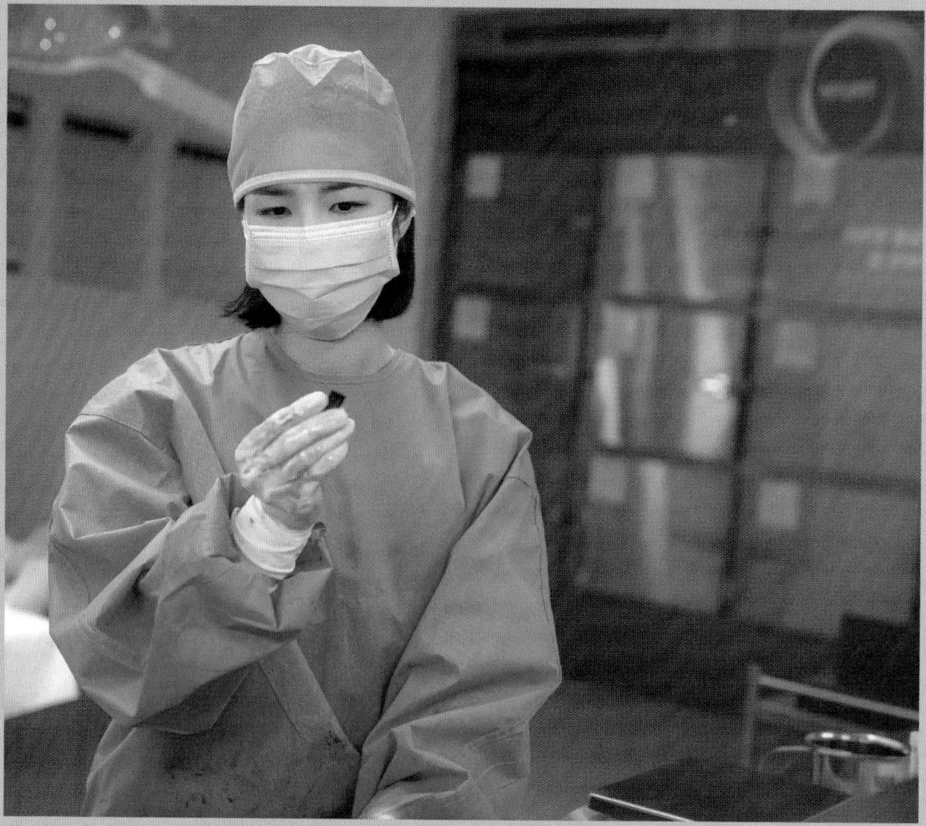

6
이 형 준
LEE

KCSI
2

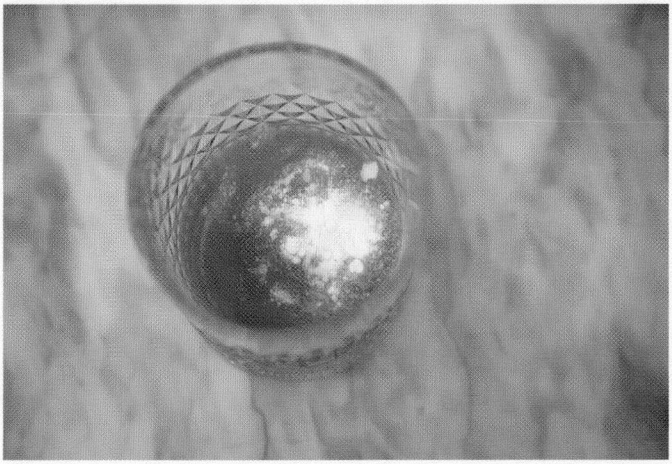

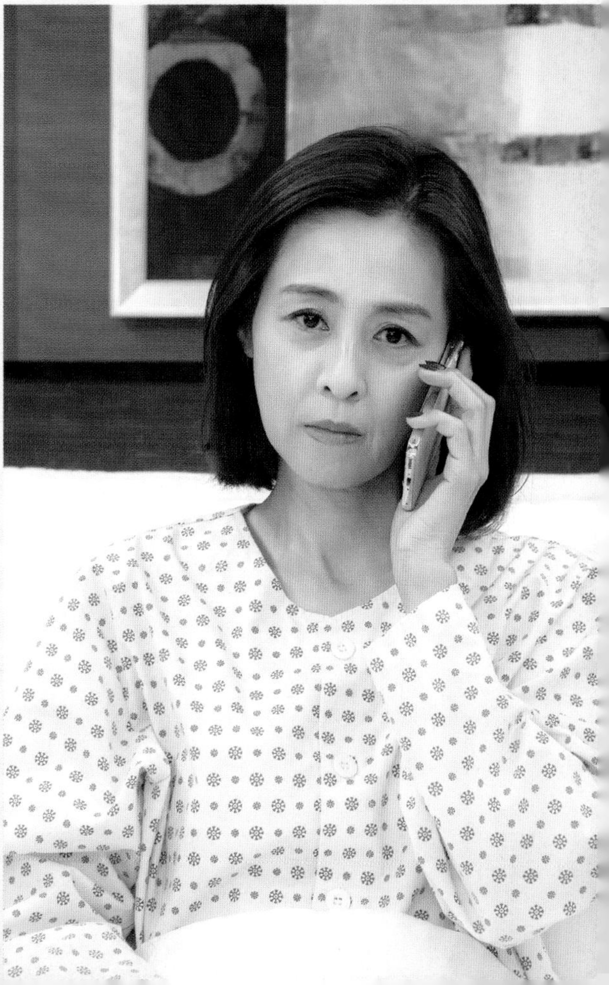

2차절도사건
신고접수일시 : 2023. 11.
사건발생장소 : 서울특별시
[2차 피해자]
이채
피해액
도난물품 :
엘리베이터,
CCTV에서
특정되지 않음
절도사
서울

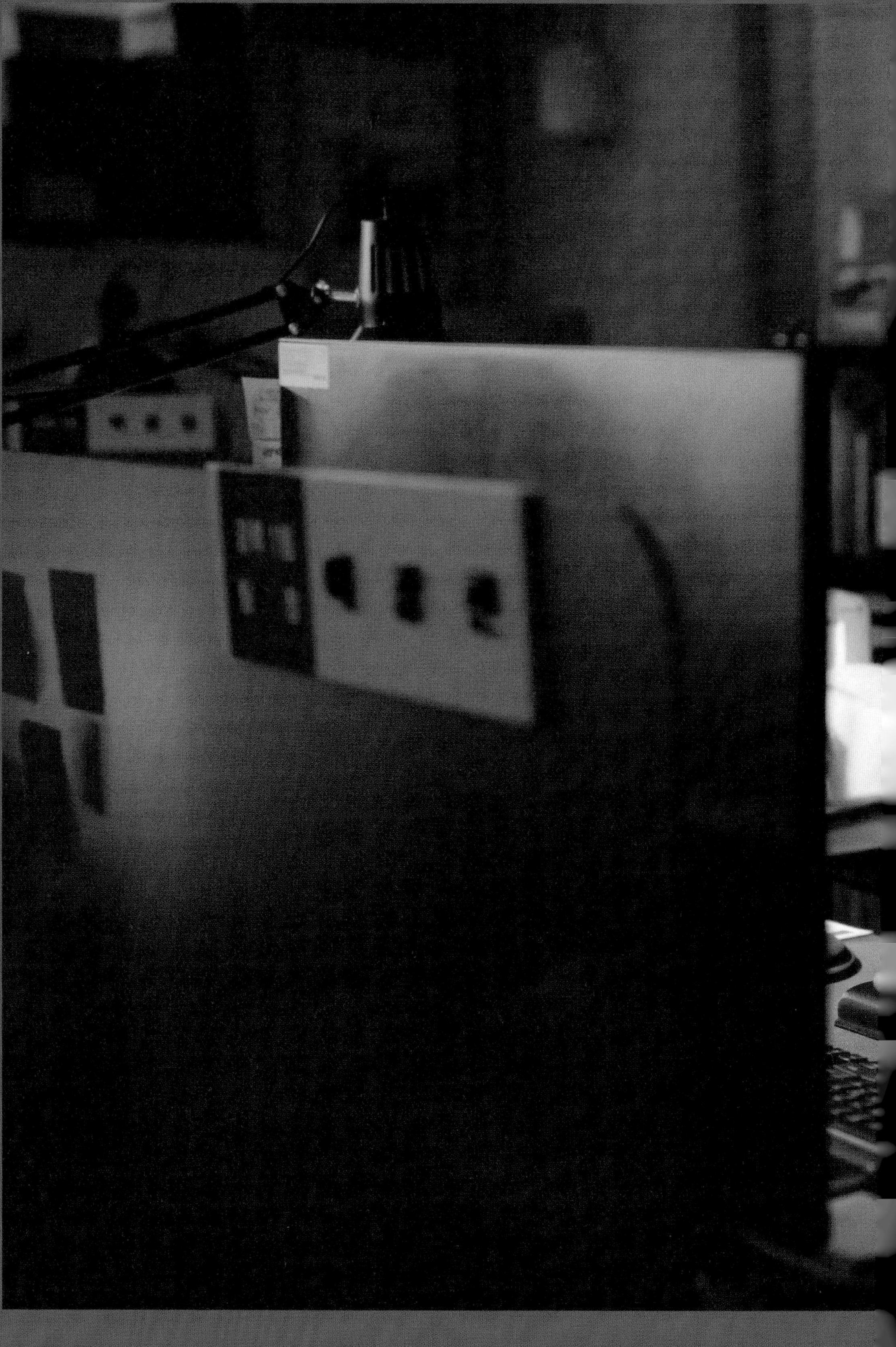

KNP.SWAT

진이수
JIN

넌 아직도 기분에 따라
생각 없이 행동하는 철부지일 뿐이야. _진명철

남겨진 사람들은
이유를 알고 싶어 하지만… 답은 없어.
그냥… 그런 일이… 벌어진 거야….

_이강현

네 이름이야. 이로울 이, 손 수.
세상에 도움이 되는 사람이라는 뜻이야.
엄마는 이수가 그런 사람이 됐으면 좋겠어.

_선영

엄마… 미안해… 너무 늦게 알았어…
엄마가 얼마나 힘들었는지… 왜 그렇게 날 떠났는지…
정말 알고 싶지만… 이제 그런 생각은 안 할게.
엄마가 지어 준 이름대로… 세상에 도움이 되는 사람으로 살게.
그러니까… 지켜봐 줘….

_진이수

그냥 이렇게 옆에 있어 주는 거, 좋더라고.

_진이수

진이수… 미안해….
나… 난 수영을 못 해. _이강현

이수, 오늘 좀 위험했었나 봐요….
전화 한번 해 주세요.
_진승주

나다. 괜찮니?
그래… 내일 병원 가 봐라.
_진명철

이수야… 내가 단 한 번이라도 너한테 거짓말한 적 있어? _진승주

네가 보기보다 꽤 괜찮은 사람이라는 걸
알려면 시간이 좀 필요하지….
앞으로 피나는 노력을 하면,
좋은 형사가 될 거 같기도 하고?
_이강현

… *좋은 아버지가 되고 싶었어.*
그래서 널 데려왔다.
_진명철

진승주. 넌 저 자리에 앉을 자격 없어.
내가 끌어내릴 거다.
_최 이사

넌, 네 자리를 지키기 위해서 뭘 했어?
아무것도 안 했지.
아무리 철이 없고 사고를 쳐도 넌 아버지 아들이잖아.
난 무슨 짓이든 했어!! 네 엄마를 죽이고! 아버지도 죽였어!
그래야만 했으니까!!
_진승주

나는 형이 가진 모든 것을 빼앗을 거야.
재산도 지위도 명예도…
아무 것도 없는 사람으로 만들어 줄게.
그게 형한테 어울리니까. _진이수

이제야… 마주 앉았네요…
같이 술 한잔하는 거 아무것도 아닌데…
시간이 많을 줄 알았어요….
아버지 마음은 제가 전할게요….

_진이수

엄마…
아버지가 전하지 못했던 선물이야…
다 알고 있었지?
이제 거기서 같이 있을지도 모르겠네…
보고 싶다… 엄마랑 같이 살던 날들이… 꿈같아….

_진이수

이제 좋은 날 올 거야… 잘 버텼어….

_고미숙

재벌X형사 하권

초판 1쇄 인쇄
2024년 3월 26일
초판 1쇄 발행
2024년 4월 5일

글
김바다

펴낸이
백영희

펴낸곳
너와숲ENM

주소
14481 경기도 부천시
부천로354번길 75, 303호

전화
070-4458-3230

등록
제2023-000071호

ISBN
979-11-93546-15-4(04680)
979-11-93546-13-0(세트)

정가
28,000원

이 책을 만든 사람들

편집
허지혜
마케팅
유승현

제작처
예림인쇄

디자인
글자와기록사이

Flex X Cop

이강현 박지현

재벌X형사